KB184799

어떤 생각이 평범한 사람을 최고로 만드는가?

어떤 생각이 평범한 사람을
최고로 만드는가?

초판 1쇄 인쇄 2021년 4월 05일
초판 1쇄 발행 2021년 4월 12일

지은이 라이언 고트프레드슨 **옮긴이** 최경은
펴낸이 이상순 **주간** 서인찬 **영업이사** 박윤주 **제작이사** 이상광

펴낸곳 (주)도서출판 아름다운사람들
주소 (10881) 경기도 파주시 회동길 103
대표전화 (031) 8074-0082 **팩스** (031) 955-1083
이메일 books777@naver.com **홈페이지** www.book114.kr

ISBN 978-89-6513-643-9 (03190)

이 도서의 국립중앙도서관 출판예정도서목록(CIP)은 서지정보유통지원시스템 홈페이지(http://seoji.nl.go.kr)와
국가자료종합목록시스템(http://www.nl.go.kr/kolisnet)에서 이용하실 수 있습니다. (CIP제어번호 :
CIP2019009352)

파본은 구입하신 서점에서 교환해 드립니다.

당신의 장벽을 뛰어넘는 4가지 마인드셋

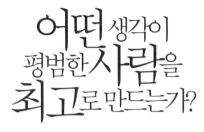

success mindsets

라이언 고트프레드슨 지음   최경은 옮김

CONTENTS

I
PART

당신의 생각이
최선의 사고방식인가?

연구되고 검증된 최적의 사고방식

Chapter 1

|

자신의 사고패턴을
알 수 있는 4가지 상황

일단 영혼이 깨어나면 욕망이 시작되고 이제 결코 이전으로 되돌아갈 수
없다. 그때부터 특별한 갈망으로 불타올라 다시는 안주하거나 어정쩡하게 성
취하는 낮은 땅에서 배회하지 않을 것이다. 영원성은 당신을 절실하게 만든다.
적당히 타협하지 않을 것이고 위험에 겁을 먹어 완전한 성취를 이루려는 노력
을 멈추지도 않을 것이다. ─존 오도나휴

만약 자신을 가장 깊은 곳까지 알 수 있다면 어떨까? 당신이 세상을
어떻게 보는지, 당신의 가치와 신념을 왜 가지게 되었는지, 당신이 그 목
표를 왜 설정하게 되었는지, 그리고 왜 그 방법으로 운영하는지 완전히
깨달을 수 있다면 어떨까? 당신의 삶과 일, 리더십을 더 성공적으로 이끌
어갈 수 있지 않을까?

이 책은 자기 자신에 눈을 떠가는 여정이 될 것이다. 당신을 가장 깊고 근본적인 수준에서 들여다보게 될 것이다. 항상 어여쁘지는 않더라도(개인적인 경험으로는 그렇다), 잠재력을 최대한 발휘하여 새로운 수준의 성공으로 도약하는 근본적인 변화를 할 수 있는 힘을 얻을 것이다. 인생을 새롭게 다시 시작하려는 목적으로 탐구하고 깨달아 갈 것이다. 준비 되었는가?

자각의 여정 출발하기

이 질문으로 출발해보자. 당신이 생각하는 것이 최선의 사고방식이라고 생각하는가?

추측컨대 분명히 그렇게 생각할 것이다. 혹시 그렇지 않다면 최선이라고 생각하고 싶을 것이다. 당신이 생각하고 있는 것을 최선의 사고방식이라고 여길 때, 인생을 더 성공적으로 항해하는 것도 직장에서 더 뛰어난 능력을 발휘하는 것도 더 효율적인 리더가 되는 것도 어려워진다. 리더십 연구원이자 컨설턴트로서 늘 목격하는 사실이다. 나는 리더, 관리자 및 직원들이 자기가 최선이라고 생각하는 일을 수행하는 모습을 정기적으로 관찰한다. 그러나 대개의 경우 가장 좋다고 생각했던 것인데 실제로는 잘 작동하지 않거나 아니면 적어도 자기 자신, 자신이 이끄는 사람들 및 조직을 위해 더 큰 성공을 거둘 수 있는 잠재력을 제한한다. 이런 관찰은 다소 암울해 보이는 리더십 통계로 사실이 입증된다.

- 직원의 44%는 현재의 관리자가 생산력 향상에 도움이 되지 않는다고 생각한다.

- 직원의 60%는 관리자가 자존감을 손상시킨다고 생각한다.
- 직원의 65%는 급여가 올라가는 것보다 관리자가 바뀌는 것이 더 낫다고 생각한다.
- 직원의 82%는 관리자가 진실을 말한다고 믿지 않는다.

대다수의 직원들이 능력을 최대한 발휘하는 방식으로 운영되지 않는다는 것은 안타까운 현실이다. 이는 리더들이 일을 잘 못해서도 아니고, 자신이 관리하는 직원들을 일부러 애먹이려는 것도 아니다. 그들은 나름대로 최선이라고 생각하는 방식으로 보고, 생각하고, 일을 처리하지만 실제로는 어떤 수준에 못 미치기 때문이다. 이는 마치 고장 난 나침반을 들고 모험하는 탐험가와 같다. 좋은 의도를 가지고 최선을 다해 노력해도 내면에 지닌 나침반에 결함이 있으니 가장 좋은 길로 가지 못하고 급기야 바람직하지 않은 방향으로 가게 된다.

앨런을 만나다

앨런은 소외 계층 사람들이 커리어를 쌓아 자립하도록 돕는 비영리 단체의 회장이다. 앨런은 이 회사의 리더로서 충분한 자질을 갖추었다. 산업계에서 20년 이상 근무했고 조직 심리학 박사 학위가 있다. 지역 대학에서 리더십 강의를 해왔고, 핵심 역량은 리더십 및 개인 역량강화 프로그램을 진행하는 것이다.

앨런을 처음 만났을 때 첫인상이 매우 좋았다. 이력이 훌륭한 건 이미 들어 알고 있었고, 자신감 넘치는 카리스마가 무척 매력적이었다. 외모로 보나 말하는 것으로 보나 전형적인 리더 같았다. 또한 회사의 중요성과 가치를 효과적으로 설명하는 능력이 뛰어나서 사람들에게 신뢰를 얻고 투자를 유치했다. 그 결과 재임 기간 동안 매년 기부금과 수익이 두 자리 수를 기록했으며, 기부자들과 직원들을 지속적으로 독려하여 회사에 기여할 수 있도록 했다. 외부에 비친 회사는 모든 게 완벽하게 돌아가고 앨런 역시 좋은 성과를 내고 있다. 그러나 내부적으로는 조금씩 무너지고 있다. 그의 리더십과 경영방식 때문이다. 모든 직원들은 업무에 불만족하여 몰입하지 못했고 이직률이 매우 높아지고 있다.

원인이 무엇인지 몇 가지 구체적인 사례를 들어보겠다.

첫째, 앨런이 한 VIP급 고객과 약속한 제품의 납기일을 직원들에게 잘못 전달했다. 고객이 제때 납품받지 못한 것을 항의하자 앨런은 직원들에게 그 책임을 물었다.

둘째, 앨런이 갑작스럽게 새로운 코칭 서비스를 개시하기로 결정하더니 무턱대고 높은 가격을 책정했다. 서비스 판매를 맡은 직원 테일러는 가격을 듣고 난색을 표했다. 테일러는 유사 제품에 대해 예전에 고객들과 이야기를 나눈 것을 근거로, 잘 팔리지 않을 것이라는 느낌이 왔다. 게다가 정말 그 가격에 팔면, 검증되지 않은 서비스에 높은 가격을 부과한 것이기 때문에 회사의 이미지가 깎일 수 있다고 우려했다.

일부 허술한 면이 해결되기 전까지 고객들의 입장에서는 내는 돈에 상응하는 대가를 받지 못할 것이라고 걱정했다. 이러한 우려를 표명하자 앨런은 즉시 방어적인 태도를 취하며 해명했다. 회사가 투자한 시간은 그만한 값어치가 있는 것이라고 주장했지만, 고객들에게 줄 가치보다 자기 자신이 챙길 가치를 더 중요하게 생각하는 인상을 주었다. 테일러는 회사에 가장 좋은 결과를 가져다주는 일을 하고 싶기 때문에 앨런에게 다음 자문위원회 미팅에서 가격을 논의해야 한다고 제안했다. 자문위원회는 테일러의 의견에 동의했다. 그러나 앨런은 자신이 틀렸다는 것을 인정하지 않았다. 자신이 옳다는 것을 증명하려 애쓰며 자문위원회와 테일러가 제시한 수준으로 가격을 낮추는 것을 계속 꺼렸다. 코칭 서비스가 개시되자 참가자들은 서비스가 유익하긴 하지만 가격이 너무 비싸다고 이구동성으로 말했다. 이 회사의 이미지는 타격을 받았다.

셋째, 니는 앨런의 회사에 불협화음이 있다는 것을 알고 해결을 돕고 싶은 마음에 직원 몇 명에게 그들의 근무 상황에 대해 물었다. 만장일치의 관점이 나왔다. 그들에게 앨런은 마이크로매니저이다. 직원들이 잘못하는 것을 주로 잡아내는 방식으로 점 하나까지 정확하게 찍었는지 확인하는 식으로 관리한다. 이런 방식으로는 앨런이 직원들의 공로를 인정하지 못하고 잘 해낸 일이 있어도 격려하지 못한다. 실제로 직원들은 앨런에게 "고맙다"는 말을 들어 본 기억이 없다고 했다. 앨런은 직원들이 괄목할만한 성과를 거두어 두각을 나타내도록 하기보다는 그저 앨런의 이목을 피하는 데 집중하는 문화를 만들어왔다.

마지막 사례로 키이스는 최근 교수설계학 석사 학위를 받고 입사한 신입 직원으로 앨런과 함께 교육 세미나를 준비하는 일을 맡았다. 키이스는 곧 열릴 세미나 자료를 검토하다가 수정이 필요한 두 부분을 곧바로 찾아냈다. 우선 앨런이 다루려고 하는 자료는 다소 시대에 뒤떨어진 것으로 주로 1990년대 연구에서 가져온 것이었다. 또 한 가지는 세미나 형식이 일방향 강의 방식인 것이었다. 키이스는 최신 자료로 업데이트하고 참가자들의 참여도를 높이도록 설계된 다른 유형의 기술로 업그레이드하자고 제안했다. 앨런은 이 제안을 묵살했다. 그는 이 특별한 교육 프로그램을 15년 동안 운영해왔는데 이제 와서 새로운 자료를 개발하고 새로운 형태의 프레젠테이션 방법을 배우는 번거로움을 겪고 싶지 않다고 말했다. 키이스는 교육 분야에 대한 자신의 전문성과 열정이 저평가받았다는 생각에 사기가 떨어졌다.

당신이라면 이런 업무 환경에 계속 남아 있고 싶은가?

앨런은 이직률이 문제가 되고 있다는 것을 인식했지만, 본인이 문제의 원인이라는 것을 알지 못했다. 그는 자신이 훌륭한 리더라고 믿는다. 그는 자신이 할 수 있는 최선의 일을 하고 있다고 믿는다. 이러한 자신감으로 미루어보아 앨런은 자신을 영웅, 즉 회사를 성공적으로 이끌고 있는 영웅이라고 생각하고 있는 게 분명하다. 이직률 문제가 자기 책임이라고 생각하지 않는 앨런은 문제의 근원이 회사가 임금을 올려줄 능력이 없는 것이라고 믿었다. 그러니 그의 권위주의적인 리더십 때문에 떠나는 직원들의 입장은 눈에 보이지 않았다.

앨런은 자기 자신에 대해 진정으로 파악하지 못했고, 이 때문에 능률적인 리더가 되지 못하고 있다. 여느 비능률적 리더와 마찬가지로 잘하는 것처럼 보이지만 실제로는 주변 사람들에게 부차적인 피해를 주는 방식으로 결정을 내리고 행동하는 공통적인 심지어 자연스러운 욕망을 가지고 있다는 것을 알지 못한다. 자신을 영웅이라고 생각하지만 실제로는 자기가 악당임을 알지 못한다.

앨런이 자기도 모르게 갖고 있는 악당 유발 욕망에는 좋게 보이는 것, 옳게 보이는 것, 문제를 피하는 것, 그리고 자신에게 가장 좋은 것을 하는 것 등이 들어 있다.

그 구체적인 사례이다.

- 그는 자신의 이미지를 살리기 위해 직원들을 희생시켰다.
- 그는 옳게 보이고 싶어 다른 사람들의 아이디어를 차단했다.
- 그는 문제를 피하기 위해 사소한 것까지 관리하는 마이크로매니저이다.
- 그는 자신에게 가장 쉽지만 회사가 상대하는 사람들에게는 최선이 아닌 선택을 한다.

악당이 그러하듯 앨런은 무의식적인 욕망대로 생각하고, 보고, 운영하고 있다는 사실을 모른다. 그는 결정을 내리거나 문제를 해결할 때 자기를 만족시키려는 욕망을 채워주는 옵션만 보고 그것 밖에 생각하지 않는다는 것을 인식하지 못한다. 게다가 그게 정당하다고 느낀다. 그의 관점에서는, "어느 누가 나쁘게 보이고 싶고, 틀리고 싶고, 문제를 안고 싶고, 자신에게 최선이 아닌 일을 하고 싶어 하겠는가?"라고 반문할 것이다. 이런 식으로 자아를 보호하려고 하면 그 안에 의도하지 않았던 부정적인 결과를 알아차릴 수 없다.

앨런은 나름 최선의 노력을 했지만 앞서 제시한 통계 중 일부가 되어 버렸다. 직원들의 자존감에 상처를 주고, 직원들의 생산성을 높이는 데 도움이 되지 않으며, 직원들이 보낸 신뢰를 무너뜨리는 관리자이다. 감히 추측컨대 그 직원들은 급여가 올라가는 것보다 새로운 관리자를 원할 것이다. 앨런처럼 우리 안에 있는 근본적 욕망을 깨닫지 못하고 우리의 생각이 최선의 사고방식이라고 확신할 때, 우리는 스스로를 일정한 틀에 가두어 삶의 모든 영역에서 효율성을 떨어뜨리고 성공에서 멀어진다.

'이것을 힘들게 배웠다, 이 사실을 뼈아픈 경험을 통해 배웠다.'의 함정

나는 달리기를 즐긴다. 매일 달리면 운동이 되는 건 기본이고 기력이 높아지고 스트레스가 날아간다. 또한 자연과 함께 할 수 있는 운동이라 여러모로 내게 중요하다. 나는 어릴 적부터 농구와 축구를 즐겨했고 고등학교 때부터는 거의 매일 달리기를 했다. 거의 평생 동안 달리기를 한 셈이니 몇 년 전까지만 해도 달리기는 전문가 수준이라 장담했다. 만약 누군가 나에게 달리는 자세를 바로 잡아주는 수업을 들어볼 생각이 있는지 물었다면, 코웃음을 쳤을 것이다.

내가 생각하는 것이 최선의 사고방식이라고 믿었다. 그리고 "올바른" 달리기 자세를 이미 터득했다고 생각했다. 그러던 어느 날 농구를 하다가 무릎을 다치는 바람에 달리기에 지장이 생겼다. 하지만 달리거나 계단을 걸어 올라갈 때만 아프고 그 외에는 멀쩡했기 때문에 대수롭지 않은 부상이라 여겼다. 하지만 달리거나 계단을 오를 때에는 무릎 뒤쪽에서 날카롭게 찌릿한 통증이 느껴졌다. 뼈에 이상이 생긴 건 아닌지 확인하기 위해 병원에 갔다. 의사는 무릎은 괜찮은데 무릎 뒤쪽 인대가 늘어나서 회복되려면 시간이 필요하다고 했다. 그래서 나는 두 달 동안 달리지 않았다. 그 후 다시 나가고 싶은 마음에 몸이 근질근질해져 일주일에 한 번 정도 다시 달리기 시작했다. 무릎이 조금 나아지긴 했지만 달릴 때 여전히 통증이 느껴졌다.

그쯤 되자 무릎이 얼른 나아 다시 꾸준히 달리고 싶은 마음이 간절해졌다. 나는 물리치료를 시작했고 집에서도 스트레칭과 운동을 시작했다. 이렇게 하니 계단을 올라갈 때에는 통증이 줄었지만, 달리기를 할 때에는 여전히 무릎 통증이 느껴졌다.

나는 다음 대책으로 새 운동화를 사기로 했다. 상점에 가서 새 운동화를 골랐다. 계산을 하는 중에 판매원이 달리기 수업 등록 기한이 이틀 남았는데 등록할 생각이 있는지 물었다. 달리기 자세와 기술을 가르치는 수업이었다. 내 마음 한 편에서는 "말이 돼? 내가 바로 달리기 전문가인 걸. 내 달리기가 어떤지 내가 정확히 알고 있지."라고 말했다. 그러나 무릎이 낫길 바라는 마음이 간절해지면서 내 마음의 다른 한 편에서는 "어쩌면 자세에 문제가 있어서 무릎이 안 낫는 것일 수도 있어. 들어서 손해 볼 건 없잖아?"라고 말했다.

그래서 나는 몇 달 전에 코웃음 쳤던 일을 감행했다. 달리기 수업을 들으러 간 것이다. 강사는 올바른 주법의 네 가지 원칙을 가르쳐 주었다. (1) 몸을 똑바로 세우고 긴장하지 않고 달리기, (2) 발 가운데를 착지하며 달리기, (3) 분당 180 케이던스로 달리기, (4) 몸을 약간 앞으로 기울여 달리기. 알고 보니 네 가지 원칙 중 세 가지를 지키지 않고 있었다.

네 가지 주법을 배우고 실천하자 무릎 통증이 빠르게 사라졌고, 그 즉시 다시 날마다 달렸다. 게다가 자세를 바꾸니 효율성이 높아져서 예전보다 더 긴 거리를 달릴 수 있게 되었다. 최근 하프 마라톤을 처음으로 성공했는데, 내가 해낼 것이라고 전혀 생각지 못했었다.

돌이켜보면 내가 생각했던 만큼 나에 대해 깨닫지 못하고 있었다.

내가 하는 방법이 최선이라고 과신했던 것이 오히려 내가 원하는 수준만큼의 삶을 살지 못하게 방해하고 있었다. 이러한 경험을 하고나니 "내가 생각하는 것이 최선의 사고방식이라고 생각하는 바람에 알아채지 못하고 놓치고 있는 게 또 있진 않을까?"라는 의문이 생겼다. 당신도 같은 질문을 던져보길 바란다.

인정하기 쉽지 않겠지만, 현재의 당신의 삶, 일 및 리더십에서 더 큰 성공을 거두는 것을 막고 있는 것은 바로 당신 자신이다. 더 정확히 말하자면 당신이 생각하는 것이 최선의 사고방식이라는 생각이다. 그러나 현재 상태에서 더욱 성공적인 상태로 발돋움하고 싶다면 세상을 새롭고 다르게, 그리고 더 좋은 방식으로 생각하고 보아야 한다. 당신은 스스로에게 더 완전히 깨어 있어야 한다.

다음은 이를 중명하는 방법이다. 아래의 네 가지 다른 상황에서 어떻게 대답하고 또는 어떻게 탐색할 것인지 신중히 생각해보자. 당신이 자기 자신을 알아보는 기회이다.

즉흥적으로 떠오르는 생각은 무엇인가?
아래의 네 가지 상황에서 무슨 생각이 바로 떠오르는지 그리고 어떻게 반응할 것인지 생각해보라.

1. 당신은 힘겨운 도전, 실패할 수도 있는 도전에 직면해있다.
2. 누군가(예를 들면 부하 직원, 자녀, 고객) 당신의 의견에 동의하지 않는다.

3. 두 가지 옵션 중 하나를 선택해야 한다. 하나는 확실한 반면 보상이 약간 적고, 다른 하나는 덜 확실하지만 상당히 높은 보상이 있다.

4. 길모퉁이에 노숙자가 보인다.

당신은 이 상황에 가장 알맞은 방법으로 대처한다고 생각할 것이다. 다시 말해 더 좋은 방법으로 대처할 수 있다고 생각하면 그렇게 하면 된다. 그러나 사람들은 이러한 상황들을 각자 다른 방식으로 바라보고 생각하며 모두 자신이 "옳다"고 믿는다. 그렇다면 이러한 상황에서 사람들이 생각하는 다른 방식을 들여다보고 그들이 생각하는 "최선의" 사고가 어떻게 성공을 제한할 수 있는지 증명해보자.

첫 번째 질문, 도전과 실패 가능성에 직면하는 것으로 시작해보도록 하자. 도전 및 실패가 피해야 할 경험으로 보이는가 아니면 배우고 성장할 수 있는 기회로 보이는가?

지난 학기 초, 나는 수업 전에 몇몇 새로운 학생들과 면담을 했다. 먼저 일반적인 대학생보다 조금 나이가 많은 신시아와 인사를 나누었다. 성숙한 학생이었기 때문에, 흥미로운 사연이 있을 것 같았다. 먼저 어떤 일을 했었는지 물었다. 그녀의 눈이 반짝였다. 몇 년간 방황하다가 개인 트레이너와 헬스 코치로 관련 사업을 시작한지 얼마 안 되었다고 했다. 건강과 개인 피트니스 분야에 열정이 얼마나 많은지 설명해주었고 자기에게 완벽한 진로인 것 같다며 긍정적인 이야기로 마무리했다.

한 달쯤 지난 뒤 나는 수업 전 신시아에게 새로운 사업이 어떻게 되어 가는지 물었다. 허탈한 표정을 지으며 "잘 안 되고 있어요. 저랑 안 맞는 것 같아요."라고 대답했다.

"무슨 일이라도 있었니? 잘 맞는 길이라고 확신했었는데," 내가 물었다.

"생각했던 것보다 더 힘들고, 일이 잘 안 풀리고 있어요."

특히 새로운 고객을 영입하는 것이 어려워서 다시 한 번 진로를 조정하고 싶다고 했다. 나는 겨우 한 달밖에 지나지 않았다는 사실을 주지시키고 시간을 갖고 새로운 것을 계속 시도해 가면서 무엇이 효과가 있고 없는지를 알아가야 한다고 조언했다. 그렇게 격려했지만 신시아는 포기할 결심을 굳힌 것 같았다.

사업가로서 도전했지만 그 모험은 자신에게 맞는 진로가 아님을 알고 빠르게 포기했다. 하지만 그 모험은 기존의 사업 운영 방식을 조금씩 조정해가며 새롭게 발전시키는 계기가 될 수도 있었다. 또한 성공은 끈질기게 노력하고 시련을 극복해 나가는 사람들에게 온다는 믿음을 재확인하는 계기로 받아들일 수도 있었다.

두 번째, 의견 불일치에 대해 생각해보자. 누군가가 당신의 의견에 동의하지 않을 때, 위협으로 받아들이고 방어태세를 취하는가? 아니면 생각과 배움을 향상시킬 기회로 보는가?

리더 중에 자기가 직접 통제해야 하고 자기 방식이 최선이라고 생각하는 리더와 일해본 적이 있는가? 그러한 리더들은 변화나 개선을 위한 의견 불일치 및 제안에 어떻게 대응했는가? 비영리 단체의 CEO인 앨런처럼 이를 개인적인 위협으로 보고 방어적으로 대응했을 것이다. 물론 그렇지 않은 리더들도 있다. 레이 달리오는 브리지워터 어소시에이츠(역대 가장 크고 성공적인 헤지펀드)의 설립자이자 전 CEO였다. 그는 의견 불일치가 생겼을 때 다음과 같은 태도로 대처한다. "사려 깊은 반대를 연습할 수 있다면, 배움을 획기적으로 늘릴 수 있을 것이다." 레이의 가르침은 이 책 곳곳에서 나올 것이다.

세 번째, 위험은 어떠한가? 위험을 피해야 할 것일까? 아니면 성공을 위해 반드시 감수해야 할 것일까?

성인이 된 이후 주로 나는 실패하지 않았다면 성공적이라는 전제 하에 삶을 살아왔다. 이 때문에 적극적으로 위험을 피했다. 빚을 지지 않고 학부를 마쳤으며 박사 학위를 취득했고, 빚과 관련된 위험이 생길까 봐 사업은 엄두조차 내지 않았다. 하지만 34세에 접어들 무렵, 나는 내 인생에서 구상했던 많은 것들을 달성하지 못했고, 위험에 대한 혐오감 때문에 나의 인생과 커리어 목표에 한계를 긋고 있다는 것을 깨달았다. 그러자 패배하지 않기 위해서가 아니라 승리하기 위해서 삶에 접근한다면 더욱 성공할 것이라는 깨달음이 왔다. 그리고 빚을 내어 컨설팅 사업을 시작했다. 2년이라는 짧은 시간 동안 나는 수십 개의 회사들과 함께 일했고, 그중엔 세계적으로 유명한 대규모 회사도 있었다.

마지막으로, 길모퉁이에서 도움을 요청하는 노숙자를 보자마자 즉각 떠오르는 생각은 무엇인가? 돈을 구걸할 시간에 직업을 구해야 하는 사람으로 보이는가? 아니면 최선을 다하고 있는 사람으로 보이는가?

일자리를 구해야 할 사람으로 보면 부정적이고 비판적인 방식으로 생각하게 되고 도움을 주고픈 마음은 사라진다. 하지만 최선을 다하고 있는 사람으로 보면 그들의 삶에 무슨 일이 일어났기에 길모퉁이에서 도움을 청하는 것이 최선의 방식이라고 믿는지 궁금해질 것이다. 후자의 방식으로 사람을 바라보면 공감력이 훨씬 더 커지고, 능력이 되는 한 돕고 싶은 마음도 커진다.

다르게 보고 다르게 행동하라

다음 표에는 네 가지 상황을 각각 다르게 보는 두 사람이 있다. 누가 인생에서 더 성공할 것이라고 생각하는가? 누가 더 좋은 직원이 될까? 누가 더 훌륭한 지도자가 될까? A일까 B일까?

누구와 함께 살고 함께 일하고 싶으며 누구를 따르고 싶은지 생각해보라.

답은 B일 것이다. B 유형의 사람들이 삶, 일, 리더십 전반에 걸쳐 더 성공적이다. 왜냐하면 도전을 주저하지 않고, 배우고, 목표를 세워 달성하고, 다른 사람들과 효율적으로 교류하기 때문이다. 그리고 이 책을 선택하여 읽고 있는 여러분은 B와 함께 살거나, 함께 일하거나, B를 따르는 유형의 사람이라고 생각한다.

유형	A		B	
도전과 실패를	피해야 할 상황	또는	배우고 성장하는 기회로	본다
의견 불일치를	위협	또는	배움을 위한 필수과정	으로 본다
위험을	피해야 할 것	또는	보상을 얻기 위한 필수과정	으로 본다
타인을	최선을 다하지 않는 사람	또는	최선을 다하는 사람	으로 본다

앨런은 A 유형의 사람이다. 그도 최선을 다한다. 하지만 도전과 실패를 피해야 할 것으로 보고, 의견 불일치가 일어나면 위협으로 받아들이고, 위험을 회피해야 할 것으로 보고, 직원들을 최선을 다하지 않는 사람으로 본다. 이러한 부정적 시각은 좋게 보이고 싶고, 옳아야 하고, 실패를 피하고, 자기에게 가장 좋은 것을 하도록 만든다. 뿐만 아니라 부정적인 행동을 유발하기 때문에 직원들이 근무 환경에 적응하지 못하고 결국 직장을 떠나게 만든다. 이것은 단순하면서도 심오한 뜻을 내포한다. 즉 우리의 삶, 일 및 리더십 전반에 걸쳐 성공할 수 있는 능력은 우리가 주변의 세상을 보는 방식에 근본을 둔다는 것이다. 만약 세상을 가장 긍정적인 견지에서 깨우치고 본다면, 우리는 더 나은 결정을 내리고 더욱 찬란하게 발전할 것이며 더 효율적으로 행동할 것이다.

이러한 개인의 발전과 자기 계발 전략은 일반적으로 저평가되어 있다. 개인적 발전과 자기 계발의 철학은 대부분 개인의 행동을 평가하고 변화시키는 데 중점을 둔다. 그러나 여기에서 간과하지 말아야 할 개념은 우리의 행동을 주도하는 것이 무엇인지 깨닫고 이를 변화시켜 나가면 자기 자신을 더욱 효과적으로 발전시키고 향상시킬 수 있다는 것이다. 우리의 행동을 주도하는 것은 다름 아닌 바로 우리가 세상을 관찰하고 해석하는 데 사용하는 렌즈이다.

당신은 네 가지 상황을 각각 어떻게 해석했는가? A라는 사람과 더 비슷하게 해석했는가 아니면 B라는 사람과 더 비슷하게 해석했는가?

5,000명 이상의 사람들을 표본으로 진행한 한 나의 연구에서, 단지 5퍼센트의 사람들만이 네 가지 상황을 B처럼 본다는 결과가 나왔다. 따라서 당신이 가능한 가장 좋은 방법으로 인생을 항해하고 있다고 생각할 수 있지만, 당신의 세상을 더 나은 방법으로 관찰하고 해석할 가능성도 있는 것이고 당신이 생각하는 방식이 항상 최선의 사고방식이 아닐 가능성도 있는 것이다.

깨우침과 강화

연구에 따르면 사고, 감정, 판단 및 행동 등 인간 행동의 90퍼센트가 무의식적인 자동화 과정으로 처리된다고 한다. 또한 자기인식 분야의 연구원인 타샤 유리크는 TEDx 강연에서 우리 중 95퍼센트가 자신에 대해 잘 알고 있다고 믿지만 실제로는 10~15퍼센트만이 자신을 잘 알고 있다고 말한다. 그녀는 다음과 같이 결론 맺었다. "이것은 기분 좋은 날, 분명히 말해 기분 좋은 날에, 우리 중 80퍼센트가 자기에게 거짓말을 하고 있는지 아닌지에 대해 자신에게 거짓말을 하고 있다는 것을 의미합니다."

이러한 통계로 우리 대부분은 자신이 누구인지, 무엇에 불안해하는지, 무엇을 소망하는지, 세상을 어떻게 관찰하고 해석하는지 완전히 깨닫지 못하고 있다는 것을 알 수 있다. 예를 들어 앞서 언급한 도전과 실패, 의견 불일치, 위험, 그리고 다른 사람들을 바라보는 다른 방법에 대해 읽기 전까지, 당신은 이러한 상황에 어떻게 접근하는지 그리고 더 효과적으로 접근할 수 있을지 없을지에 대해 깊이 생각해 본 적이 있는가?

핵심은 이것이다. 우리가 누구인지 깨닫고 우리를 생각하고 행동하게 만드는 무의식적 자동화 과정의 유발 요인이 무엇인지 의식할 수 있다면, 자기 자신을 틀에 가두는 믿음과 성공을 방해하는 욕망도 더 잘 인식할 수 있을 것이다. 이와 더불어 우리는 이러한 믿음과 욕망을 근본적인 수준에서 변화시키고 개선시킬 수 있는 힘을 얻게 될 것이다.

자기계발에 대한 이러한 접근은 자기인식 운동 또는 의식혁명이라고 불려왔다. 이 책에서 우리는 우리가 세상을 바라보고 해석하는 방법에 대해 깊이 탐구할 것이다. 그 과정에서 극히 소수만이 가능한 수준의 자아 성찰을 당신도 할 수 있도록 안내하겠다. 당신이 지금까지 했던 것보다 훨씬 더 깊은 내면으로 들어갈 수 있도록 도와줄 것이다. 우리는 당신의 근본, 즉 자동화 처리 과정을 강화시키고 행동방식을 주도하는 내부 메커니즘을 살펴볼 것이다. 이러한 메커니즘을 깨닫고 향상시킬 수 있다면 의식적인 처리과정의 비율을 늘릴 수 있을 것이고, 무의식적 처리과정을 개선하여 당신의 삶, 일 및 리더십에서 더 큰 성공을 거둘 것이다.

깨우침, 시작해보자!

Chapter 2

|

당신이 누구인지,
어떻게 살아갈지를
결정하는 마인드셋

문제의 단계에서는 결코 해결책의 단계를 찾을 수 없다. 이것을 알면 사람
들이 빠지는 많은 함정을 피할 수 있다. 문제의 단계에 존재하는 것은 무엇인
가? 결론이 나지 않는 반복적인 생각, 어제의 낡아빠진 선택을 계속 적용하고
있는 해묵은 훈련방식, 많은 강박적 사고와 교착상태에 빠진 행동이 있다. 계
속 더 나열할 수 있다. 하지만 유의미한 통찰력으로 당신에게는 인식의 단계가
하나 이상 있고, 더 심오한 단계에는 아직 건드리지 않은 창의력과 통찰력이
존재한다. ─디팩 초프라

렌즈의 색깔이 다른 선글라스를 써본 적이 있는가? 빨간색 렌즈의 선
글라스를 몇 초 동안 쓴 다음 노란색 렌즈의 선글라스로 바꿔 썼다고 하
자. 선글라스를 바꿔 쓰고 주위를 둘러보았을 때 어떠했는가? 빨간색 렌
즈로는 특정 물체, 특히 노란색 물체가 눈에 잘 띄었다. 하지만 노란색

렌즈의 선글라스를 썼더니 같은 물체인데도 더 이상 눈에 띄지 않았다. 대신 완전히 새로운 물체들, 특히 하얀색 사물이 두드러졌다.

여기에서 한 단계 더 나아가 보자. 만약 당신이 노란색 렌즈의 선글라스를 (멋져 보인다는 착각에) 장시간 쓴다면 어떤 일이 일어날까? 첫째, 당신의 뇌는 세상을 보는 이 새로운 방식에 적응하게 될 것이다. 둘째, 당신은 노란색 렌즈의 선글라스를 쓰고 있다는 사실을 의식하지 못하게 될 것이다. 셋째, 당신이 다른 사람들과 다르게 세상을 보고 있다는 사실을 잊게 될 것이다.

당신은 세상을 바라보는 방식을 형성하는 고유한 마음 렌즈를 착용하고 있다는 사실을 알고 있었는가? 이 마음 렌즈가 바로 당신의 마인드셋이다. 색깔 렌즈가 장착된 선글라스처럼 마인드셋은 당신의 관심을 끌어당기는 정보를 드러낸다. 이 정보는 당신이 세상을 어떻게 해석하고, 정보를 처리하고, 결정을 내리고, 배우고, 느끼고, 세상과 상호작용하며, 심지어 몸이 어떻게 물리적으로 세상에 반응하는지를 나타낸다. 좀 더 공식적인 말로 하자면, 마인드셋은 당신이 정보를 선택적으로 조직하고 처리하는 마음 렌즈이다. 결국 이로써 당신은 경험하는 것을 이해하고 걸맞은 행동과 반응을 하게 된다.

당신은 마인드셋을 24시간 내내 장착하고 있다. 이 때문에 일반적으로 마인드셋을 의식하지 못한다. 그리고 생활하고, 일하며, 리더십을 발휘하는 데에 마인드셋이 어떤 영향력을 미치는지 인식하지 못한다. 그러나 이 마인드셋은 생각, 학습 및 행동을 좌우하는 무의식적인 자동처리 과정의 90퍼센트를 주도하면서 당신의 삶을 지휘하고 있다.

마인드셋 때문에 사람들은 같은 상황에 처하더라도 서로 다르게 해석한다. 다시 말해 다음의 상황들은 마인드셋이 그 원인이다. (1) 어떤 사람들은 도전과 실패를 피해야 할 것으로 보는 반면, 어떤 사람들은 배우고 성장할 수 있는 기회로 본다. (2) 어떤 사람들은 의견 불일치를 위협으로 보는 반면, 어떤 사람들은 자신의 생각을 발전시킬 기회로 본다. (3) 어떤 사람들은 위기를 피해야 할 것으로 보는 반면, 어떤 사람들은 성공을 향한 필수요소로 본다. (4) 어떤 사람들은 자신과 연관된 이들을 사물로 여기는 반면, 어떤 사람들은 사람으로 여긴다. 마인드셋으로 인해 당신은 당신의 생각이 최선의 사고방식이라고 믿게 된다.

마인드셋이 우리 삶에서 근본적이고 무의식적인 역할을 한다는 것을 증명하기 위해 연구원 개빈 킬더프와 애덤 갈린스키는 세 그룹을 선정하여 실험을 진행했다. 첫 번째 그룹에게는 자신의 목표와 포부에 대해 두 단락을 쓰게 하여, 목표 지향적 마인드셋을 유발했다. 두 번째 그룹에게는 자신의 의무와 책임에 대해 두 단락을 쓰게 하여, 안전 지향적 마인드셋을 유발했다.

세 번째 그룹은 쓰기 활동을 시키지 않았다. 그리고 각 그룹의 한 사람씩을 모은 세 팀으로 참가자들을 다시 나누었다. 이 소그룹들에게 한 가지 과제를 완수하게 하고, 그들이 팀 내 대화에서 얼마나 주도적인지 추적했다. 그런 다음 팀원들이 상대방의 평판을 점수 매기도록 했다. 연구원들은 목표 지향적 마인드셋을 유발한 첫 번째 그룹 사람들이 그룹 토론에서 더욱 주도적이고 다른 그룹원들에게 더 긍정적으로 비춰진다는 것을 발견했다.

놀랍지 않은가? 단 두 단락을 쓰는 작은 과제만으로도 참가자들의 마인드셋이 미세하게 바뀌었다. 이로 인해 처음에는 자신의 그룹원들과 다르게 상호작용하는 일이 일어났고 나아가 동료들에게 다르게 보이게 되는 연쇄반응이 일어났다. 마인드셋이 삶의 거의 모든 면을 형성하지만, 대개는 알아차리지 못한다. 당신은 이 책을 집어 들기 전까지 마인드셋이 삶에서 어떤 중요한 역할을 하는지 생각하지 못했을 것이고, 마인드셋을 궁금해 하거나, 교육적이고 정보에 입각한 방법으로 마인드셋을 향상시키려는 노력을 하지 않았을 것이다. 아마도 당신이 세상을 보는 방식이 가장 좋은 방식이고 당신이 생각하는 방식이 가장 좋은 사고 방식이라고 믿으며 인생을 살아왔을 것이다.

여기에는 나쁜 소식과 좋은 소식이 함께 있다. 먼저 나쁜 소식은 마인드셋을 인식하지 못하고 이를 향상시킬 수 있다는 것을 알지 못했기 때문에 당신은 잠재력에 미치지 못하는 인생을 살아왔다는 것이다. 그럼 좋은 소식은 이제 마인드셋을 인식하고 이를 향상시키는 방법을 알게 되었으므로, 인생을 드라마틱하게 변화시키고 개선할 능력을 지니게 된다는 것이다.

마인드셋의 근본적 역할

오른쪽 피라미드는 마인드셋이 우리의 삶에서 근본적으로 수행하는 역할을 보여준다.

마인드셋은 우리가 주변 세상을 관찰하고 해석하는 방식을 형성하기

삶, 일 및 리더십에서의 성공

생각, 배움 및 행동

마인드셋

때문에, 우리가 누구이고 인생을 어떻게 살아가는지에 근본을 둔다

마인드셋은 우리가 주변 세상을 관찰하고 해석하는 방식을 지배하기 때문에, 우리의 생각, 배움 및 행동을 주도한다(레벨 2). 우리의 생각, 배움 및 행동은 궁극적으로 우리의 마인드셋에 기반을 둔 삶과 일 그리고 리더십에서 우리가 얼마나 성공할 수 있는지를 결정한다(레벨3).

우리는 이 지식을 두 가지 다른 방법으로 응용할 수 있다. 첫째, 마인드셋을 향상시킴으로써 우리의 생각, 배움 및 행동의 개선을 도모하고 그 결과 우리의 삶과 일 그리고 리더십 전반에 걸쳐 성공할 수 있음을 이해하는 데 도움이 되게 한다. 둘째, 이 장의 첫머리에 있는 디팩 초프라의 인용구를 따오자면 "문제의 단계에서는 결코 해결책의 단계를 찾을 수 없다." 그러므로 이 피라미드에서 볼 수 있듯이 만약 현재의 생각, 배움 및 행동에서 우리가 원하는 성공을 거두지 못한다면 더 낮은 단계, 즉 마인드셋 단계로 초점을 이동시켜야 한다.

마인드셋의 힘

마인드셋은 심리학, 경영학, 교육학, 그리고 마케팅 분야의 학자들이 30년 이상 연구해온 분야이다. 이 모든 연구에서 학자들은 위의 피라미드를 거듭 확인했다. 두 가지 다른 놀라운 연구를 통해 이를 증명해보도록 하겠다.

하나는 마인드셋 분야의 개척자인 캐롤 디에너와 캐롤 드웩이 실패에 대한 사람들의 반응에 마인드셋이 어떤 영향을 미치는지 조사한 연구이다. 연구 참가자들에게 부정적인 마인드셋이 더 강한 사람들과(자신

의 성공과 실패가 노력보다는 능력에 의한 것이라고 봄) 긍정적인 마인드셋이 더 강한 사람들을(자신의 성공과 실패가 능력보다는 노력에 의한 것이라고 봄) 구별할 수 있게 고안된 마인드셋 검사를 실시했다. 그런 다음 성공을 거둔 후 실패를 겪는 과정을 거치게 했다. 구체적으로 말하자면, 처음 여덟 문제를 맞히고 마지막 네 문제를 틀리도록 고안된 시험을 보게 한 것이다. 참가자들이 시험을 치는 동안 연구원들은 이들의 행동에 주목했다(예를 들어, 올바른 문제해결 전략을 유지하고 있는가?). 그리고 참가자들에게 자신이 생각하고 있는 것을 구술하게 하였다. 모든 참가자들이 시험에 응시한 후, 부정적인 마인드셋을 가진 참가자들을 긍정적인 마인드셋을 가진 참가자들과 비교했다. 그들이 발견한 것은 놀라웠다.

부정적인 마인드셋이 더 강한 학생들은 매우 의욕적으로 출발했다. 처음 여덟 개의 문제를 맞히면서 상당히 만족스러워하고 자신의 능력을 크게 확신했다. 그러나 네 개의 어려운 문제에서 막혀 정답을 맞히지 못하자 바로 자신을 폄하했다. 강한 부정적인 감정을 느끼기 시작했고, "나는 그다지 똑똑하지 않아," 또는 "나는 한 번도 기억력이 좋았던 적이 없었어."라고 말하며 자신을 실패자로 여겼다. 게다가 문제 해결 전략을 성급히 중단해버렸다(예를 들어, 단지 초콜릿을 좋아한다는 이유로 갈색 답을 고름). 일부 학생들은 자신의 실패를 만회하기 위해 눈앞에 놓인 도전에 집중하기보다는 삶의 다른 측면에서 성공했던 적(예를 들어, 연극의 주인공 역할로 캐스팅된 것)에 대해 이야기했다. 시험이 끝난 후 이 학생들은 일련의 질문을 받았다. 학생들의 3분의 1이 자기들이 맞힌 여덟 개의 문제를 풀 수 있을 것이라고 생각하지 않는 것으로 나왔다. 게다가 몇 문제를 맞히고 틀린 것 같은지 물었을 때, 평균적으로 다섯 개를 맞히고 여섯 개를 틀렸을 것이라고 대답했다. 그들은 자신의 성공을 과소평가하고 실패를 과장했다.

반면에 긍정적인 마인드셋을 지닌 학생들은 자신이 실패하고 있다는 생각조차 하지 않았다. 그들은 포기하지 않고 더욱 열정적으로 파고들고 자신감과 낙관적인 태도를 유지하며, "이것이 유익하기를 바랐다," "어려울수록 더 열심히 한다," "실수는 나의 친구다." 등의 말을 했다. 이 그룹의 학생들은 포기하기보다는 문제 해결 전략을 고수하거나 심지어 개선했다. 나아가 몇몇 학생들은 어려운 문제의 정답을 맞혔다. 시험이 끝난 후 몇 문제를 맞히고 틀린 것 같은지 물었을 때 훨씬 더 정확히 파악하고 있어 여덟 개를 맞히고 네 개를 틀렸다고 대답했다.

이 두 그룹의 차이가 마인드셋 뿐이라는 것을 몰랐다면 각각 다른 행성에서 온 존재라고 생각했을 것이다. 똑같은 과제에 매우 다르게 반응했기 때문이다. 이 연구는 우리의 삶을 운영하는 세 가지 근본적인 면, 생각, 배움 및 행동과 성공하는 정도를 마인드셋이 형성한다는 것을 보여주었다. 부정적인 마인드셋을 가진 사람들은 자신을 부정적으로 생각하고 자기 평가에서 부정확했다. 그들은 자신에게 몰두하지 못했고, 더 이상의 배움을 중단했다. 말 그대로 포기하거나 실행을 멈추었다. 긍정적인 마인드셋을 가진 사람들은 자신의 성과를 정확하게 평가했다. 아울러 도전을 배울 수 있는 기회로 여기고 계속 자기 자신에게 몰두했다. 이러한 연구 결과를 바탕으로 어떤 집단이 더 성공에 접근하고 성공적으로 살 것인지 분명해졌다.

이와 비슷한 결과가 수십 년 동안 반복되어 나왔다.

알리아 크럼, 피터 살로비, 숀 이코르의 연구팀은 금융 기관의 직원들에게 3분짜리 영상 두 개 중 하나를 틀어주었다. 한 그룹은 스트레스가 건강, 웰빙, 그리고 성과에 어떻게 해로운 영향을 미치는지에 대한 영상을 보았고, 다른 그룹은 스트레스가 건강, 웰빙, 그리고 성과를 어떻게 향상시킬 수 있는지에 대한 영상을 보았다. 두 영상 모두 연구에 근거한 증거를 제시했으며, 직원들에게 스트레스=나쁜 마인드셋의 개념을 심어주거나, 스트레스=좋은 마인드셋의 개념을 심어주도록 설계되었다. 그리고 나서 다음 2주 동안 직원들의 건강(즉 혈압), 참여도 및 성과를 추적했다.

연구팀은 놀라운 결과를 얻었다. 그 짧은 영상을 시청하는 것이 스트레스를 향한 직원들의 마인드셋을 조정했다. 뿐만 아니라 스트레스=좋은 마인드셋을 가진 직원들이 스트레스=나쁜 마인드셋을 가진 집단보다 혈압이 낮고, 참여도와 성과가 더 높았다. 다시 말해 연구팀은 마인드셋이 우리의 생활 속에서 생각하고, 반응하고 행동하는 방식을 미세하게 결정한다는 것을 밝혔다. 또한 이 연구는 우리의 마인드셋의 힘은 매우 강해서 신체의 생리작용과 환경에 대해 반응하는 방법을 변화시킬 수 있다고 증명했다. 이는 다른 연구에서도 입증된 바이다.

멘탈 연료 필터

당신의 뇌에는 매초마다 수백 개까지는 아니어도 수십 개의 정보가 입력된다. 마인드셋은 중요하다고 여기는 정보만 걸러낸다. 걸러진 후 처리된 정보는 생각, 배움 및 행동을 촉진한다. 따라서 마인드셋은 멘탈 연료 필터이다. 실패나 스트레스를 마주했을 때 우리의 마인드셋은 이 실패나 스트레스가 부정적임을 암시하는 단서에 맞춰지거나 긍정적임을 암시하는 단서에 맞춰진다. 그리고 그에 따라 생각하고 배우고 행동하게 된다.

당신의 마인드셋은 눈에 보이지 않는 방향키다. 인생을 어떻게 항해할지 지금 무의식적으로 지시하고 있다. 마인드셋에 대해 연구하고 깨우칠수록 방향키를 더욱 의식의 영역으로 끌어낼 것이고, 더 나은 삶을 항해하도록 방향키를 조정할 수 있는 힘을 갖게 될 것이다. 다음 두 장에 나오는 개인 마인드셋 평가를 해보길 바란다. 마인드셋을 깨우치는 데 도움이 될 것이다.

Chapter 3

|

더 나은 결정,
효율적 행동, 성장하는 기쁨

**꽃봉오리 안에 움츠리고 있어야 하는 괴로움이 꽃을 피우기 위해 감당해
야 하는 위험보다 더 고통스러운 날이 왔다. ─아나이스 닌**

마인드셋의 중요성을 간과하면 인생을 효율적으로 살아갈 수 있는
능력을 제한하게 된다. 마인드셋을 알지 못하면 어떻게 될까. 우선 표면
적인 수준에서는 자신을 제대로 인지하지 못하게 된다. 또한 자기 자신
과 거리를 두고 사고방식과 궁극적인 행동방식에 영향을 미치는 욕망,
동기 및 경향을 시험하는 능력을 제한하게 된다. 더 깊은 수준에서는 현
재의 삶과 일 및 리더십을 생각해보라. 당신이 원하는 만큼 성공적이지

못한 어느 한 부분을 짚어보고 스스로에게 물어보라.

"왜 이 부분에서 더 성공하지 못하고 있을까?" 그 원인을 돈, 시간 또는 충분하지 않은 자원처럼 외부 요인에서 찾는가? 아니면 지능, 능력 또는 성격처럼 내부 요인에서 찾는가? 아니면 이상적인 마인드셋을 지니지 못한 결과라고 진단하는가?

성공을 거두지 못한 핵심적인 원인을 마인드셋과 연관 짓지 않는다면 외부 요인(예를 들어 돈, 시간 또는 자원이 충분하지 않음)이나 내부 요인(예를 들어 지능, 능력 또는 성격)을 잘못 탓하게 된다. 이러한 잘못된 진단은 적어도 두 가지 이유로 문제가 있다. 첫째, 이러한 요인을 탓하는 것은 해결책이라기보다는 변명에 가깝다. 왜냐하면 일반적으로 통제할 수 없는 요인이기 때문이다. 적어도 마인드셋을 통제하는 것보다는 어려운 일이다. 통제할 수 없기 때문에 포기하기 좋은 구실로 삼아 그 뒤에 숨어 버린다. 그리고 우리의 잠재력을 다 발휘하지 못하며 사는 삶을 운명인 양 받아들이고 살아간다. 환경과 능력이 썩 좋지 않아도 우리가 바라는 성공을 거두며 사는 사람들이 있다는 것은 머릿속에서 지워버린다. 둘째, 설령 위의 요인들을 변화시킬 수 있다고 해도 마인드셋에 더 중점을 두지 않으면 마인드셋이 제자리걸음 상태에 있게 된다. 그리고 더 큰 성공을 향해 생각하고, 배우고, 행동하는 것을 지속적으로 방해한다. 한마디로 우리의 마인드셋을 올바로 파악하지 못하면 성공에 한계를 긋게 된다. 하지만 마인드셋을 깨우치면 가능성의 세계가 펼쳐진다.

대담한 약속을 하나 하고자 한다. 이 책을 읽고 책에 나온 원리를 적용하면 당신의 인생이 바뀔 것이다. 당신은 새로운 렌즈를 통해 당신의 삶과 당신 자신을 볼 것이다. 자기 인식이 드라마틱하게 깊어질 것이다. 무엇이 당신의 잠재력에 도달하는 것을 방해하고 있는지 더 정확하고 효과적으로 진단할 수 있을 것이다. 그리고 당신의 삶, 일 그리고 리더십에서 더 큰 성공을 거둘 힘을 갖게 될 것이다.

다음에 나오는 그림은 인생을 더 잘 항해하고 더 큰 성공을 거두는 데 이 책이 어떻게 도움이 되는지 시각화한 자료이다. 첫 번째 그림은 자신의 마인드셋을 의식하지 않고 자기계발 과정에서도 마인드셋을 중요하게 생각하지 않는 경우다. 우리의 삶, 일 및 리더십을 향상시키는 주요 수단이 우리의 생각, 배움 또는 행동에 초점을 맞추고 앞으로 끌고 가고 있다. 우리는 스스로에게 "성공하기 위해서 난 무엇을 배워야 할까, 아니면 뭔가 다른 것을 해야 할까?"라고 묻는다. 이런 접근법을 취할 경우, 우리의 지배적이고 근본적인 마인드셋이 피라미드의 윗 두 단계에서 진행되는 발전에 저항을 만들어낸다는 사실을 알아차리지 못한다. 시간이 흐르면서, 특히 스트레스를 받는 상황이 발생하면, 우리의 생각, 배움 및 행동은 지배적인 마인드셋 쪽으로 후퇴할 것이다.

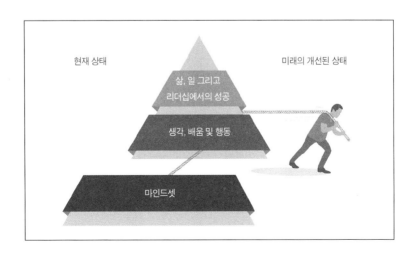

우리가 마인드셋을 의식하고 우리 삶에서 마인드셋이 하는 근본적인 역할을 안다면, 우리는 훨씬 다르고, 더 건강하며, 보다 자연스러운 방법으로 자기계발을 시도할 것이다. 그리고 이 때 일어나는 변화는 영구적이다. 아래 그림은 이 접근법을 묘사한 것으로 우리의 마인드셋에 초점을 맞추고 앞으로 밀고 나가는 모습이다. 우리의 마인드셋이 개선되면서 자연스럽게 우리의 생각, 배움 및 행동 역시 개선되고 성공도 따르게 될 것이다.

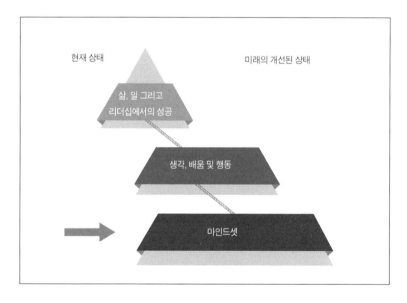

진작 이를 알았더라면!

나의 절망—1단계

당신의 삶을 아니면 삶의 어떤 한 부분이 나아지길 간절히 소망했지만 아무리 노력을 해도 진전이 보이지 않아 절망해본 적이 있는가? 혹시 지금 그런 상태에 있을지도 모르겠다. 그런 절망적인 상태에 빠지면 크게 좌절하고 의기소침해진다.

몇 년 전 내가 그런 절망에 빠진 적이 있다. 캘리포니아 주립대학 풀러턴 캠퍼스(CSUF)에서 조교수로 근무한지 만 2년이 다 되어갈 무렵, 나는 CSUF에 남을 것인지 떠날 것인지 몇 가지 사항을 놓고 고민하고 있었다. 첫째, 나는 나의 업무와 연구 그리고 전문지식이 비즈니스 세계에 더 강하고 직접적인 영향을 미치기를 원했다(그리고 여전히 원하고 있다). 하지만 나는 그만한 영향력을 미칠 자원이나 기회가 충분하지 않다고 생각했다. 특히 연구 펀딩과 지원이 거의 없었던 관계로 사고 리더thought leader로 발전하는 것에 일정한 한계를 느끼고 있었다. 대학 리더십 센터에 관여하면서 지역 비즈니스 커뮤니티 내의 회사를 대상으로 교육을 실시할 기회가 있었지만, 이런 기회는 제한적이었고, 그마저 센터장의 손에 좌우되고 있었다.

둘째, 내가 받은 1년 근무 평가다. 공정한 평가를 위해, 학과장을 비롯하여 세 명으로 구성된 학과 위원회에게 평가를 받았다. 학과장은 나의 연구, 교수 및 봉사에 두루 높은 점수를 주었다. 위원회는 나의 연구와 봉사 분야에 높은 점수를 준 반면 교수 분야에서는 최저점을 주었다. 여기서 골치 아픈 문제가 발생했다. 왜냐하면 우리 과 학생들이 실시한 교수 평가에서 나는 최고 점수를 받았기 때문이다. 또한 수업과 연관된 유익한 봉사학습 활동을 개발하여 성매매에서 어린이들을 구출하는 비영리 단체에 학생들이 도움을 줄 수 있도록 하였다. 확신할 수는 없지만, 교수 분야에서 낮은 평가를 받은 것은 위원회 중 한 사람이 내가 그들의 "영토"를 잠식하고 있다고 생각하고 그렇게 주도하는 것 같았다.

나의 절망감에서 세 번째이자 아마 가장 중요한 요소는 미래가 현재보다 더 암울해 보이는 인식이었다. 처음 채용되었을 때, 대학은 첫 3년 동안 연간 2만 달러의 상당한 보너스와 수업 부담을 줄여주는(학기 당 수업을 세 개 대신 두 개 맡음) 매력적인 인센티브를 제공했다.

2년 동안 이런 혜택을 누린 후, 다가오는 그 다음 해를 보니 수업이 늘어나서 급여가 줄어든 것 같아 내 직장이 안 좋아 보였다. 게다가 남부 캘리포니아는 물가가 비싸서 그동안 받아왔던 보너스가 사라지면 가족을 경제적으로 부양하기 어려워진다. 꽉 막혀 옴짝달싹 못하게 된 기분이었다. 이륙하기 직전 준비를 마친 로켓인데 조직과 그 안의 몇 명에게 제지당하고 있는 기분이었다.

나의 절망─2단계

이 무렵 내가 평소에 마음에 두어왔던 컨설팅 회사 갤럽에서 나의 링크드인LinkedIn 피드에 구인공고를 보내왔다. 선임연구원 포지션이었다. "연구하기를 좋아하고 갤럽을 사모하는데다가 현재 CSUF의 처우는 마음에 들지 않아. 지원하지 않을 이유가 있을까?"라는 생각으로 지원했고 마침내 입사했다.

나는 새로운 기회에 정말 신이 났다. 개별 기업들과의 협력을 통해 비즈니스 커뮤니티에 더욱 직접적인 영향을 미치고 싶었다. 또한 나와 함께 일하는 기업의 솔루션 제공에 필요한 데이터를 수집하는 일에 나의 연구 기술을 활용하고 싶었다. 그 기업들은 갤럽의 다른 직원들 또는 선배 직원들처럼 나에게 비즈니스 커뮤니티의 사고 리더가 될 수 있는 직접적인 경로를 제공할 수도 있다.

학계를 아예 떠나 컨설팅 업계로 뛰어들까 고민하던 중 CSUF에서 휴직계를 내도 된다는 연락을 받았다. 만약 1년 안에 일이 잘 풀리지 않는다면 나는 다시 대학으로 돌아길 수 있는 것이다.

일을 맡았을 때 나의 포지션은 선임연구원 직무 설명에 있는 것과 일치할 것으로 받아들였다. 연구 프로젝트 개발, 데이터 수집 촉진, 분석, 그리고 기업들에게 최첨단 비즈니스 솔루션을 제공하기 위해 작성된 보고서 종합하기 같은 것이었다. 면접관들은 내가 어바인 오피스에서 박사학위를 받은 유일한 사람일 것이고, 나의 전문성을 감안하면 많은 수석 컨설턴트들이 나와 함께 일하게 되어 몹시 기뻐할 것이라는 말을 해주었다.

일이 시작되면서 나는 다양한 클라이언트와 프로젝트를 아우르는 데이터 분석 업무에 배정되었다. 분석에 필요한 전문지식은 갖추었지만, 데이터 분석만 하는 것은 내키지 않았다. 하지만 그로 인해 프로젝트에 참여하게 된 것이니 데이터 분석 업무도 그런대로 괜찮았다. 게다가 갤럽의 구조와 시스템을 배울 수 있는 하나의 계기가 되기도 했다.

데이터 분석에만 전념한 몇 달이 지난 후, 나는 매니저에게 데이터 분석 이상의 프로젝트를 진행할 기회를 달라고 요청했다. 그리고 선임연구원으로서 계약할 때 있었던 업무와 부합하는 일도 하고 싶다고 했다. 매니저는 데이터 분석 이상의 일을 수행할 수 있는 프로젝트에 나를 참여시키려고 했다. 프로젝트 리더에 두 자리가 났지만, 원래 맡은 역할 이상으로 기여를 하게 될 자리는 나지 않았다. 나는 "선임연구원"이 아닌 데이터 분석가였다. 얼마나 맥 빠지는지! 나는 데이터 분석보다 훨씬 더 많은 일을 해낼 수 있다. 갤럽이 컨설팅하는 주요 주제에 맞는 박사학위를 소지한 사람은 갤럽 전체를 통틀어 몇 명 안 된다. 그중 한 명인 나는 동료들에게 귀중한 재원이 될 것이라고 생각했다. 하지만 시간이 흘러도 데이터 분석 이상의 프로젝트에 참여할 기회는 오지 않았다. 그렇지만 여전히 희망을 가지고 잡 크래프팅job crafting을 할 수 있을 거라고 낙관했다.

8개월 후 갤럽은 나를 꽤 유명인사인 고객에게 배정했다. 프로젝트 리더는 내게 데이터 분석을 하고 그 결과를 컨설팅 부서장이 속한 프로젝트 리더십 팀에 보고해 달라고 했다. 산더미 같은 데이터를 보면서 프로젝트 리더에게 내가 집중해야 할 가장 중요한 사안을 확인해 달라고 부탁했다. 그는 수익에 중점을 두라고 말했다. 그래서 나는 이 기업이 더 많은 수익을 창출하도록 도울 수 있는 방법에 대한 보고서를 작성했다. 그러던 중 프로젝트 리더십 팀과의 회의에서 나의 연구 결과를 발표하는 동안, 부서장(내가 가장 감명을 주어야 할 사람)이 의문을 제기했다. 왜 이익보다 수익에 집중하는지 물었다. 궁지에 몰린 나는 수익에 특별히 집중하라는 말을 들었다고 설명하며 프로젝트 리더에게 화살을 돌렸다. 회의실에 있던 모든 사람들이 실망감을 감추지 못했다.

회의가 끝난 후, 프로젝트 리더는 나를 따로 불렀다. 그리고 우리가 어떤 다른 선택을 했어야 하는지 그리고 앞으로 어떻게 대처해야 하는지 등에 대해 함께 고민했다. 나는 그 고객과 관련된 전략 회의에 참여시켜 줄 것을 요구했다. 처음부터 전략 회의에 참여했다면 프로젝트 리더십 팀이 필요로 하는 데이터가 무엇인지 분명하게 알았을 것이다. 또한 일찍 참여하면 고객과 함께 진행했던 일의 전략을 짜는 데 도움을 줄 기회가 생길 것이고, 그게 바로 내가 하고 싶었던 일이었다. 그는 내가 그저 데이터 분석가이기에 결코 그런 일은 없을 것이라고 대답했다.

CSUF에 휴직계를 낼 때 나는 절망에 빠진 처지인 줄 알았다. 이제 나는 훨씬 더 큰 절망에 빠졌다. 아무리 노력해도 비즈니스 커뮤니티에 더 크고 직접적인 영향력을 미치겠다는 내 목표를 향해 한 발짝도 나아가지 못하고 있는 것 같았다. 예상했던 것보다 훨씬 제한적이고 재미없는 역할에 갇힌 느낌이었다. 다시 한 번, 나는 이륙하기 직전 준비를 마친 로켓인데 조직과 그 안의 몇 명에게 제지당하고 있는 기분이었다. 포기하고 싶지 않았다. 나는 갤럽 안에서 더 많고 광범위한 기회를 계속 찾아다녔다. 하지만 별 진전이 보이지 않았고 매니저와 나는 점점 힘이 빠졌다.

어느 날 또 다른 프로젝트 리더가 데이터 분석가 이상의 역할에 기여하겠다는 나의 제안을 거절했고, 나는 매니저와 통화하며 불쾌감을 표했다. 그녀와 나 모두에게 불길한 징조가 번졌다. 나는 부적임자였다. 이 자리는 나에게 적합하지 않았고 앞으로도 그럴 것이었다. 그녀는 내게 사무실 짐을 정리할 것을 권했다.

해고를 당했다.

내 절망감은 이제 다른 차원으로 치솟고 있었다. 매니저를 탓할 수도 없는 노릇에다 사기가 팍 꺾였다. 회사에서 해고된 거냐는 말을 듣는 건 정말 짜증나는 일이었다. CSUF로 돌아가 다시 일할 수 있다는 것에 감사하면서도 한편으론 와르르 무너졌다. 목표에 다가가기는커녕 더 멀어지는 느낌이었다. 성공하기 위한 모든 도구와 전문성을 갖추었지만, 내가 일하는 조직과 그 안에 있는 몇몇 사람들 때문에 그저 평범함에 굴복할 수밖에 없다고 느꼈다.

성공을 주도하는 특정 마인드셋 확인하기

그래도 한 가닥 희망은 있었다. 나는 6월 말에 해고되었고, CSUF와의 계약은 가을 학기에 공식적으로 시작된다. 이로써 자유롭게 연구에 몰두할 수 있는 두 달이 생겼다. 다시 활기를 불어넣고 싶었던 프로젝트는 리더십 연구의 초점을 바꾸는 것과 리더십에 관한 대화였다. 지난 70년 동안 리더십 연구가 가장 비중 있게 다루었던 주제는 리더십 행동양식이나 효율적인 리더가 되기 위해 해야 할 일이었다. 이러한 접근방식은 중요한 질문을 다양하게 다루고 리더에게 명확한 지침을 제공했지만, 대부분의 사람들은 리더십이란 단지 어떤 행동을 하거나 특정한 일을 하는 것 그 이상이라고 믿고 있다. 리더십은 존재의 상태에 관한 것이다. 그러나 그간의 리더십 학자들은 효과적인 리더십의 "존재" 요소를 파헤치는 데 그다지 좋은 성과를 거두지 못했다.

CSUF를 떠나기 전 나는 동료들과 리더들이 가진 동기와 초점이 리더십 효과에 미치는 역할에 대한 자료를 수집해놓았었다. 예비 조사 과정에서 리더들의 동기가 실제 행동만큼 중요할 수도 있고, 어쩌면 훨씬 더 중요할 수도 있다는 생각에 이르게 되었다. 이 아이디어를 다시 탐구하기 시작하면서 마인드셋이라는 용어를 자주 접했고, 정말 흥미롭고 강력한 깨달음을 준 마인드셋 연구 보고서를 계속 읽었다. 일례로 알리아 크럼과 엘렌 랭거의 한 연구에 따르면 호텔 직원들이 날마다 하는 일을 운동으로 여기도록 마인드셋을 바꾸자 한 달 후에 그렇지 않은 그룹에 비해 몸무게가 평균 2파운드 이상 줄었다고 한다.

마인드셋의 힘을 알고 나자 의문이 생겼다. "마인드셋이 그렇게 강력하다면 성공하기 위해서는 어떤 마인드셋이 필요할까?"

이 질문을 계기로 내가 깨달아야 하고 개발해야 할 특정한 마인드셋이 무엇인지 알기 위한 심오한 여정을 시작했다. 이 여정 중에 경영, 심리학, 교육, 마케팅 및 관련 문학을 포함한 여러 분야에 걸친 학술 문헌을 탐구했다. 이런 문헌을 검토하며 나는 두 가지를 뽑아냈다. 첫째, 마인드셋은 이러한 여러 문헌에 걸쳐 수십 년 동안 연구되어 온 개별적인 속성이며, 각 문헌은 서로 다른 유형의 마인드셋에 초점을 두었으며 서로를 거의 참조하지 않은 것 같다. 즉, 이러한 각기 다른 마인드셋은 서로에 대해 분리되어 연구되어 왔다. 하지만 각각의 연구는 독립적으로 같은 결론에 도달했다. 즉 마인드셋은 우리의 생각, 배움 및 행동을 이끈다는 것이다. 나아가 각 분야에서 중점을 둔 마인드셋은 부정에서 긍정에 이르는 연속체 위에 있으며, 부정적 결과보다 반대편의 긍정적인 결과를 더 이끌어내는 마인드셋은 명확하게 구별되었다.

이 배움을 통해 이전에 한 번도 개발된 적이 없는 것, 즉 개별적인 마인드셋 문헌을 통합한 마인드셋 프레임을 개발하게 되었다. 이 프레임이 리더들의 "행위"나 행동과 더불어 "존재"를 탐구하는 참신하고 획기적인 방법이라는 확신이 들었다. 이 마인드셋 프레임이 이 책의 핵심이며, 다음 장에서 더 자세히 소개하겠다.

문헌 리뷰에서 두 번째로 뽑아낸 것은 개인적으로 나에게 더 의미가 깊은 것이다. 이러한 여러 마인드셋을 알게 되고 프레임을 구성하면서 나 자신의 마인드셋에 대해 숙고하고 평가해보았다. 이 과정에서 네 가지 세트의 마인드셋에서 현재 나의 마인드셋이 대체로 부정적이라는 사실을 깨달았다. 나는 1장에 나온 앨런과 같았다. 이 역할들 안에서 나는 주로 좋게 보이고, 옳은 것처럼 보이고, 문제를 회피하고, 나 자신에게 가장 좋은 일을 하는 것에 초점을 맞추고 있었다. 이러한 욕망을 정당화할 수는 있지만, 그 때문에 실제로 부정적이고 자기 잇속을 챙기는 방식으로 행동하고 있었다는 것을 보지 못했다.

이 사실을 깨달으면서 성공 앞에서 좌절해야 했던 것이 내가 일하는 조직과 그 안의 사람들 때문이 아니라는 것이 점점 더 분명해졌다. 그보다는 나 자신에게 한계를 긋는 방식으로 행동하게 한 부정적인 마인드셋이 그 원인이었다. 겸손함을 배우니 자유로움을 느낄 수 있었다. 겸손함, 내가 힘껏 노력한다 해도 그것이 최선의 노력이 아니라는 것을 인정해야 했고 나의 삶, 일 및 리더십에 대한 나의 생각이 비효율적이고 나의 목표와 맞지 않는다는 것을 인정해야 했기 때문이다. 자유, 절망의 원인은 나 자신이었기 때문에 절망에서 벗어날 수 있다는 것도 깨달았다.

거기서부터 나는 마인드셋에 대해 더 많이 공부하고, 심도 있는 자기성찰을 계속 하며, 내가 이 책에서 추천하는 연습을 지속하면서 마인드셋을 바꾸는 작업을 했다. 나는 내 마인드셋이 완벽하지 않으므로 아직 더 성장하고 개선할 여지가 있음을 기꺼이 인정한다. 하지만 분명한 건 부정적인 마인드셋에서 긍정적인 마인드셋으로 바꾸었다는 것이다.

절망적이었던 나의 상황을 되돌아보면, 솔직히 유쾌한 경험은 아니었지만 감사하다. 나 자신에 대해 배울 수 있었고 개인적으로나 직업적으로나 성장하는 법을 배웠기 때문이다. 그런 상황에 처하지 않고 마인드셋의 변화도 없었다면, 이 책을 쓰지도 못했을 것이다. 내 경험을 돌이켜보면, 절망을 겪기 전에는 나의 마인드셋을 전혀 모르고 있었다. 이로 인해 나의 성공에 한계를 그었고 성공하지 못하는 것이 외부 요인 때문이라고 착각하며 엉뚱한 해결책을 찾고 있었다. 내가 성공하지 못한 원인은 내적 요인, 특히 내 마인드셋 때문이었다. 이것을 깨닫고 인정하고 나서야 비로소 나는 자유로워질 수 있는 힘을 얻었고, 가능성의 세계를 열게 되었다.

가능성의 세계 열기

미래에 대해 생각할 때, 어떤 가능성을 열고 싶은가?

이 책에서는 삶과 일, 리더십의 세 가지 영역에서 가능성을 열어두고 성공을 이끌어내기 위해 마인드셋의 힘을 이용하는 것에 중점을 둘 것이다.

삶에서의 성공

삶에서 성공이란 무엇일까? 다음 몇 가지 방법으로 생각해보자.

• 삶에서 성공이란 단지 잠재력에 도달하는 문제가 아니라, 당신이

꿈꿔왔던 것보다 더 많은 잠재력이 있음을 발견하는 것이다.

- 삶에서 성공이란 다른 사람들과 깊은 관계, 사랑의 관계, 그리고 상호작용하는 관계를 맺는 것이다.
- 삶에서 성공이란 쉬운 일은 아니지만 옳은 일을 거리낌 없이 할 수 있을 정도로 배우고 발전하는 것이다.
- 삶에서 성공이란 망설이지 않고 줄 수 있는 정도로 풍요로워지는 것이다.
- 삶에서 성공이란 주변 사람들의 삶에 가치를 더하는 것이다.
- 삶에서 성공이란 당신의 꿈과 일치하는 삶을 만들고 창조하는 것이다.

일에서의 성공

당신이 어디서 일하든, 그곳이 월스트리트이든, 식료품 창고이든, 아니면 집 안이든, 당신의 일에서 성공한다는 것은 자신보다 더 위대한 무언가를 만들어내고 창조하는 사람이 되는 것을 의미한다. 공로를 세우거나 가치를 창조함으로써 주도권을 쥐고 지휘하는 것을 의미한다. 단순히 출근부에 도장을 찍거나 좋은 시절이 오기를 기다리는 것이 아니라, 임무를 적극적으로 완수해야 한다. 당신은 유형적(돈으로 환산 가능, 측정 가능) 가치와 무형적(태도, 의욕, 에너지) 가치를 더하는 방법으로 헌신하고 있다. 다른 사람들은 당신의 의견을 듣고 존중하며, 당신은 인정을 받고, 풍요롭게 살 수 있는 급여를 받는다. 현재 직장이 안정적이거나 당신이 책임져야 할 사람들을 계속 지원할 수 있다는 것을 알면 안심이 된다. 당신은 현재 위치나 또는 더 높은 새로운 위치에서 더욱 심도 있는 방법으로 가치를 계속 더해가는 사람이고 또 그런 사람으로 보인다.

리더십에서의 성공

나는 리더십을 다른 사람들에게 긍정적인 영향을 주어 목표를 달성할 수 있게 만드는 능력이라고 정의한다. 리더십의 정의에는 내가 강조하고 싶은 세 가지 측면이 있다.

첫째는 영향력이다. 어떤 사람들에게는 이 단어, 즉 영향력을 갖는다는 생각이 부정적인 의미로 들릴 수 있다. 영향력을 갖는다는 것이 우리가 꿈꾸는 삶을 창조하고 자신보다 더 위대한 무언가에 기여하는 데 중요한 요인이라는 것을 알면 좋겠다. 다음은 지난 20년 동안 연설가로 활발한 활동을 하고 있으며, 뉴욕 타임스의 베스트셀러 고성능 습관을 쓴 브렌든 버차드의 말이다.

"더 많은 영향력을 가지면 정말로 더 나은 삶을 영위한다는 것은 맞는 말이다. 영향력이 크면 아이들은 당신의 말을 더 많이 듣는다. 갈등이 생겼을 때 더 빨리 해결한다. 당신이 요구하거나 쟁탈전을 벌였던 프로젝트를 따낸다. 아이디어에 더 많은 공감을 얻는다. 더 많은 매출을 올리고, 더 잘 이끈다. CEO, 고위간부 또는 성공적인 자영업자가 될 가능성이 더 높다. 자신감이 올라가고, 실적도 올라간다."

둘째, 리더십에 대한 이 정의는 조직 내의 직책이나 지위 또는 정년보장에 초점을 맞추지 않는다. 단지 다른 사람들에게 긍정적인 영향을 어느 정도 미칠 수 있는가에만 초점을 맞춘다. 직책과 상관없이 누구나 리더가 될 수 있다. 이것이 내가 버처드의 말을 좋아하는 이유이다. 신입 직원은 구태의연한 업무 분위기에 젊음의 열정과 에너지를 불어넣을 수 있다. 전업주부는 자녀들이 잠재력을 탐색하고 개발하며 성장하는 분위기를 만들어줄 수 있다. 대부분의 시간을 집 안에서 보내는 마비 환자는 간호사, 친구 및 가족들이 축복받은 삶을 최대한 누리도록 영감을 줄 수 있다.

셋째, 이 정의는 리더십의 긍정적인 면을 부각한다. 리더는 다른 사람들이 목표를 달성하는 것에 긍정적으로도 부정적으로도 영향을 줄 수 있다. 역사상 악명 높은 지도자들을 살펴보면, 모두 한 가지 공통점을 가지고 있다. 바로 그들의 어둡고 파괴적인 목적을 달성하기 위해 위협과 무력으로 다른 사람들에게 영향을 주었다는 점이다.

최고의 리더는 자신의 지위, 공식적인 권위, 두려움이나 협박에 의존하지 않는다. 오히려 훌륭한 인성을 가졌기 때문에 다른 사람들에게 긍정적인 영향을 미친다. 핵심적으로 리더십에서 성공을 거둔다는 것은 다른 사람들이 기꺼이 따르고 영향력이 있는 사람이 되는 것을 의미한다.

앞으로 다룰 내용

삶, 일 그리고 리더십을 통틀어 성공하려면 우리의 삶과 운명을 완전히 주도하며 지휘해야 한다. 이 정도의 영향력을 가지려면 우리가 하는 모든 일을 주도하는 자기 자신, 즉 마인드셋을 의식하고 통제할 수 있어야 한다. 자신의 마인드셋을 주도하면 더 밝은 미래를 이끌고 의식적인 창조자가 된다. 그렇지 않으면 삶이 던지는 마인드셋과 씨름하며 결국 흐르는 인생에 편승하여 수동적인 방관자의 삶을 살게 된다.

두 가지 이유로 당신의 마인드셋을 파악해보길 바란다. (1) 성공을 가로막고 있는 것을 보다 적절하게 진단하여 처리할 수 있고 (2) 인생의 주도권을 더 확고하게 잡을 수 있다. 이 둘을 조합하면 당신을 가로막는 장벽을 뛰어넘어 더 밝은 미래로 진입할 수 있는 힘을 얻게 될 것이다.

다음으로 이를 실현하기 위해 발전시키고 향상시켜야 할 마인드셋을 구체적으로 소개하겠다.

Chapter 4

|

무엇이 당신의 삶을
방해하고 있는지 진단하라.

삶의 환경을 재정비함으로써가 아니라, 자신이 누구인지를 가장 깊은 수준에서 깨달음으로써 평화를 찾는다.─에크하르트 톨레

인생에서 가장 위대한 발견은 자기 발견이다. 자기를 발견하기 전까지 당신은 항상 다른 사람이 될 것이다. 너 자신이 되어라.─마일즈 먼로

나는 마인드셋이 본질적으로 우리가 하는 모든 일과 우리가 도달할 수 있는 성공에 근본이 되는 것이라고 주장해왔다. 그렇다면 우리가 마인드셋에 통달한 전문가가 되는 것도 중요하지 않을까?

대부분의 사람들은 일반적으로 마인드셋이라는 용어를 일상 어휘의

하나로 사용하며 마인드셋이 중요하다는 것을 어느 정도 감지하고 있다. 다양한 연설 자리에서 나는 청중들에게 특정한 마인드셋이, 만약 개발할 수 있다면, 더 큰 성공으로 이끌어준다는 것을 아는지 물어본다. 일반적으로 둘 중 하나의 대답이 돌아온다. 아는 게 없거나(정적이 흐름), "긍정적인 마인드셋"이라고 답한다. "긍정적인 마인드셋"에 이견을 보이기는 어렵지만, 그것은 그다지 구체적인 대답은 아니다.

  문제이지 않은가?

  이것이 얼마나 문제가 되는지 더 잘 이해하기 위해, 시력에 비유해보겠다. 원시여서 멀리 있는 사물은 잘 보이지만 가까이 있는 사물은 잘 안 보인다고 가정해보자. 눈 상태를 알기 전까지는 그 시력에 적응하여 가장 좋은 방법으로 세상을 보고 있다고 믿을 것이다. 게다가 모든 사람들이 같은 상태로 세상을 보고 있는 것으로 알 것이다.

  시력이 나쁘다는 사실을 인식하지 못하고 인정하지 않으면 계속 그렇게 비효율적으로 기능을 할 뿐이다(예를 들어 팔을 뻗어 책을 멀리 놓고 눈을 가늘게 찡그러서 읽는다.) 단어가 흐릿해 보이면 심지어 낙담하여 불평할 수도 있다. "글자 크기가 더 큰 건 안 나오나?"

  시력이 나쁘니 안경을 착용하면 좋다는 것을 인식했다하더라도 어떤 렌즈, 스타일, 브랜드가 좋은지 잘 모르면 시력을 개선시킬 능력에 한계가 생긴다. 이 상태에서 근본적으로 시력을 교정할 수 있는 옵션이 두 가지 있다. 한 가지 옵션은 마트의 안경코너에서 여러 가지 렌즈를 써보며 기능도 좋고 스타일도 좋은 것을 걸러내면서 시력을 교정해주고, 멋져 보이고, 가격도 합리적인 렌즈를 찾아내는 것이다. 또 다른 옵션은 안과에 가는 것이다. 안과 의사는 기계로 현재의 시력을 측정하고 시력 교정에 필요한 렌즈 유형을 정확하게 알려줄 것이다. 또한 병원 직원이 가장 멋지고 가장 적당한 가격의 안경을 고르는 것을 도와주기도 할 것이다.

마인드셋에 적용할 때의 옵션도 비슷하다. 한 가지 옵션은 여러 가지 다른 마인드셋을 테스트하고 시도해보며 가장 잘 작동하는 것이 무엇인지 확인하는 것이다. 하지만 이것의 가장 큰 문제점은 상점에서 안경을 써보는 것과는 달리 마인드셋은 선택할 수 있게 우리 앞에 놓여 있지 않다는 것이다. 우리들 대부분은 심지어 선택할 수 있는 옵션에 무엇이 있는지도 잘 모른다.

내가 절망에 빠졌을 때가 바로 이런 상태였다. 나는 마인드셋이 얼마나 중요한지 인식하지 못했고 내 "시력"이 이상적이라고 생각했다. 내 절망적 상황이 내 마인드셋이 만들어낸 결과이며 그것을 바꾸어야 한다는 생각에 이르렀을 때조차, 나의 어떤 마인드셋이 나를 제한하고 있고 어떤 마인드셋을 가지는 게 가장 좋은 건지 명확하게 알지 못했다.

성공하기 위해 필요한 마인드셋을 파악하기 위해 나는 먼저 구글을 검색해 마인드셋에 대한 지식의 방대함이 어디까지인지 빠르게 훑어보았다. 수많은 결과가 검색되었지만 별로 얻은 것도 없이 실망했다. 다음과 같은 것들만 계속 나왔기 때문이다.

- 마인드셋이 성공에 중요하다고는 하지만 행동에 대해서만 이야기한 기사(예를 들어 장기적인 비전을 세우고, 직감의 소리에 귀 기울이고, 실수를 인정하고, 위험을 감수하고, 호기심을 가져라).

- 여러 가지 다른 마인드셋을 확인시켜 주었지만 그게 무엇인지 명확하게 정의하지 않은 기사.
- 마인드셋을 확인하고 정의했지만 마인드셋이 실제로 생각, 배움 및 행동에 영향을 미쳤다는 증거를 제시하지 않은 기사.

구글 검색으로도 명확한 답을 알 수 없을 것 같아 나는 명확한 목적을 가진 학술 문헌으로 눈을 돌렸다. 그 목적은 사람들이 생각하고 배우고 행동하는 방식에 영향을 미치는 것으로 거듭 증명되는 특정 마인드셋을 찾는 것이었다. 나는 여러 분야의 학문에 넓게 그물을 던졌다. 이렇게 연구한 결과를 원래는 12가지의 마인드셋으로 추렸었다.

이 마인드셋들 간에는 분명한 구분이 있었다. 대부분 최근 개발된 것으로 사람들의 생각, 배움, 행동에 영향을 미친다는 것을 증명하는 경험적 증거가 부족하거나, 중요성과 가치를 확실히 인정할 만큼의 증거가 부족했다. 대표적 예가 글로벌 마인드셋과 기업가적 마인드셋이다. 그러다가 수십 년 동안 연구되어 온 세 가지 세트의 마인드셋을 발견했다. 서로 다른 영역에서 독립적으로 연구되어온 것이었다. 고정 마인드셋과 성장 마인드셋, 개방 마인드셋과 폐쇄 마인드셋, 예방 마인드셋과 추진 마인드셋이었다. 이로써 나는 사람들의 생각, 배움, 행동에 영향을 미친다고 확신할 수 있는 세 가지 세트의 마인드셋을 정리하게 되었다.

여기에서 멈추지 않았다. 리더십에 관한 거의 모든 자료를 찾아 읽었고 그러던 중 틈새 컨설팅 그룹인 아빈저 연구소를 알게 되었다. 이 연구소가 출간한 마인드셋 서적도 읽어보고 개인적으로도 소통해본 결과 아빈저가 수십 년 동안 개인 및 조직의 생각, 배움 및 행동을 변화시키는 데 도움을 주고 있다는 것을 알았다. 그들이 초점을 맞춘 특정 마인드셋은 외향 마인드셋과 내향 마인드셋이었다.

따로 존재했던 네 세트의 마인드셋을 하나로 엮으니 지금까지 존재한 것 중 가장 종합적인 마인드셋 프레임이 만들어졌다. 각 마인드셋이 삶을 효과적으로 운영하는 데에 영향을 주는 것으로 수십 년간 입증되었기 때문에, 이러한 마인드셋에 집중하면 우리 삶에서 더 성공적으로 생각하고 운영하게 될 것이라고 확신해도 된다.

이 프레임이 마련됨으로써 마인드셋을 개선할 수 있는 옵션이 생겼다. 이전에는 없던 것이다. 시력의 비유에서처럼 이 프레임은 선택할 수 있는 마인드셋이 무엇인지 우리 앞에 명확하게 보여준다. 이것은 더 나은 마인드셋을 "쇼핑"할 능력을 향상시킬 뿐만 아니라, 우리의 마인드셋을 평가할 수 있는 도구를 만들어냄으로써 원시 시력을 가진 사람이 안과의사에게 가는 것과 같은 옵션을 제공해 준다. 이 옵션은 나에게 맞는 마인드셋을 찾을 때까지 "계속 시도해보는 것"보다 훨씬 더 정확하고 효율적이다.

나는 현재의 마인드셋을 파악하고 무슨 마인드셋을 개발하는 것이 나에게 가장 적합한지 파악할 수 있도록 개인 마인드셋 평가양식을 개발했다. 평가도 실시해보고 이 책도 읽어보면서 안과의사에게 가서 새로운 안경을 처방받아 착용한 원시 시력의 사람처럼 자신의 세계를 운영하는 방식을 개선할 수 있는 힘을 가져보자.

네 가지 세트의 마인드셋

각 쌍의 마인드셋은 부정적이고 긍정적인 성향으로 나뉜다. 전형적인 이분법으로 나뉘어 짝을 이루지만, 현실에서는 부정에서 긍정에 이르는 연속체 상에 존재한다. 스펙트럼이나 회색을 생각하면 된다. 흑과 백이 아니다. 고정/성장 마인드셋, 개방/폐쇄 마인드셋, 예방/추진 마인드셋, 내향/외향 마인드셋으로 아래 그림처럼 연속체로 나타낼 수 있다.

이 그림과 관련된 연구에 따르면 사람들의 마인드셋은 네 가지 연속체 상의 어딘가에 있다. 어디에 있든 상관없이 마인드셋을 더 긍정적인 쪽으로 개선할 수 있다면, 생각, 배움 및 행동이 자연스럽고도 효과적으로 개선되고, 결국 우리의 삶, 일 그리고 리더십에서의 성공도 이루어질 것이다.

그림의 오른쪽에 있는 네 가지 긍정적인 마인드셋(성장, 개방, 추진, 외향)이 삶을 보다 효과적이고 성공적으로 산다는 결과가 반복적으로 나오기 때문에 이들을 성공 마인드셋이라고 부르겠다. 성공 마인드셋은 우리의 삶, 일 그리고 리더십의 더 큰 성공을 여는 열쇠이다. 그림 왼쪽에 있는 네 가지 부정적인 마인드셋(고정, 폐쇄, 예방, 내향)은 쉽게 정당화할 수 있지만 성공을 막고 제한한다는 결과가 꾸준히 나오고 있다. 이들을 제한 마인드셋이라고 부를 것이다.

개인 마인드셋 검사를 권함

이 책의 나머지 부분의 중심내용이 될 마인드셋에는 어떤 것들이 있는 확인해보았다. 지금은 마인드셋을 정의하고 설명하는 것을 자제할 것이다. 그 이유는 당신이 개인 마인드셋 평가를 하기 전에 내가 마인드셋을 섣불리 정의하고 설명한다면, 당신이 마인드셋 평가에 있는 질문에 솔직하고 정확하게 대답하지 못할 수 있고 그러면 왜곡된 결과를 얻을 수 있기 때문이다.

개인 마인드셋을 검사해보길 권한다. 가능한 한 솔직하게 답변해야 한다. 이상적인 답을 하는 게 아니라 현재의 마인드셋 상태를 답해야 한다. 자신에게 솔직한 답을 하지 않으면 평가의 가치가 떨어진다.

또한 어떤 환경(예: 일)에서 특정 마인드셋을 가지고 있고 다른 환경(예: 가정)에서 약간 다른 마인드셋을 가지고 있는 것은 흔한 일이다. 그러므로 가장 많은 시간과 에너지를 쏟는 환경이나 자신에게 가장 중요한 환경을 염두에 두고 검사를 실시하면 된다.

소요시간은 약 7분이다. 각 질문에는 양극단에 있는 두 가지 문장이 제시된다. 자신을 정확히 묘사하는 정도를 선택하면 된다.

모든 질문에 답을 하면 개별적인 분석이 담긴 결과지가 이메일로 전송된다. 이 결과지에는 당신에게 도움이 될 다음의 정보가 담겨 있다.

- 네 가지 세트의 마인드셋을 더 잘 이해할 수 있는 정보.
- 네 가지 세트의 마인드셋 연속체 상에서 당신의 마인드셋이 위치한 곳을 확인하는 정보. (각 마인드셋 세트의 점수가 나오고, 평가를 완료한 다른 사람들과 비교한 순위도 함께 나온다.)
- 마인드셋을 개선할 수 있는 정보.

검사할 수 있는 사이트다.

https://www.ryangottfredson.com/successmindsets.

　　많은 사람들은 이 검사를 받고 개인의 삶을 바꾸거나 또는 회사를 변화시킬 경험이었다고 한다. 몇 가지 예를 들어보자면 근래 이혼한 여러 명의 사람들이 이 검사를 받고나서 만약 더 일찍 마인드셋을 깨우쳤다면, 결혼 생활을 개선할 방법을 알았을 것이고 이혼하지 않았을지도 모른다고 말했다. 검사의 가치를 알고 달리 가정할 수 있는 상황을 인지했으면 좋았을 텐데라는 생각이 들어 안타깝고 안쓰럽다.

　　포춘지 선정 10대 기업부터 중견기업에 이르는 수십 개의 기업들이 최고 리더를 양성하는 데 이 검사를 이용해왔다. 인사팀장들은 경영진이 회사 내에서 무의식적으로 악당이 되고 있고 그들이 악당이라는 사실을 일깨워주기 위한 도구와 교육이 필요하다고 말한다. 불행하게도 그러한 상황은 드문 일이 아니다. 트래비스 브래드베리와 장 그리브스는 저서 감정지능 2.0에서 회사 임원들이 회사에서 가장 낮은 감성지능을 가지고 있다고 보고한다. 그러고 보니 임원들이 마인드셋 검사를 하고 결과에 따라 교육 받는 것을 선뜻 받아들이지 않는다는 게 납득이 된다.

  마인드셋 검사를 한 다른 수천 명의 사람들과 비교하여 결과가 나오기 때문에 평가의 객관성을 부정하기 어렵다. 이러한 객관성 때문에 자신을 제대로 파악하고 감성 지능을 향상시켜야겠다는 자극이 충분히 된다. 이 검사가 다른 사람들에게 깨우침의 자극이 된 것처럼, 당신에게도 깨우침의 자극이 될 것이다. 또한 자기 자신을 새로운 방식으로 돌아보는 계기가 될 것이다. 만약 제한 마인드셋을 가지고 있다는 결과가 나와도, 자신을 탓할 필요는 없다. 결과를 아는 것이 곧 출발지점이다. 진정으로 집중해 보지 않았던 일에 능하기를 기대해서는 안 되는 법이다. 만약 성공 마인드셋을 가지고 있다는 결과가 나왔다 해도, 자신에 대해 더 큰 자신감을 갖는 계기가 된다. 개인적인 결과에 상관없이 마인드셋을 골고루 개선을 하면 성공할 확률이 높아진다. 이 검사는 당신의 마인드셋을 보여주는 척도이다. 어떤 변화와 발전이 이루어졌는지 관찰하려면 언제든지 다시 해보면 된다.

라벨의 힘

  이 마인드셋 프레임이 자기 인식과 성공 확률을 높이는 힘을 가진 주된 이유는 마인드셋에 명확한 라벨을 붙이고 정의를 부여하기 때문이다. 이러한 라벨과 정의가 없다면 마인드셋을 업그레이드하려고 할 때 무엇에 중점을 두어야 하는지 명확하고 정확하게 파악하기가 어렵다. 그렇다고 불가능하다는 것은 아니지만 코끼리 다리만 더듬는 것과 같다. 라벨을 붙임으로써 명확성과 방향이 부여되고, 현재의 마인드셋을 성찰하고 네 가지 성공 마인드셋을 개발할 수 있는 힘이 생긴다.

명확한 라벨을 붙이고 정의가 무엇인지 알고 나니 내 인생이 바뀌었다. 처음 마인드셋 세트에 대해 알게 되었을 때, 나 자신의 근원을 깨달았는데 그리 좋은 편은 아니었다. 내 마인드셋이 연속체 상의 부정적인 측면에 더 가까이 있고 삶과 일, 리더십에서 성공을 이루는 데 해를 끼친다는 것을 알게 되었다. 그 전까지 나는 바르고 옳은 마인드셋을 지니고 있다고 생각했는데, 매우 잘못된 생각이었다.

기존의 마인드셋을 깨닫고 이것이 나의 성공에 도움이 되지 않는다는 것을 인정함으로써 나는 변화할 수 있는 힘을 갖게 되었다. 여전히 노력 중이지만(우리 모두 그렇지 않은가?), 지금은 네 가지 연속체 상에서 긍정적인 쪽에 위치한다고 생각한다. 이렇게 새로운 마인드셋으로 변화하고 발전시킴에 따라 나의 생각, 배움 및 행동은 분명히 향상되었다. 나는 이제 내 삶, 일 그리고 리더십에서 더 큰 성공을 거둘 수 있는 능력에 더 큰 자신감이 붙었다. 나의 마인드셋이 불을 지필 새로운 기회와 성공 가능성에 가슴이 설렌다. 당신 역시 자신과 미래에 대해 똑같은 긍정적인 설렘을 경험하길 바란다.

마인드셋 배후의 인지과학

다음으로 넘어가기 전에, 마인드셋이 무엇인지 그리고 우리의 뇌 안에서 어떻게 작동하는지 정확히 이해하는 것이 중요하다고 생각한다. 정확히 이해하고 나면 우리가 하는 모든 일의 근원이 되는 마인드셋을 확고히 정립하고 마인드셋을 향상시키는 방법을 밝히는 데 도움이 될 것이다. 지금까지 나는 마인드셋을 멘탈 렌즈나 멘탈 연료 필터에 비유했다. 이러한 것들은 마인드셋이 하는 역할이고, 마인드셋은 실제로 연상 처리 기억과 관련된 전전두엽 피질에 있는 신경망이다. 자세히 설명해보도록 하겠다.

전전두엽 피질은 뇌의 집행기능을 통제하는 센터이다. 감각 기관에서 전달받은 정보를 빠르게 처리하여 생각, 감정 및 행동으로 넘긴다. 여기에서 필터링이 이루어진다. 실제 필터가 있는 것은 아니지만, 다른 신경망보다 활성화되기 쉽도록 준비된 특정 신경망에 의해 필터링 효과가 구동된다. 신경망은 뇌 세포 또는 뉴런 간의 연결로 구성된다. 뉴런은 세포체(소마), 축삭돌기 및 가지돌기로 구성되어 있다. 세포체는 전기 신호가 생성되는 세포의 일부이다. 이 전기 신호는 축삭돌기로 이동하는데, 여기서 신경 전달 물질(예: 도파민)이라는 특정 화학 물질이 시냅스라고 하는 뉴런 사이의 공간으로 방출되고, 여기서 뉴런의 축삭돌기는 다른 뉴런의 가지돌기와 연접한다. 이러한 일련의 뉴런 연결이 신경망을 형성한다.

우리 뇌에는 두 개의 메모리 시스템이 있다. 하나는 패스트-바인딩 시스템이라고 하며, 에피소드를 빠르게 기록한다. 예를 들어 지난번에 갔던 여행을 떠올려 보라. 특별했던 경험을 아주 세세하게 기억할 수 있는가? 패스트-바인딩 시스템이 작동한 것이다. 일반적으로 의식적인 사고를 통해서만 접근할 수 있다. 다른 메모리 시스템은 연관 처리 시스템이라고 불리는 슬로우-러닝 메모리 시스템이다. 현재 상황에 대한 정보를 빠르고 자동적으로 채우기 위해 이전에 경험했던 비슷한 상황에서 축적된 지식을 이용한다. 다시 말해, 어떤 상황(예를 들어 이 상황은 위험해 보인다)에서 신호를 받으면 연관 처리 시스템은 이전 경험(예를 들어 지난번 위험한 상황이었을 때 나는 화상을 입었다)에서 정보를 자동으로 검색하여 현재 상황을 가장 잘 처리할 수 있는 방법을 알려준다. 이 메모리 시스템은 대체로 무의식적으로 작동하며, 우리가 직면한 상황을 빠르게 이해하는 데 도움을 준다.

특정 표현에 많이 의존할수록 그 표현과 관련된 신경망이 연관 처리 시스템 내에서 더 강화된다. 이것이 의미하는 것은 신경망이 강해질수록 축삭돌기가 신경 전달 물질을 방출하는 능력이 증가되고 가지돌기는 신경 전달 물질을 포착하기 위해 더 많은 가지돌기 수용체를 만들어낸다는 것이다. 따라서 특정 신경망이 더 쉽고 빠르게 활성화된다. 연관 처리 시스템 내의 이러한 강한 신경망이 바로 마인드셋이다. 대부분 자동적이고 무의식적으로 작동하며, 시간이 지나면서 예측 가능하고 반복적인 방법으로 정보를 신속하게 처리하도록 만든다. 학자들이 우리의 사고, 감정, 판단 및 행동의 90퍼센트가 무의식적인 자동화 과정에 의해 움직인다고 추정하는 이유이다.

뇌가 한 가지 방법으로(예를 들어 도전을 피해야 할 것으로 보는 것) 활성화되기 쉽다고 해서 다른 방법으로(예를 들어 도전을 접근해야 할 것으로 보는 것) 처리할 수 없다는 것을 의미하지는 않는다. 보다 긍정적인 마인드셋을 발전시키고 싶다면, 현재 신경망 연결 상태를 극복하고 개선해야 한다. 덜 사용되었지만 긍정적인 신경망에 더 의존하도록 의식적으로 생각하고 특정한 개입을 시도해야 한다.

네 가지 세트로 정리된 마인드셋은 서로 다른 신경망을 카테고리를 만들어 분류한 것이다.

다음에 올 내용

다음의 네 파트에서는 네 가지 세트의 마인드셋을 하나씩 깊게 다룰 것이다. 각 파트는 동일한 네 개의 챕터로 구성된다. 첫 번째 챕터에서는 마인드셋 세트를 정의하고 설명할 것이다. 두 번째 챕터에서는 부정적인 마인드셋과 긍정적인 마인드셋이 어떻게 우리의 생각, 배움 및 행동을 주도하는지 보여줄 것이다. 세 번째 챕터에서는 마인드셋이 우리의 삶, 일 그리고 리더십에서 어떻게 성공을 활성화시키는지 보여줄 것이다. 그리고 네 번째 챕터에서는 기존의 마인드셋을 어떻게 개선할 수 있는지에 대해 논의할 것이다. 아직 개인 마인드셋 검사를 하지 않았다면 이제 해보길 바란다. 각 마인드셋 세트를 분석해서 자기의 마인드셋을 더 자세히 파악하는 작업을 시작할 것이다.

II
PART

성장 마인드셋, 고정 마인드셋
Growth Mindset, Fixed Mindset

ǀ

내 능력은 얼마든지 발전할 수 있다는 믿음이
도전과 인내의 근원이다

Chapter 5

|

무엇이 평범한 사람을
성공하게하고 극도로 유능한 사람도
실패하게 하는가?

당신이 얼마나 위대한지 왜 증명하고 또 증명하며 시간을 낭비합니까? 당
신은 이미 나아지고 있는데. -캐롤 드웩

2012년 11월 10일이다. 미국 랭킹 15위인 텍사스 A&M 대학 미식축구
팀은 디펜딩 전국 챔피언인 앨라배마 크림슨 타이드와 1위를 다투고 있
다. 경기 시작 7분 만에 텍사스 A&M이 7-0으로 앞서 있고 애기스(텍사스
A&M의 애칭-역주)가 앨라배마의 10야드 라인에 올라 득점을 시도하고 있
다. 서드 앤드 골이었다(Third and Goal, 네 번의 공격기회 중 세 번째 공격이
며 상대방 진영 10야드 안에 들어와 있다는 의미-역주). 텍사스 A&M이 여기

서 득점할 수 있다면, 경기당 평균 19점 차로 상대를 압도해 온 팀을 상대로 두 번의 터치다운을 하게 되는 것이다. 만약 득점을 하지 못하면 필드 골에 만족해야 할 것이다. 엄청난 기회를 놓치게 되는 것이다.

경기 종료 3초를 남겨두고 조니 맨지엘이 공을 낚아챈다. 번뜩이는 플레이로 전 국민의 관심을 단번에 사로잡은 신입생 쿼터백이다. 맨지엘은 샷건 포메이션을 펼치지만 앨라배마가 빠르게 압박한다. 그는 오른쪽으로 스크램블하지만 바로 저지당한다.

그가 몸을 돌리면서 팀 동료와 충돌하고 공은 공중으로 튀어 오르지만 맨지엘은 굉장히 침착하게 공을 다시 받아낸다. 그리고 나서 시선을 아래로 향하고 왼쪽 열린 공간으로 달려간 뒤 상대편 터치다운 쪽에 여유롭게 도착해 있는 팀 동료에게 부드럽게 패스를 한다. 텍사스 A&M은 두 번의 터치다운으로 상승세를 탄다. 맨지엘은 253야드 31패스 중 24패스를 성공하고 두 번의 터치다운까지 더해 29대 24로 팀 승리를 이끌었다. 또한 92야드 러싱을 성공했다.

이 경기가 맨지엘의 하이즈먼 "모먼트"가 되었다. 하이즈먼 트로피 심사단은 큰 경기에서 화려한 플레이를 펼친 이 선수에게 대학 미식축구 최고의 영예를 줄 것인지 눈 여겨 보았고, 한 달 후 시즌이 끝날 무렵, 맨지엘은 대학 신입생 최초로 하이즈먼 트로피를 받았다. 대학 최고의 미식축구 선수로 인정받게 된 것이다. 하이즈먼 트로피 외에도 신입생으로는 최초로 매닝 어워드와 데이비 오브라이언 내셔널 쿼터백 어워드를 수상하였으며, 전국 최고의 쿼터백으로 인정받았다.

엄청나게 훌륭한 업적이다. 하지만 더 놀라운 건 오로지 재능만으로 그러한 성과를 낸 것이다. 맨지엘은 자신은 수비진과 공격진 어느 하나에 종속되지 않은 사람이기 때문에 플레이북(미식축구에서 팀의 공격과 수비 작전을 도표와 함께 기록한 책-역주)이 필요 없다고 코치들에게 선언했다. 플레이북이 없는 쿼터백? 그뿐이 아니라 경기 영상도 보지 않았다. 무슨 배짱이란 말인가!

맨지엘은 미식축구계의 정상에 올랐다. 그런데 사교계도 장악했는지 프로 운동선수(제임스 하든, 롭 그론코프스키)나 다른 대중문화 스타(저스틴 팀버레이크, 드레이크)들과 함께 파티를 하는 모습이 뉴스에 자주 등장했다. 어찌 되었건 유명해질 운명이었다.

하지만 타고난 재능과 엄청난 장점을 지녔음에도 여기까지가 맨지엘 경력의 정점이었다. 대학 1학년만 마치고도 NFL에 갈 수 있다고 한다면 멘지엘은 분명히 들어갔을 것이다. 그러나 NFL 규정 상 고등학교 졸업 이후 3년이 지나야 NFL 드래프트 자격이 주어지게 된다. 그는 텍사스 A&M으로 돌아와 1년 더 활동하면서 계속 전국을 열광시켰고 엄청난 성과를 거두었다. 그러나 파티광이라는 평판을 듣는가하면 경기장 밖 사생활 문제 때문에 2014년 NFL 드래프트 이전에 그의 드래프트 주가는 하락했다. 유출된 NFL 스카우팅 보고서에는 다음과 같은 내용이 담겨 있었다.

- 코치들은 "그에게 고함치거나 소리를 지르면 안 된다. 그랬다가는 파업해버린다. 언젠가 코치를 떠나버린 적도 있었다."
- "전략을 짜는 법을 알고 있다. 거만하고 자신만만하지만, 코치들에게 으스대지는 않는다. 첫 날부터 그런 편이다. 수업은 절대 안 가고 멋대로 하지만, 궁극의 자신감을 가지고 있다."

- "관리라는 단어의 의미를 되새기게 함. 우려되는 점: 성숙함, 준비하는 열정, 손이 많이 가는 스타일, 직업 윤리."

2014년 NFL 드래프트에서 클리블랜드 브라운스는 19번째 종합 선발로 맨지엘을 데려왔다. 팀에 합류해 처음 훈련을 시작했을 때, 브라운스 팀 동료 한 명은 맨지엘의 운동 능력을 보고 그야말로 "입이 떡 벌어졌다"고 말했다.

안타깝지만 여기까지가 브라운스와 함께 한 맨지엘의 전성기였다. 신인 시절 그는 재능만으로 성공할 수 있다고 생각했다. 다른 프로 쿼터백에 비해 노력이 부족했다. 성공한 쿼터백 선수들은 먹는 것부터 공의 정확한 공기압까지, 또한 상대팀이 사용하는 다양한 방어 전략까지 강박적일만큼 세세하게 신경 쓴다. 하지만 맨지엘은 주말이 되면 아이패드로 플레이북을 여는 대신 유명 인사들과 어울려 놀았다. 그렇게 경기장 밖에서 관리에 신경을 쓰지 않았기 때문에 실전에서도 힘든 경기를 이어나갔다. 고등학교 1학년 이후 그렇게 저조한 경기 성적을 낸 적이 없었기 때문에 능력에 대한 자신감을 급속히 잃었다고 말했다. 이어 "그때부터 우울증이 시작됐어요."라고 덧붙였다.

다른 신인 선수들처럼 맨지엘도 처음에는 브라운스 팀의 선발로 뛰지 않았다. 하지만 시즌 후반에 브라운스가 힘들게 경기를 펼쳐갈 때, 팀은 그가 승리의 동력이 되길 바랐다. 첫 경기에서 그는 두 번의 인터셉트를 가했고 가장 낮은 패스 등급으로 마무리했다. 놀랄 것도 없이 브라운스는 30대 0으로 졌다. 경기가 끝난 뒤 팀 동료들은 그가 작전대로 경기를 진행하지 않았다고 불평했다. 일주일 후 그는 허벅지 근육을 다치면서 시즌을 끝냈다.

맨지엘의 삶은 계속 헝클어졌다. 허벅지 부상을 당한 지 일주일 만에 라스베이거스로 날아가 파티를 열었다. 클리블랜드의 시즌 마지막 경기를 하루 앞둔 시점이었다, 부상 치료를 의무적으로 받아야 하기 때문에 팀에 돌아가야 했는데 비행기마저 놓쳐버렸다. 결국 코치와 팀 동료들에게 자신의 이미지를 심하게 손상시키고 말았다.

그 다음 해 내내 그는 마약과 알코올 문제로 재활원을 드나들고, 경기장 밖에서 법적 문제를 계속 일으켰으며, 결국 브라운스 팀에서 방출되었다. 재활 치료를 더 받고 두 시즌을 완전히 쉰 후에 캐나다 미식축구 리그에서 커리어를 이어가려고 노력했다. 그는 몬트리올 알루엣과의 데뷔전에서 네 번의 인터셉트를 했고 곧장 벤치로 빠졌다. 26세가 된 그는 짧게 존재하고 사라진 아메리칸 미식축구 연맹에서 잠시 머물다가 프로 미식축구에서 은퇴했다. 출중한 재능으로 화려함을 뽐내면서 엄청난 성공을 거둘 조니 맨지엘의 운명은 분명 좋아보였다. 하지만 그 화려한 불꽃은 극적으로 꺼지고 말았다.

이와 비슷한 사례는 또 있을 것이다. 특별한 재능 덕분에 분명 성공할 것처럼 보이지만 그만큼 크게 몰락해버리는 사람들을 흔하게 볼 수 있다. 반대로 성공할 재능이 없는 것처럼 보이는데 놀랍고 위대한 일을 한 사람들도 있다. 아마도 역대 최고의 쿼터백인 톰 브래디가 그럴 것이다. 미시건 대학에서 나왔을 당시 그다지 주목 받지 못한 선수로 기껏해야 평균을 약간 넘는 쿼터백이었다. 그는 종합 199위에 그쳐 6라운드 드래프트에서 간신히 선발되었다. 이 수준에서 드래프트된 선수들은 본

시즌에서 뛰게 될 선수 명단 53명에 들어가기 어렵고 보통 프리시즌이 끝나면 방출되는 경우가 많다. 만약 그의 경기나 운동 모습을 본 적이 있다면, NFL의 다른 선수들과 비교했을 때 그의 운동신경이나 체격 조건이 그다지 타고나게 좋은 건 아니라는 것을 알게 될 것이다. 심지어 느린 편에 속한다. 하지만 그는 슈퍼볼 링 6개, AFC 챔피언십 9개, 슈퍼볼 MVP상 4개, NFL MVP상 2개로 역대 가장 화려한 수상을 한 쿼터백이다. 이게 끝이 아닐 수도 있다.

하이즈먼 트로피를 거머쥔 최초의 대학 1학년생 맨지엘과 종합 199위에 그쳐 6라운드 드래프트에서 간신히 선발된 브래디를 보면 다음과 같은 의문이 든다. 어떤 사람들이 단점을 극복하고 성공할까? 무엇이 극도로 유능한 사람들을 실패하게 하는 것인가? 열쇠는 고정 마인드셋을 가지고 있는지 아니면 성장 마인드셋을 가지고 있는지에 있다.

고정 마인드셋과 성장 마인드셋

고정 마인드셋을 가진 사람은 사람의 능력, 재능 및 지능이 변할 수 없다고 믿는다. 성장 마인드셋을 가진 사람은 그러한 개인적인 자질이 바뀔 수 있다고 믿는다.

이것은 작은 차이지만 큰 의미를 함축한다. 우리 모두의 마음속에는 전투가 벌어지고 있다. 다른 사람들에게 좋게 보이길 원하면서, 배우고 성장하기도 원한다. 하지만 두 가지를 동시에 하는 것은 상당히 어렵다. 좋게 보이고 싶으면 실수하고 실패할 수 있는 상황을 피할 것이다. 하지만 그런 상황이야말로 가장 많이 배우고 성장할 가능성이 높은 상황 아닌가? 이 모순을 해결하려면 다른 하나는 내려놓고 한 가지에만 집중하도록 신경망을 연결하는 것이 필요하다. 즉 좋게 보이는 것과 배우고 성장하는 것 사이에서 선택을 해야 한다.

고정 마인드셋을 가진 사람들은 좋게 보이는 것을 우선시한다. 왜 그럴까? 일차적 원인은 사람이 변할 수 없다고 생각하는 상태에서 실패하면, 그들에겐 자신이 실패자라는 것밖엔 설명이 안 되기 때문이다. 따라서 깊은 무의식의 차원에서 실패자로 보이는 것에 대한 두려움에 의해 움직이게 된다. 그들은 도전을 피하고 상황이 힘들어지면 쉽게 포기한다. 게다가 자신과 타인의 자질을 바꿀 수 없는 것으로 보기 때문에, 남을 "가짐"으로 보거나 그렇지 않음으로 판단한다. 따라서 그들은 성공이 자연스럽고 빠르게 와야 한다고 생각하며, 성공하지 못하면 성공할 사람이 아니었다고 받아들인다. 그런 까닭에 그들은 집중적으로 열심히 노력하지 않는다.

성장 및 고정 마인드셋의 선구자 캐롤 드웩은 성공한 사람의 특징을 일생동안 계속되는 배움에 대한 열정, 도전을 추구하는 성향, 노력을 중시함, 장애물을 마주하고도 지속하는 것이라고 말했다. 성장 마인드셋을 가진 사람들은 우선순위를 배움과 성장에 둔다. 그만큼 자기 계발이 극대화될 수 있는 상황에 있고 싶어 한다. 도전에 직면했을 때 피하거나 좌절하기보다는 발전할 기회로 보고 낙관적인 태도를 유지한다.

그들은 성공이 저절로 온다고 생각하지 않는다. 따라서 기꺼이 노력을 기울이고 실패 하더라도 끈질기게 버틴다. 상황이 어렵다고 포기하기보다는 깊이 파고들어 더 많은 노력을 한다. 톰 브래디와 같은 일부 스포츠 스타들이 신체적 재능이 비슷하거나 더 뛰어난 다른 스포츠 스타들보다 더 열심히 노력해서 성공하는 이유이다.

이러한 마인드셋의 힘은 2장에서 설명한 캐롤 드웩의 연구에서 입증되었다. 기억을 되살려보자면 마인드셋 평가를 받은 학생들을 두 그룹으로 나누어서 쉬운 문제 여덟 개와 어려운 문제 네 개, 총 열 두 문제를 주었다. 이 때 고정 마인드셋을 가진 학생들은 문제를 못 풀자 스스로를 실패자로 보기 시작했다. 구체적으로는 자기 능력에 대한 자신감을 잃고, 부정적인 내용의 혼잣말을 하고, 포기하고, 성공할 능력이 더 이상 없다고 느꼈다. 그러나 성장 마인드셋을 가진 학생들은 완전히 다르게 반응했다. 문제가 잘 안 풀리는 것이 자신의 개인적 자질을 나타내는 것이라고 생각하지 않았다. 오히려 어려운 문제들을 배우고 성장할 기회로 보고 더욱 열심히 파고들었다.

조니 맨지엘로 돌아가보자. 그는 어떤 마인드셋을 가진 것으로 보이는가? 그는 성공이 저절로 와야 한다고 믿었는가? 상황이 힘들어졌을 때 끈기 있게 버텼는가? 실패에서 배운 교훈을 내면화했는가?

맨지엘은 스포츠 분야에서 성공의 정점에 오를 재능이 있었던 게 분명하다. 하지만 그의 마인드셋 때문에 정점에서 추락한 것도 분명하다.

성장 및 고정 마인드셋의 원동력

왜 어떤 사람들은 고정 마인드셋을 발전시키고 또 어떤 사람들은 성장 마인드셋을 발전시키는 것일까?

한 가지 요인은 양육과 관련이 있다. 연구 결과 성장 과정에서 부모님과 선생님들께 받는 칭찬이 우리의 마인드셋을 형성한다는 사실이 거듭 밝혀졌다. 자세히 말하자면, 능력을 칭찬하는 것(예를 들어 "넌 정말 똑똑해!)은 고정 마인드셋 메시지를 보내는 것으로 능력, 재능 및 지능처럼 겉으로 보이는 것의 중요성을 견고히 한다. 반대로 노력을 칭찬하는 것(예를 들어 "정말 열심히 했구나!")은 성장 마인드셋 메시지를 보내는 것으로 배움, 성장 및 능력 개발을 강조한다. 또한 부모에게 사랑받고 인정받는다고 느끼는 정도가 마인드셋을 형성한다. 아이들은 인정받고 있다고 안정적으로 느끼지 못하면 방황하고 외로움을 느낀다. 따라서 이런 불안에 맞서기 위해 부모가 더 좋아할 만한 다른 "자아"를 만들거나 성성힘으로써, 안전함을 느끼고 부모를 이길 수 있는 방법을 모색한다. 이 다른 "자아"는 특정한 방법으로 가장하거나 특정한 자질을 소유할 것을 강조하는데, 이것은 고정 마인드셋을 불러일으킨다.

둘째, 우리가 살고 일하는 환경이 마인드셋을 발전시키는 데 중요한 역할을 한다. 우리의 교육 시스템을 생각해보자. 오늘날 표준화된 초등학교와 고등학교 교육은 내용을 학습하고 익히는 것을 강조하는가? 아니면 대학 성적표에 멋지게 찍히는 높은 점수를 강조하는가? 좋은 점수를 사회적으로 강조하는 것은 많은 학생들에게 고정 마인드셋을 유도한다. 학생들은 얼마나 많이 배우는지보다 성적표가 어떻게 보일지에 더 신경을 쓴다. 내가 대학생들을 가르치고 함께 일하면서 보니, 수강신청을 할 때 한 인격체와 전문가로 성장하는 데 도움이 되는 수업보다 쉽게 A를 받을 수 있는 수업을 더 중요하게 생각했다. 이 주세에 대해 브리지워터 어소시에이츠의 레이 달리오는 이렇게 말한다. "부모와 학교가 항상 올바른 답만을 지나치게 강조한다. 내가 보기에 학교에서 가장 우수한 학생들이 실수를 통해 배우는 것을 가장 못한다. 왜냐하면 그들은 실수를 기회가 아닌 실패와 연관시키도록 조건화되었기 때문이다. 이것은 발전을 가로막는 큰 장애물이 된다."

업무 환경도 마인드셋에 영향을 미친다. 엔론이 전형적인 예다. 엔론은 재능을 중시하는 천재들의 문화를 만들었다. 직원들을 재능이 있거나 없거나 둘 중 하나로 보았기 때문에, 직원들의 발전을 장려하기보다는 최고의 인재를 채용하는 것을 중요시했다. 이로써 겉으로 좋게 보이고 실수는 절대 하지 않으며 재능을 과시하는 문화가 만들어지고, 리더와 직원 모두 동료보다 빛나고 싶다는 마음이 들게 했다. 리더와 직원들은 지름길을 택하고 정보를 숨기고 비밀을 만들었다. 결국 엔론은 몰락했고 두 명의 임원 케네스 레이와 제프리 스킬링은 사기죄로 유죄판결을 받았다.

당신은 어떤 마인드셋을 가졌는가?

캐롤 드웩의 연구로 사람들은 고정 마인드셋과 성장 마인드셋으로 나뉜다는 사실이 밝혀졌다. 당신의 개인 마인드셋 검사 결과는 어떻게 나왔는가?

고정 마인드셋이 더 강하게 나왔다면, 거기에 고착되지 말고 바꿀 수 없다는 생각도 하지 말라. 마인드셋은 바꿀 수 있다. 개인적인 발전을 도모하기 위해 마인드셋에 집중하는 것도 바꿀 수 있기 때문이다. 고정 마인드셋과 성장 마인드셋에 관한 전반적인 연구에서 아주 작은 개입(예: 15분 훈련, 몇 단락 읽기)만으로도 마인드셋을 개선할 수 있다는 것이 밝혀졌다.

검사 결과가 중요한 것은 아니다. 고정 마인드셋과 성장 마인드셋의 차이를 인지하고, 당신이 생활하고 일하고 리드하는 방식에서 마인드셋의 역할을 더 많이 알면 알수록, 성장 마인드셋을 더욱 발전시킬 수 있는 힘을 갖게 된다.

캐롤 드웩이 제시한 성공의 특징, 즉 배움의 열정, 도전 추구, 노력의 가치 인정, 역경 속에서도 끈기 있게 지속하기를 더욱 완벽하게 개발할 수 있도록 계속 탐구하고 깨우쳐보자.

Chapter 6

|

패배하고 어떻게 생각하느냐가 승리할 때까지 얼마나 걸릴지 결정한다.

패배하고 어떻게 생각하느냐가 승리할 때까지 얼마나 걸릴지 결정한다.
- 길버트 K. 체스터튼

크리스토퍼 랭건은 세상에서 가장 똑똑한 사람이라 불린다. 왜냐하면, 문자 그대로 정말 똑똑하기 때문이다. 보통 사람들의 평균 아이큐는 100이고 알버트 아인슈타인은 150이다. 크리스토퍼 랭건의 아이큐는 195로 측정된다. 우리 사회에서는 아이큐가 높으면 대단한 성취를 한다거나 천재적이고 파격적인 것을 창조하여 아인슈타인이 상대성 이론을 발표한 것처럼 어떤 식으로든 세상을 바꿀 능력이 있다는 의미로 조건화되어 있다. 하지만 랭건은 훌륭한 일을 할 기회를 빼앗긴 것도 아닌데 지금까지 뉴욕 롱아일랜드에서 술집 경비원으로 일하며 인생을 보내고 있다.

크리스토퍼 랭건과 조니 맨지엘과 같이 선천적으로 재능을 타고난 똑똑한 사람들이 기대치에 비해 극적으로 저조한 성과를 내는 이유는 무엇일까?

이 질문에 답하기 위해 마인드셋 연구의 선구자인 바바라 리히트와 캐롤 드웩은 고정 마인드셋을 가진 사람들과 성장 마인드셋을 가진 사람들을 구분하기 위해 학생들에게 마인드셋 검사를 실시했다. 각 유형에서 절반의 학생들에게 워크북을 읽고 일곱 개의 문제에 답할 것을 지시했다. 첫 번째 그룹에서는 성장 마인드셋 학생의 68퍼센트가 일곱 문제의 정답을 모두 맞혔고 고정 마인드셋 학생의 77퍼센트가 정답을 맞혔다. 다음으로 고정 및 성장 마인드셋을 가진 다른 학생들에게 같은 과제를 주었는데, 이번에는 첫 페이지에 모호하고 읽기 어려운 단락을 삽입했다. 워크북의 차이는 이것 밖에 없었다. 두 번째 그룹의 경우 성장 마인드셋 학생들의 72퍼센트가 일곱 문제의 정답을 맞혔는데, 이는 첫 번째 그룹과 동일하다. 그러나 고정 마인드셋 학생들의 경우 35퍼센트만이 정답을 맞혔다. 이로써 리히트와 드웩은 고정 마인드셋 학생들의 경우, 초기 혼란을 극복할 수 있는 인지적 유연성이 부족하여 좋은 성과를 내지 못했다는 결론을 내렸다. 역경을 헤쳐 나갈 마인드셋이 없었던 것이다. 이 연구를 처음 읽고서 나 자신을 돌아보았다. 실험에서 모호하고 읽기 어려운 단락과 같이 사소한 어려움을 지나치지 못하는 내 마인드셋 때문에 마음껏 기량 발휘를 하지 못했던 적이 얼마나 많았는가.

성적이 저조했던 고정 마인드셋 학생들은 최선을 다한다고 했는데 무엇이 잘못되었는지 모르겠다며 머리를 긁적였다. 크리스토퍼 랭건이나 조니 맨지엘 같은 경우이다. 그들도 나름대로 최선을 다했지만, 마인드셋 때문에 일반 대중들이 머리를 긁적이며 의아해하는 방식으로 생각하고 배우고 행동하는 것이다. 그렇게 능력 있고 재능 있는 사람들이 왜 그 가능성에 부응하며 살지 못한단 말인가. 안타깝게도 맨지엘의 경우 언론에 수년 동안 노출되면서 대중적 평판이 크게 나빠졌다.

고정 및 성장 마인드셋이 우리의 생각, 배움 및 행동에 어떻게 영향을 미치는지 알아보고 우리의 삶에서 하는 근본 역할을 더 깊이 탐구해 보자.

생각하기

고정 마인드셋을 가진 사람들과 성장 마인드셋을 가진 사람들의 핵심적인 차이는 사람의 재능, 능력 및 지능을 변화시키고 향상시킬 수 있다고 믿느냐 안 믿느냐의 차이이다. 이것은 작은 차이처럼 보이지만 큰 의미를 내포한다.

고정 마인드셋은 사람이란 변하지 않는다고 보고 높은 수준에서 수행하고 성공할 수 있는 재능, 능력 및 지능을 가진 사람과 가지지 않은 사람으로 나눈다. 이러한 관점은 자신과 다른 사람들이 성공하거나 실패하는 정도를 무의식적이고 일관되게 평가하도록 정신을 프로그래밍한다. 그리고 성과의 수준에 따라 "가짐" 또는 "못 가짐"이라는 영구적인 라벨을 재빨리 붙어버린다.

성장 마인드셋은 사람의 재능, 능력 및 지능이 향상될 수 있다고 믿고, "가짐"과 "못 가짐"이라는 관점으로 사람을 나누지 않는다. 현재와 미래에 어떤 성과를 내는가는 타고난 능력보다 이전에 얼마나 많은 연습과 노력을 했는가와 더 관련이 있는 것으로 결론짓도록 정신을 프로그래밍 한다.

고정 마인드셋인 사람들과 성장 마인드셋인 사람들은 이러한 근본적인 차이 때문에 가치관, 우선순위, 두려움의 개념이 크게 다르다. 고정 마인드셋인 사람들은 자신의 상태가 "가짐"인지 "못 가짐"인지 무척 신경 쓴다. 실제로 그들의 가치와 자존감은 "가짐"의 정도에 따라 달라진다. 이 때문에 자신의 이미지에 지나치게 신경을 쓰고, 이미지를 보호하는 일에 많은 노력을 들인다. 나쁘게 보일 것에 대한 두려움이 깔려 있어 생각하는 것과 생각을 처리하는 것에 많은 영향을 끼친다는 뜻이기도 하다.

성장 마인드셋을 가진 사람들은 능력보다 노력에 따라 성취도가 달라진다고 믿기 때문에, 겉으로 보이는 것에는 신경을 덜 쓰고, 얼마나 성장하고 발전하며 나아가고 있는지에 대해 훨씬 더 많은 신경을 쓴다. 따라서 이미지나 외관에 초점을 맞추기보다는 발전이나 내면에 중점을 둔다. 단지 좋게 보이는 것을 바라는 게 아니라 선한 존재가 되기를 원한다. 따라서 그들은 잠재력에 도달하지 못하는 것을 두려워한다.

잠시 쉬어가자. 지금까지 설명한 차이점들은 대단히 중요하다. 한쪽에 고정 마인드셋을 가진 사람들이 있는데, 이들은 좋게 보이고 자신의 이미지를 보호하도록 프로그래밍 되어 있으며 나쁘게 보이는 것에 대한 근본적인 두려움을 가지고 있다. 다른 한 쪽에는 성장 마인드셋을 가진 사람들이 있는데, 잠재력에 도달하지 못하는 것에 대한 두려움이 내재되어 있어 선한 사람이 되고 능력을 향상시키도록 프로그래밍 되어 있다. 어느 마인드셋이 성공을 거두기에 유리해 보이는가?

이러한 차이점을 인식하고 나면, 어느 것이 성공과 가까운지 판별할 수 있다. 특히 스포츠 경기를 볼 때 잘 알아차리게 된다. 미국프로농구(NBA)의 골든 스테이트 워리어스를 생각해 보자. 그 선수들은 지난 5년 동안 NBA 결승에 진출해서 꽤 인지도가 높았다. 올스타 선수 중에는 드레이먼드 그린이 있다. 그는 "글루 가이"로 알려져 있다. 이 의미는 스타 선수는 아니지만, 팀의 우승을 위해 작은 일(예를 들어 멋진 패스, 세트 스크린, 리바운드 획득)들을 잘 한다는 뜻이다. 드레이먼드 그린은 심판에게 항의를 자주 해서 테크니컬 파울을 많이 받는 것으로도 유명하다. 7년 동안 그는 78개의 테크니컬 파울을 받았다. 일부에서는 그가 플레이오프에서 테크니컬 파울을 너무 많이 받아 챔피언십 시리즈 결정전에 출전하지 못한 탓에 2016년 소속팀이 우승 트로피를 잃었다고 주장한다. 또한 특히 경기 중 열띤 순간에 패스 실수가 나오면 팀 동료 중 한 명을 원망하며 팔을 위로 던져 올리는 제스처를 취한다. 이와 같은 거슬리는 행동은 그와 팀 동료들 사이의 갈등을 대중에게 알리는 계기가 되었다.

골든 스테이트의 또 다른 선수로 스타 포인트 가드 스테판 커리가 있다. 많은 사람들이 그를 역대 최고의 슈터라고 인정한다. 그는 슛을 던진 후 가슴을 툭툭 치며 하늘을 가리키는 습관이 있어 눈에 잘 띈다. 그는 "그것은 기본적으로 '내 마음은 하나님을 향한다'는 의미입니다. 제가 왜 경기를 하는지, 어디에서 저의 힘이 나오는지를 생각하며 신념을 다집니다. 일종의 뿌리를 내리는 셈이지요." 그는 자신의 성공이 재능, 능력 및 지능 때문이라고 믿지 않는다. 실수를 하거나 경기를 잘 펼치지 못한 날에도 부정적으로 반응하는 일은 거의 없다. 그나마 있는 게 다음에는 어떻게 수정할지 혼잣말을 하는 정도이다. 10년 동안 받은 테크니컬 파울은 17개뿐이다.

관찰자의 관점에서 보면 드레이먼드 그린은 고정 마인드셋이 더 많은 사람 같다. 겉으로 보이는 모습에 대해 지나치게 신경 쓰는 것 같고, 나쁘게 보이는 것에 대한 근본적인 두려움을 가지고 있는 것 같다. 따라서 실수를 하면 그 실수가 "못 가짐"이라는 신호를 보낸다고 믿기 때문에 부정적으로 반응하도록 프로그래밍 되어 있다. 게다가 자신의 상태를 "가짐"으로 지키기 위해 비난의 화살을 다른 사람에게 돌린다. 반면 스테판 커리는 성장 마인드셋이 더 많은 사람 같다. 그는 실수를 "못 가짐"의 표시로 보지 않는다. 대신 실수를 하면 실수에서 배울 교훈을 찾고 이를 통해 자신의 기술과 능력을 더욱 발전시킨다.

두 선수 모두 NBA 챔피언십에서 세 번 우승하고 여러 시즌에 걸쳐 올스타로 지명되는 등 분명히 성공을 거두었지만, 팀의 승리뿐만 아니라 자신의 성공을 위해 얼마나 효율적으로 행동하는지를 따져보면 분명한 차이가 있는 것 같다. 또한 어떤 선수가 기량을 끌어올릴 수 있는 마인드셋을 갖추었는지 따져보면 역시 분명한 차이가 있는 것 같다.

배우기

고정 마인드셋과 성장 마인드셋이 30년 이상 연구되면서 각 마인드셋을 가진 사람들이 서로 다르게 행동하고 수준이 다른 성공을 거두는 데는 두 가지 주요 이유가 있다는 것이 밝혀졌다. 두 가지 이유는 배우고 발전할 가능성이 얼마나 높은가와 실패와 노력을 어떻게 받아들이는가와 관련이 있다.

고정 마인드셋을 가진 사람들에게 실패는 크립토나이트(영화 슈퍼맨에서 슈퍼맨이 무서워하는 광석-역주)이다. 그들은 실패를 하면 자신을 "못 가짐"으로 드러내는 것이라고 생각한다. 이미지 관리를 위해 실패를 피하도록 무의식적으로 프로그래밍 되어 있다. 도전이란 것은 실패의 위험이 따르기 때문에 고정 마인드셋인 사람들은 도전을 피해야 할 것으로 본다.

고정 마인드셋인 사람들은 도전의 크기에 민감하게 반응하는데, 이를 나타내는 지표는 "이것이 얼마나 많은 노력을 필요로 하는가?"이다. 만약 어떤 일이 쉽고 노력이 거의 필요하지 않을 것이라고 인식하면 실패할 가능성이 낮다고 보고 기꺼이 맡는다. 그러나 어떤 일이 힘든 노력을 요할 것이라고 인식하면 실패할 가능성이 높다고 보고 회피한다.

이에 따라 고정 마인드셋을 가진 사람들은 성공이란 저절로 이루어지는 것이라고 생각하고, 어떤 일이 저절로 이루어지지 않으면 그들이 "못 가짐"을 나타내는 신호라고 본다. 이러한 관점을 가지면 도전이나 어려움이 발생할 때 포기하게 되고 현재 상황에서 노력을 쏟기보다는 새로운 방향으로 틀어 성공을 찾아보려고 한다.

조니 맨지엘의 경우 1차적 문제는 실패와 도전에 두려움이 있었고 노력하는 것을 "못 가짐"의 신호라고 인식했던 것이었다. 그는 성공이 저절로 이루어져야 한다고 생각했고, 재능이 뛰어나다면 굳이 노력하지 않아도 된다고 생각했다. 노력하는 것을 약점을 드러내는 표시로 여겼기 때문에 훌륭한 프로 쿼터백이 되기 위한 도전에 힘을 쏟을 수 없었다.

성장 마인드셋을 가진 사람들은 "가짐"의 상태에 연연해하지 않기에 실패와 노력을 부정적으로 보지 않는다. 오히려 실패를 귀중하게 여긴다. 실패만큼 자신이 더 발전해야 할 영역이 무엇인지 잘 알려주는 게 없다고 생각한다. 따라서 성장 마인드셋을 가진 사람들에게 도전이란 노력할 기회이자 배울 기회다. 이들은 도전을 반갑게 맞이하도록 프로그래밍되어 있다.

성장 마인드셋을 가진 사람들도 도전에 직면했을 때 "이것은 얼마나 많은 노력을 필요로 하는가?"라고 물을 것이다. 하지만 그것은 얼마나 쉬운 일인지 가늠하기 위해서가 아니라 그 일로 인해 얼마나 많이 성장할 수 있는가를 판단하기 위해서다. 성장은 노력에서 비롯되고 성공은 성장에서 비롯된다는 것을 알기 때문에, 어려운 상황이 닥쳐도 고정 마인드셋을 가진 사람들처럼 뒤로 물러서지 않는다. 대신 성공으로 가는 길에 온갖 노력을 기울인다.

다시 한 번 누가 더 효율적으로 행동하는 사람인지 질문을 던져보자. 노력을 약점의 표시로 간주하고 도전과 실패를 피해야 할 것으로 보는 사람들일까? 아니면 성공하려면 노력이 필요하다는 것을 알고 도전과 실패를 배우고 성장할 기회로 보아 반갑게 맞이하는 사람들일까?

마무리에 앞서 정곡을 찌르는 사례를 하나 들어보겠다(내 아내에게 내가 이것을 말했다고 말하지 마시길). 우리가 결혼했을 때 아내는 빵을 구워본 경험이 별로 없었다. 하지만 아내는 베이킹을 배우고 싶다는 말을 계속 했다. 안타깝게도 당시 아내는 고정 마인드셋을 가지고 있어서 시도도 못해보고 있었다. 베이킹을 실패할 것 같은 대상으로 보았기 때문이다. 아내의 마음은 만약 베이킹에 실패한다면, "실패한 아내"가 되는 것이라는 전형적인 고정 마인드셋의 결론을 도출하고 있었다.

게다가 남편도 자신을 그렇게 볼까 봐 걱정했다. 그래서 베이킹은 시도도 하지 않은 채 몇 년이 흘렀다. 그러던 중 드디어 구워보았는데 제대로 되지 않는 날이 다반사였다(설익은 빵, 볼품없는 쿠키). 그런 실패를 겪고 나면 다시 도전하고 싶은 마음이 들기까지 몇 달이 걸렸다. 그녀의 마인드셋으로는 노력이 성공으로 가는 길이라는 게 믿기지 않았다.

아내가 만든 것이 실패작이 될 때마다 나는 연습만 더 많이 하면 잘할 것이라고 말해주었다. 열 번이고 스무 번이고 시도하고 그만큼 실패해봄으로써 계속 배우고 조정하여 결국 원하는 레시피대로 만들게 될 것이라고 말해주었다.

결혼 생활 10년이 넘어가는 동안 아내는 차근차근 실력을 쌓아 베이킹 기술을 터득했다. 얼마 전에는 우리 아들의 생일에 호랑이 줄무늬 케이크를 만들고, 맛이 끝내주는 바나나 빵을 만드는가 하면, 고소한 치즈마늘 롤빵도 만들었다. 아내는 이제 정기적으로 베이킹을 한다.

이런 의문이 들었다. 만약 아내가 자신이 고정 마인드셋이라는 것을 더 일찍 깨닫고 실패를 두려워하지 않고 힘껏 노력하면서 마인드셋을 개선했다면 얼마나 더 빨리 베이킹을 알고 즐길 수 있었을까?

지금 생각하면 아내의 고정 마인드셋이 원하는 기술을 배우고 습득하는 능력에 미친 영향력을 쉽게 볼 수 있다. 그러나 그 과정에서는 고정 마인드셋이, 멋지게 보이고 싶은 마음과 그에 수반되는 실패에 대한 두려움, 현재 있는 곳과 성취하고 싶은 것 사이에 존재한다는 것을 쉽게 알지 못했다. 만약 고정 마인드셋을 더 일찍 인식하고 자신을 바라보는 렌즈를 어느 정도 교정했다면, 베이킹을 배우는 것은 훨씬 더 효율적이고 즐거운 일이었을 것이다.

행동하기

도전과 실패를 피해야 할 것으로, 노력을 한계가 있거나 잘못된 길에 서 있다는 신호로 본다면 도전과 실패를 배울 수 있는 기회로, 노력을 숙달의 길로 가는 과정으로 보는 경우와 매우 다르게 행동할 것이다.

나의 삶을 돌이켜보면, 고정 마인드셋이 인생의 진로를 어떻게 변화시켰는지 분명히 알 수 있다.

기억할 수 있는 가장 이른 시절부터 나는 공부에 고정 마인드셋을 가지고 있었다. 내가 진짜 배우고 있는 것보다는 성적 관리에 훨씬 더 신경을 썼다. A학점을 받을 수 있는 정도까지만 최소한도로 공부했고, 거의 모든 수업에서 A를 받았다. 성적 장학생으로 대학에 진학했고 이 마인드셋을 1학년 때 즉각 장착했다.

나는 의사가 될 계획이었다. 그러려면 포스트잇을 발명한 전 3M 화학 연구원이 가르치는 예과 1학년 화학 수업을 1년간 들어야 했다. 이 수업은 패스율이 낮은 "취약" 과목이었다. 나도 이것을 알고 있었지만, 최소한의 노력으로 A를 받겠다는 마인드셋은 그대로였다.

첫 학기에 의과대학 진학을 꿈꾸는 어떤 학생과 친구가 되었다. 가끔 그의 집에 가면, 그는 항상 공부를 하고 있었다. 나는 "왜 그렇게 공부를 많이 하는 거지?"라고 의아해했다.

첫 시험에서 친구가 A를 받은 건 당연한 결과였다. 나는 B를 받았다.

고정 마인드셋이었던 나는 B학점을 더 열심히 노력하고 공부해야 한다는 신호로 보지 않았다. 대신 "교수님의 시험 문제 방식에 익숙하지 않아서 그런 거다."라고 치부해버렸다. 첫 학기가 끝날 때 나는 B－를 받았다. 지금까지 받은 성적 중 가장 저조한 점수였다. 친구는 과에서 최고점인 A학점을 받았다.

이런 상황에서도 나는 고정 마인드셋 때문에 친구가 공부에서 그렇게 많은 가치를 얻고 있다는 것을 보지 못했다. 대신 친구는 화학에 타고난 재능이 있고("가짐") 나는 그렇지 않다("못 가짐")라고 해석했다. 이렇게 해석하다 보니 다음 학기가 되어서도 본격적으로 더 열심히 공부하기보다는 그 수업은 물론이고 결국 의사가 되겠다는 꿈 자체를 포기하기에 이르렀다. 나는 C학점으로 그 학기를 마치고 새로운 전공으로 바꾸었다. 결론적으로 나의 고정 마인드셋은 현 상황을 어떻게 생각하는지, 얼마나 많은 것을 배우는지, 그리고 내가 어떻게 행동하는지에 대한 생각을 제한했다.

내 마인드셋이 이 화학 수업에만 영향을 미쳤다고 말하고 싶지만, 솔직히 학부 과정 내내 그 마음의 영향을 받았다. 그 수업 외에는 B보다 더 낮은 학점은 없었지만, 내 마인드셋 때문에 내키지 않는 수업에서는 배우고 익히기 위한 노력을 힘껏 하지 못했다.

내 경험이 독특한 것은 아니다. 캐롤 드웩은 고정 마인드셋을 가진 사람들은 좋게 보이고 싶어 하고 도전과 노력을 피하고 싶어 하기 때문에 쉽고도 좋게 보이는 행동 과정을 자연스레 선택한다는 것을 거듭 발견했다. 따라서 궁극적으로 학습, 발전 및 미래의 성공에 제약을 받게 된다고 했다. 특히 드웩이 피실험자들에게 쉬운 퍼즐을 다시 풀 것인지 아니면 더 어려운 것을 해볼 것인지 선택하라고 하면, 고정 마인드셋을 가진 사람들은 성공과 인정을 보장받기 위해 안전하고 쉬운 퍼즐을 선택한다. 반면에 성장 마인드셋을 가진 사람들은 가치가 있는 것인지 먼저 물어본 다음, 자신을 다잡고 발전시키기 위해 어려운 퍼즐을 선택한다.

만약 개인 마인드셋 검사에서 고정 마인드셋을 더 많이 가진 것으로 나왔다면, 고정 마인드셋 때문에 도전을 긍정적인 마음으로 받아들이지 못하고 더 많은 노력을 기울이지 못했던 때를 생각해 보라. 당신은 가짐의 상태가 되는 것에 더 관심이 있었는가, 아니면 자신을 발전시키는 것에 더 관심이 있었는가?

우리는 "가짐"과 "못 가짐"이라는 관점에서 생각할 필요가 없다. 그것은 고정 마인드셋 세계에서 하는 말이다. 훨씬 더 건강하고 효율적인 성장 마인드셋 관점은 "만약 원하던 바를 자연스럽게 이루지 못했다면, 단지 아직 충분하게 노력하지 않았기 때문이다."라고 보는 것이다.

요약

비영리 단체의 CEO인 앨런을 기억하는가? 최선을 다해 자신의 역할을 수행하지만, 그의 고정 마인드셋 때문에 그가 생각하고, 배우고, 행동하는 방식에 계속해서 큰 혼란이 빚어진다.

이것은 앨런이 오래되고 검증된 리더십 훈련 프로그램을 유지할 것인지, 아니면 리더들의 발전을 도모하기 위한 새로운 기술과 학습과정이 포함된 새로운 최신식 프로그램을 도입할 것인지 선택해야 하는 순간 드러났다.

앨런은 자신이 고정 마인드셋이라는 것과 그에 수반되는 무의식적 자동 프로그래밍을 알지 못했다. 앨런은 검증된 프로그램을 선호했는데 실패하지 않으리라는 것을 알고 추가적인 노력도 필요하지 않기 때문이다. 게다가 최신식 프로그램은 그야말로 최첨단이기에, 요즘 유행하는 리더십 사고를 익히고 새로운 기술과 학습 과정을 배우기 위해 노력을 기울여야 한다.

앨런의 고정 마인드셋은 새로운 일을 하고 힘껏 노력한다는 개념을 좋아하지 않는다. 그에게 새로운 일을 한다는 것은 실패의 위험을 감수해야 한다는 의미이다. 아울러 배우려고 노력한다는 것은 현재 "가짐"의 상태가 아니라는 사실을 인정한다는 뜻이다. 따라서 앨런은 자신의 프로그램을 새롭게 업데이트할 아이디어를 재빨리 버려버린다.

앨런은 고정 마인드셋으로 인해 검증된 것을 선택했고 타당한 선택이었다고 생각한다. 하지만 이 선택이 개인적인 성장과 발전, 그리고 고객들에게 제공할 수 있는 가치를 어떻게 제한하는지는 알지 못한다. 궁극적으로 그의 성공을 제한하는 결정이다.

Chapter 7

|

삶, 일 및 리더십의
성공을 이끄는
성장 마인드셋의 힘

자신에게 실패하도록 허락하는 것은 곧 자신에게 성공하도록 허락하는 것
이다. -엘로이즈 리스타드

역대 가장 성공한 사람으로, 농구 선수 중에 누구를 꼽겠는가? 마이
클 조던이 분명 목록 제일 위나 상단에 있을 것이다. 그는 나이키 광고에
서 이런 대사를 읊었다.

"선수 경력을 통틀어 나는 9,000개 이상의 슛을 놓쳤다. 거의 300회의
경기에서 패배했다. 경기를 뒤집을 수 있는 슛 기회를 26번 날렸다. 나

는 살아오면서 계속 실패를 거듭했다. 그것이 내가 성공한 이유다."

이 대사는 그의 직업과 관련된 이야기지만, 이 태도가 삶의 모든 측면을 관통한다. 고등학교 2학년 때, 2학년에 할당된 대표팀 선수명단에 조던의 자리는 없었다. 참혹했지만 이 실패를 동기부여의 기회로 삼았다. 이 소식을 듣고 그는 매일 아침 일찍 체육관으로 갔다. 코치들이 학교에 도착하기 훨씬 전인 이른 시간이었다. 가끔씩 코치들은 그를 체육관에서 쫓아내 교실로 보내기도 했다. 이런 경험을 조던은 이렇게 회상한다. "운동을 하다가 너무 힘들어서 그만둬야겠다고 생각할 때마다 눈을 감고 라커룸에 내 이름이 없는 명단을 떠올렸다. 그러면 보통은 다시 힘을 내게 됐다."

레이 달리오는 그의 저서 "원칙Principles"에서 다음과 같은 이야기를 한다.

"나는 역대 최고의 농구 선수인 마이클 조던에게도 강습을 해준 강사에게 한때 스키를 배웠다. 강사가 말하기를 조던은 실수를 마다하지 않고, 모든 실수를 발전의 기회로 생각하고 기쁘게 받아들였다고 한다. 조던은 실수를, 작은 조각들을 모두 맞추면 선물을 받는 퍼즐이라고 생각했다. 당신은 실수에서 얻은 교훈으로 미래에 경험할 수도 있는 수천 가지 비슷한 실수에서 벗어날 것이다."

이 두 일화를 보면 마이클 조던은 고정 마인드셋일까 아니면 성장 마인드셋일까? 당연히 성공의 핵심 원동력인 성장 마인드셋이다. 고정 및 성장 마인드셋에 대한 연구가 30년 이상 진행되면서 많은 것이 연구되고 논의되어왔다. 하지만 한 마디로 요약하자면, 모든 마인드셋 연구자들이 동의하는 이 문장일 것이다. "성장 마인드셋을 기르는 것은 성공을 거두는 것에서 가장 중요한 일이다." 성장 마인드셋은 도전을 받아들이고, 좌절에도 잘 대처할 수 있게 해준다. 도전과 좌절 모두 성공에 필수 요소이고 고정 마인드셋을 지속적으로 가진 사람들은 도달할 수 없는 그 무엇이다.

이 장에서는 고정 마인드셋과 성장 마인드셋이 어떻게 우리의 삶, 일 및 리더십에서 성공을 이끌어내는지 탐구할 것이다.

삶에서의 성공

기본적으로 누가 더 성공적으로 살 것 같은가?

- 고착되어 변화할 수 없고 성장하거나 발전할 수 없다고 믿는 사람들일까? 아니면 변화하고 성장하며 발전할 수 있다고 믿는 사람들일까?
- "가짐" 상태와 겉으로 좋아 보이는 것에 집중하는 사람들일까? 아니면 더 나아지기 위해 배우고 성장하는 데 집중하는 사람들일까?
- 도전을 피하는 사람일까? 아니면 도전을 받아들이는 사람들일까?
- 잠깐의 실패를 완전한 실패의 신호로 보는 사람들일까? 아니면 실패를 개선과 성공으로 가는 귀중한 단계로 보는 사람들일까?
- 상황이 어려워지면 포기하는 사람들일까? 아니면 꾸준히 앞으로 나아가는 사람들일까?

성장 마인드셋을 가진 사람들은 고정 마인드셋을 가진 사람들보다 성공을 훨씬 더 끌어당기는 방식으로 세상을 보고 살아가도록 신경이 조직된 게 분명하다. 앞서 논의한 사례에서도 충분히 알 수 있다. 조니 맨지엘의 삶, 크리스토퍼 랭건의 삶, 드레이먼드 그린이 경기장에서 보인 괴기함, 아내의 베이킹 실력 향상, 공부에 대한 나의 태도, 그리고 앨런의 업무 방식을 깊이 분석해보면, 고정 마인드셋이 어떻게 우리의 효율성, 성공 및 잠재력에 한계를 긋는지 알 수 있다. 또한 톰 브레디, 스테판 커리, 마이클 조던 같은 역대급 스타들을 살펴보면, 그들이 그런 성공을 거둔 것은 타고난 재능과 능력 때문이 아니라 삶을 대하는 태도였음을 알 수 있다. 그들은 성장 마인드셋이 촉발시킨 성공의 특징, 즉 배움에 대한 열정, 도전을 추구하는 성향, 노력을 귀하게 여기고, 역경 앞에서 버티는 성향이 있어 성공했다.

대부분의 경우 나는 성공을 자신의 잠재력과 비교하거나 다른 사람들과 비교한 성과 측면에서 논의해왔다. 이것도 중요하긴 하지만 성공적인 삶의 일면일 뿐이다. 인생의 성공에는 성과 너머의 것도 많다. 예를 들어 자기 자신에게 얼마나 만족하는지, 직업의 질, 관계의 질, 그리고 부모라면 부모로서의 효용성 등이 있다. 고정 및 성장 마인드셋에 대한 연구는 성공한 삶의 다양한 면에 관한 여러 가지 흥미로운 점을 보여준다.

지금까지 다룬 내용을 바탕으로 성장 마인드셋을 가진 사람과 고정 마인드셋을 가진 사람 중 누가 더 자존감이 높고, 더 행복한 삶을 살고, 더 자신감이 있을 것이라고 생각하는가? 성장 마인드셋이라고 답하리라 확신한다. 그 생각이 맞다! 그런데 왜일까?

고정 마인드셋을 가지면 항상 자신을 다른 사람들과 비교하여 "가짐"인지 "못 가짐"인지 판단하려고 한다. 이렇게 계속 비교하면 우리가 가지고 있지 않은 재능, 이끌지 못하는 삶, 그리고 기대에 부합하지 못한 길들이 더 잘 보이고 이에 민감해진다. 성장 마인드셋을 가지면 우리가 이룬 발전, 삶의 축복, 눈앞에 놓인 기회, 그리고 우리가 가진 가치를 더 잘 보게 된다.

폴 오키프, 캐롤 드웩 및 그레그 웰튼이 발표한 최근 연구는 우리의 직업과 직접적인 관련이 있고 사람 관계와 간접적인 관련이 있다. 이 책의 주제와도 상통하는데, 연구원들은 우리의 직업을 어떻게 보는가에 따라 일할 때의 행동이 달라진다고 한다. 구체적으로 고정 마인드셋을 가진 사람들은 자신의 재능, 능력 및 지능이 고정되어 있다고 믿고 있기 때문에 자신에게 딱 맞는 하나의 직업이 있다고 생각하며, 자신의 진정한 열정을 찾았을 때만 만족감을 느낀다. 그렇다면 고정 마인드셋을 가진 사람은 자신에게 딱 맞는 직업과 진정한 열정을 찾았는지 아닌지 어떻게 판단하는가? 일차적으로 그들의 직업을 얼마나 자연스럽고 힘들지 않게 찾았는지에 달려 있다. 고정 마인드셋을 가진 사람에게 노력을 한다는 의미는 그 길을 계속 가면 도전하고 실패할 수 있기 때문에 또 다른 길을 찾아야 할지도 모른다는 신호이다. 자기의 직업이 자연스럽고 힘들지 않다고 느끼면 자기에게 딱 맞고 진정한 열정을 찾았다고 생각할 것이다. 그러나 어려움이 발생하고 노력이 필요한 순간이 생기기 마련인데, 이럴 때 고정 마인드셋을 가진 사람들은 그러한 상황들이 아직 자신의 적성과 진정한 열정을 찾지 못했음을 보여주는 증거라고 속단해버린다. 그리고 역경과 도전을 헤쳐 나가지 않고 자기가 하던 역할을 포기하고 떠난다.

반면에 성장 마인드셋을 가진 사람들이 직업을 보는 시각은 매우 다르다. 자신에게 딱 맞는 하나의 직업이나 기회가 있다기보다는, 많은 선택과 기회가 열려 있다고 믿는다. 따라서 그들은 열정을 찾아야 한다고 생각하지 않는다. 대신 "열정을 개발하라"는 격언을 따른다. 이런 관점에서는 어려움이 불쑥 발생하고 노력이 필요할 때, 잘못된 길에 들어섰다는 신호로 받아들이지 않고 오히려 더 많은 투자를 하고 더 노력해야 한다는 신호로 받아들인다.

연구원들이 조사하여 밝힌 것은 아니지만 나는 이 개념이 우리의 관계로 전이된다고 믿는다. 같은 논리로, 파트너나 배우자를 선택할 때 고정 마인드셋인 사람들은 자신에게 꼭 맞는 "진정한 사랑"이나 "소울메이트"를 찾아야 한다고 믿는 경향이 있다. 관계가 자연스럽고 그렇게 많은 노력이 필요하지 않으면 소울메이트를 찾았다고 믿는다. 그러나 어려움이 발생하면(필히 그럴 것인데), 그들은 소울메이트를 찾지 못했다는 신호로 보고 관계를 끝내려고 한다.

반면에 성장 마인드셋을 가진 사람들은 자신에게 꼭 맞는 특정한 사람이 있다고 믿는 경향이 덜하다. 성공적인 관계는 꼭 맞는 사람인가 아닌가의 문제가 아니라 시간이 지남에 따라 지속적으로 공을 들이는 것이라고 믿으며, 모든 관계는 나름대로의 어려움이 있다는 것을 안다. 어려움이 발생하면 감당할 수 없다며 떠나는 게 아니라 오히려 더 많이 공들여야 한다고 받아들인다.

이 연구를 읽고 난 후 배운 점은 고정 마인드셋을 가진 사람들은 직업 및 사람과의 관계에서 저항이 가장 적은 길을 택하도록 프로그래밍되어 있는 반면, 성장 마인드셋을 가진 사람들은 험하고 도전적인 길을 마다하지 않는다는 것이었다. 이런 차이로 고정 마인드셋을 가진 사람들은 주변 아름다움을 잘 보지 못하는 낮은 차원에 머물고, 성장 마인드셋을 가진 사람들은 주변 아름다움을 가장 잘 볼 수 있는 높은 차원을 점령한다.

마지막으로 육아와 관련된 흥미로운 연구를 공유하고 싶다. 나는 모든 부모들이 자기 자녀에게 최선을 바란다고 생각한다. 여기에는 공부를 잘 하기를 바라는 것도 포함된다. 교육 연구원인 벤자민 마테스와 하이드룬 스퇴거는 부모의 마인드셋이 자녀의 마인드셋에 영향을 미치고, 공부와 관련해 자녀를 대하는 방법 그리고 궁극적으로 자녀가 공부를 얼마나 잘하는지에 영향을 미친다는 것을 발견했다. 성장 마인드셋 부모와 고정 마인드셋 부모를 비교해 보자. 부모가 성장 마인드셋을 가지면 자녀도 성장 마인드셋을 가질 가능성이 높다. 이들은 숙제를 하거나 어느 수준까지 성적을 낸 것을 컨트롤하지 않고, 숙제와 관련된 갈등을 겪을 가능성이 낮다. 그리고 당연하겠지만 이들 자녀의 학업성취도가 더 높게 나타난다.

부모로서 이건 아주 환상적인 결과라고 생각한다. 나는 자녀가 최선을 다할 수 있도록 힘을 실어주는 부모가 되고 싶고, 신뢰와 유대감을 쌓는 방법으로 그렇게 하고 싶다. 이 연구를 읽고 난 후, 나는 성장 마인드셋을 더 발전시켜 아이들이 마음껏 기량을 펼칠 수 있는 환경을 만들어 주어야겠다는 영감을 받았다.

앞서 제시한 축적된 연구에 근거하여, 자신의 재능, 능력 및 지능을 바꿀 수 있다고 믿느냐 안 믿느냐와 같은 작은 사안이 우리 삶의 모든 중요한 측면에서의 성공을 뒷받침한다는 분명한 증거가 있다.

사람이 변할 수 있다고 믿는가? 겉으로 좋게 보이는 것보다 배우고 성장하는 것에 더 관심이 있는가? 도전을 피하기보다 받아들이는가? 실패를 더 큰 성공에 도달할 수 있는 귀중한 기회로 보는가? 상황이 어려워질 때 끈기를 가지고 계속 밀고 나가는가?

각각의 질문에 확실하게 네라는 답이 안 나온다면, 인생의 중요한 면에서 성공을 이루려 할 때 어떻게 당신의 잠재력에 부응하지 못하고 있는지 알겠는가? 손에 쥔 기회를 놓아버리려 한다는 것을 알겠는가?

반가운 점은 잠재력을 충분히 발휘하며 살고 눈앞에 놓인 기회를 더 잘 잡는 것이 엄청난 노력을 요하는 게 아니라는 것이다. 세상을 보는 방법을 바꾸기만 하면 된다. 현재 쓰고 있는 렌즈를 새롭고 개선된 모델로 바꾸면 되는 것이다. 어떻게 하면 잘 할 수 있는지에 대해서는 다음 장에서 논의할 것이다.

일에서의 성공

2000년경부터 2013년까지 마이크로소프트의 시가총액은 약 2,000억 달러 안팎을 맴돌았고 주가는 주당 26달러 안팎의 등락을 거듭했다. 시가총액 2,000억 달러는 눈여겨볼 일이 아니지만, 마이크로소프트의 침체는 경쟁자들에게 밀리고 있다는 것을 의미했다. 2014년 전환기에 즈음하여 마이크로소프트가 미래의 성공을 대비하지 않았다고 해도 무방하다.

2014년부터 마이크로소프트는 결사적이었고, 시가총액이 최근 1조 달러를 돌파하며 세계에서 가장 가치 있는 4대 기업 중 하나로 자리매김했다. 주가는 정체기에 비해 현재 5배 이상 올랐다.

이제 마이크로소프트는 미래의 성공을 위해 훨씬 더 준비된 것처럼 보이는가? 물론이다!

차이점은 무엇이었을까?

한 가지 분명한 건 바로 새로운 CEO이다. 2014년 초 사티아 나델라는 마이크로소프트의 수장이 되었다. 그는 CEO의 C가 "조직 문화의 큐레이터curator"를 나타내며, 그것이 CEO의 가장 중요한 역할이라고 믿었다. 마이크로소프트의 문화를 바꾸는 것이 첫날부터 그의 최우선 과제였다. 그 중심에는 성장 마인드셋이 있었다.

나델라는 1992년에 마이크로소프트에 입사하여 엄청난 성장과 오랜 침체를 모두 겪었다. 고정 마인드셋과 성장 마인드셋이 주제인 캐롤 드웩의 저서 마인드셋을 읽은 후, 마이크로소프트 침체의 근본 원인이 고정 마인드셋 문화라는 것을 깨달았다. 그는 그 문화를 다음과 같이 묘사했다. "경직되었다. 각각의 직원들은 자기가 다 알고 있다는 것을 모든 사람들에게 증명해야 했고, 사무실에서 가장 똑똑한 사람이어야 했다. 책임, 마감, 그리고 실적이 무엇보다 중요했다. 회의는 형식적이었다. 회의가 열리기 전에 모든 것이 완벽하게 세부적으로 계획되어야 했다. 계층과 서열이 지배적이었고 그 결과 자발성과 창의성이 무너졌다." 게다가 그는 자신의 리더십 팀이 "조롱당하고 실패할 것에 대한 두려움, 사무실에서 가장 똑똑한 사람으로 보이지 않는 것에 대한 두려움"을 지녀서 모험적이지 않다고 지적했다. 이것은 배움과 성장보다 겉모습을 우선시하는 기업의 전형적인 모습이다. 기업이 몰락해가는 모습을 완벽하게 그려냈다. 경직되고 형식적이며 두려움이 있는 곳에는 생명력이나 창의력도 혁신도 없다.

이번에는 픽사 애니메이션을 생각해보자. 지구상에서 가장 창의적이고 혁신적인 회사로 손꼽히는 픽사는 1995년부터 2019년까지 20편의 영화를 개봉했다. 이 중 15편이 역대 최고 흥행 애니메이션 50위 안에 든다. 일곱 편은 박스오피스 5위 안에 들었다. 픽사와 디즈니 합병 이후 디즈니 애니메이션이 발표한 흥행작인 겨울왕국, 주토피아, 모아나 그리고 라푼젤은 여기에 포함시키지 않았다.

이러한 창의력과 엄청난 성공의 중심에는 픽사 애니메이션의 공동 설립자 겸 사장이자 디즈니 애니메이션의 회장이기도 한 에드 캣멀이 있다. 그가 자신의 임무를 이렇게 묘사한다. "비옥한 환경을 조성하여 건강하게 유지하며, 이를 파괴하는 요소가 있는지 주의 깊게 살핀다. 방해물이 있는지도 살핀다. 번창하는 회사 내부에 기생하여 알아차리지 못하게 창의성을 막고 있을 수도 있다."

그는 창의성을 가장 저해하는 것이 실패를 두려워하는 고정 마인드셋이라는 것을 경험을 통해 알고 있다. 이것은 슬금슬금 들어오려고 늘 기회를 노린다. 그는 대부분의 사람들이 실패는 똑똑하지 않다는 신호라고 믿기 때문에 "실패는 나쁘다"는 메시지가 머릿속에 박혀 있는 것을 알고 있다. 실패를 하면 수치심과 당혹감 같이 강력하고 본능적인 감정의 반응이 수반된다. 그 고통과 그것을 피하고 싶은 마음 때문에 우리는 실패의 가치를 알지 못한다.

이를 알고 있는 캣멀은 실패를 두려워하는 고정 마인드셋의 해독제로 성장 마인드셋 문화를 의도적으로 유지하는 데 주력한다. 그는 픽사 직원들이 실패를 겪고 부정적 감정을 느낄 때 이를 이해하고 극복할 수 있도록 돕는다. 그리고 실패가 장기적으로 보면 매우 중요하고 긍정적인 효과를 가지고 있다는 것을 알게 한다. 실패를 배척하는 게 아니라 오히려 장려한다.

왜 실패를 장려하는가? 캣멀은 "실패는 새로운 일을 하는 데 불가피하게 따르는 결과다. 따라서 그 가치를 알아야 한다. 실패가 없다면 창의성도 없다." 이어 "실패는 학습과 탐구의 징표다. 실패를 경험하지 않으면, 훨씬 더 나쁜 실수를 저지르고 있는 것이다. 당신은 실패를 피하려는 욕구에 따라 움직이고 있다. 그리고 실패를 억누름으로써 실패를 피하려는 이 전략은 결국 실패로 이어질 것이다."

두려움이 깔려 있고 실패를 기피하는 문화에서 일하는 경우, 직원들은 위험을 감수하는 일을 피하고 새로운 영역을 탐색하고 아이디어를 발굴하는 것도 주저하게 된다. 그들은 안전하고 이미 받아들여진 경로에 안주하고 싶어 한다. 그런 식으로 하는 일은 혁신성이 없고 영향력도 없다. 직원들이 새로운 지평을 여는 창의적이고 혁신적인 일을 하고, 작고 시시한 걸음보다는 진전 있는 큰 걸음을 내딛고, 강한 영향력을 갖길 원한다면, 회사는 실패에 열린 문화를 만드는 것보다 실패를 가치 있게 여기는 문화를 만드는 것에 중점을 두어야 한다. 픽사는 이것을 충분히 알고 있다.

이런 문화의 증거와 그 힘은 벅스 라이프, 니모를 찾아서, 도리를 찾아서 및 토이 스토리 전 시리즈의 작가이자 감독인 앤드류 스탠튼에게서 볼 수 있다. 스탠튼은 성장 마인드셋으로 실패에 대한 개인적인 철학을 정립했다. 그는 팀원들에게 "일찍, 빨리 실패하라", "가능한 한 빨리 틀려보아라"라고 말한다. 또한 새롭고 창의적이고 혁신적인 무언가를 시도하는 것은 자전거 타기나 기타 배우기와 다르지 않다고 생각한다. 넘어지지 않고 음을 틀리게 연주하지 않고 새로운 것을 배울 수는 없다. 게다가 배우는 도중 넘어졌다고 해서 절대 자전거나 기타를 치워서는 안 된다. 그는 이러한 철학을 바탕으로 팀원들이 스스로 탐구하고, 심각한 문제도 털어놓을 수 있으며, 개개인이 창의적인 힘을 발휘하는 문화를 조성했다. 실패를 주저하지 않고 다시 일어서는 이러한 태도가 바로 유연함과 민첩성이다. 이는 조직과 팀에 영향을 줄뿐만 아니라 개인에게도 영향을 미친다.

몬스터 주식회사의 감독 피트 닥터를 생각해보자. 닥터 감독이 이 프로젝트를 시작했을 때, 존 라세터 외에 픽사 영화를 감독해본 사람은 없었다. 닥터 감독은 큰 부담감을 느꼈고 주도면밀하게 계획을 진행했다. 우리는 몬스터 주식회사를 사랑스러운 세 등장인물의 이야기로 알고 있다. 커다란 파란 괴물 설리, 외눈박이 초록 괴물 마이크, 그리고 겁이 없고 옹알이하는 아기 부. 하지만 처음 이 영화의 아이디어가 나왔을 때는 30세의 한 남자가 자기 눈에만 보이는 무서운 등장인물들에 대처하는, 완전히 다른 내용의 영화였다.

몬스터 주식회사는 원래 아이디어에서 어떻게 그렇게 다르게 변했을까? 한 마디로 실패에 의해서였다. 닥터 감독과 팀원들은 영화가 제 방향을 찾기까지 몇 년 동안 수없이 방향을 틀었다. 매번 방향전환을 할 때마다 감독과 팀원들이 받는 압박감이 가중되었다. 그러나 닥터 감독은 '괴물은 진짜고, 직업은 아이들을 겁주는 것이다'라는 영화의 핵심 아이디어를 여러 가지로 실험해보고 평가해봐야지 그렇지 않고 어떻게 표현하겠는가라는 태도를 유지했다. 닥터 감독은 새로운 것을 창조할 때에는 발견의 과정이 중요하다 것을 알고 있었다. 시도했다가 실패했다고 해서 결코 포기해야 한다는 의미가 아니라고 믿었다. 오히려 여러 아이디어를 시도하는 과정에서 조금씩 가까이 최선의 선택으로 가고 있다고 보았다. 캣멀은 "실험을 시간 낭비가 아닌 필요하고 생산적인 과정으로 보라. 그러면 실험으로 혼란이 오더라도 직원들이 일을 즐기며 할 수 있다"라고 말한다.

닥터 감독은 성장 마인드셋을 지닌 덕분에 처음 아이디어에 매몰되지 않았다. 자기 자신과 그 아이디어가 더 위대한 무언가로 성장하여 핵심 메시지를 더 잘 포착하고 전달할 수 있을 것이라는 믿음이 있었다. 이러한 유연함과 민첩성이 있었기에 몬스터 주식회사는 많은 이들의 사랑을 받는 작품이 되었다.

캣멀은 픽사와 디즈니 애니메이션을 수십 년간 진두지휘하면서 실패를 대하는 마인드셋을 이렇게 요약한다.

많은 사람들에게 실패는 두렵지만, 그 반대 방향인 안주하는 것을 훨씬 더 두려워해야 한다고 주장하고 싶다. 위험을 너무 회피하는 기업들은 혁신하는 것을 멈추고 새로운 아이디어를 거부하게 된다. 이는 몰락의 길로 들어서는 첫걸음을 내딛는 것이다. 이런 이유로 내리막을 걷는 회사가 위험을 무릅쓰고 한계를 넘으려고 하다가 실패하는 회사보다 더 많을 것이다. 진정 창의적인 기업이 되려면 실패할 수도 있는 일을 시작해야 한다.

나델라가 마이크로소프트의 CEO가 되었을 때 몰락의 길로 들어설 수 있는 그런 상황이었다. 나델라는 그것을 알아차렸고 뭔가 조치를 취해야 했다.

나델라는 고정 마인드셋에서 성장 마인드셋으로 전환하기 위해 회사가 모든 것을 안다는 문화에서 "모든 것을 배운다"는 문화에 집중할 것이라고 선언했다. 그는 새로운 성장 지향성 사명을 만들어 선포했다. "지구상의 모든 사람과 모든 조직이 더 많은 것을 성취할 수 있도록 힘을 주자." 얼마나 훌륭한 사명인가! 리더와 직원들은 "어떻게 하면 다른 사람의 성장을 도울 수 있도록 성장할 수 있을까?"라는 생각을 자연스럽게 하게 된다. 이렇게 새롭게 초점을 바꾼 덕분에 말 그대로 엄청난 숫자가 찍힌 배당금을 받았다.

리더십에서의 성공

CEO병에 대해 들어본 적 있는가? 이 병은 회사의 사다리를 착착 올라가다가 점차 자신을 인식하지 못하게 될 때 발생한다. 예스맨들에 둘러싸여 점점 자신의 전지전능함에 도취되고, 반대 세력에 잔인하게 반응한다. 리더와 관리자들에게 CEO병이 얼마나 널리 퍼져 있을까? 인정하고 싶지 않지만 능력이 모자란 리더들이 많은 것이 현실이다. 이를 증명하는 두 가지 통계가 있다.

- 미국인의 40퍼센트가 상사를 "나쁘다"고 평가한다.
- 직원의 75퍼센트가 직장에서 가장 큰 스트레스는 상사라고 답한다.

이런 통계가 걱정스럽긴 하지만 내가 관심을 두고 있는 것은 함께 작업했던 리더들이 모두 똑같은 말을 한다는 점이다. 자기들은 할 수 있는 최선을 다하고 있다는 것이다. 물론 그 말을 믿는다. 정말 최선을 다하는 리더들이 이렇게 많은데, 전체적으로는 왜 비효율적이거나 심지어 파괴적이라는 평을 듣는지 아이러니하다. 마인드셋에 그 원인의 뿌리가 있다. 리더가 부정적인 마인드셋을 가지고 있으면 논리적으로 생각하고 행동하더라도 실제로는 파괴적이라서 위 통계처럼 부정적인 인상을 낳는다.

1장의 앨런으로 돌아가 보자. 기억하겠지만 앨런은 직원들의 이직 문제를 겪고 있었다. 앨런의 역기능적 리더십에 대항하는 직원들은 떠났거나 떠나야 했다. 그들은 예스피플이 아니었던 것이다. 제3자가 보기에 앨런은 각광받는 주인공이 되고 싶어 하고 앨런의 이전 선택을 개선할 아이디어를 내놓거나 부수적 결정에 반대직원들에게 위협을 느끼는 것이 분명하다. 하지만 앨런의 고정 마인드셋으로는 이런 게 보이지 않았다. 대신 자신의 행동을 "잡초 뿌리를 뽑아내는 것", "응집력 있는 팀을 만드는 것"이라고 정당화했다. 그는 자기 자신에게 흡족한 행동을 취했다. 그러나 그 결과 회사가 효율적으로 운영되지 못하게 선을 그었고, 이직에 따른 비용을 증가시켰으며, 부정적이고 두려운 문화를 만들어냈다. 그는 고정 마인드셋 때문에 자신이 얼마나 역기능적 행동을 하고 있는지 깨닫지 못했다.

이 책에서 다루는 각각의 부정적인 마인드셋은 공통적으로 자신을 파악하지 못하고 자신을 정당화하는 기능을 갖고 있는데, 그중에서 고정 마인드셋은 높은 지위에 있는 사람이 지배적이고 역기능적인 리더십을 가지게 되는 주요 원인이 된다. 이는 두 개의 대기업에서 실시한 설문 조사에서 입증된다. 첫 번째는 포춘 10대 회사의 임원진 130명에게 설문했다. 조사 결과 리더의 42퍼센트가 고정 마인드셋을 가지고 있었으며 이는 고정 마인드셋 다음으로 많이 나타나는 부정적인 마인드셋보다 20 퍼센트 포인트 높은 것이었다. 두 번째는 유럽에서 가장 큰 통신 회사 중 한 곳의 임원진 263명에게 설문했다. 이 경우 리더의 55퍼센트가 고정 마인드셋을 가졌으며, 이는 다음으로 많이 나타나는 부정적인 마인드셋보다 10퍼센트 포인트 높은 것이었다.

여기에서 다음과 같은 의문이 생길 것이다.

- 왜 고정 마인드셋을 가진 리더들이 많은가?
- 고정 마인드셋을 갖는 것이 리더들에게 왜 그렇게 파괴적인가?
- 성장 마인드셋 리더가 있는 것이 왜 그렇게 가치 있는가?

왜 고정 마인드셋을 가진 리더들이 많은가? 앞서 고정 마인드셋을 가진 사람들의 주요 관심사는 자신의 이미지를 보호하는 것이라고 했다. 왜냐하면 자신의 재능, 능력 및 지능이 변한다고 믿지 않기 때문이다. 대부분의 리더들은 회사와 사회 조직이 리더에게 긍정적인 이미지를 기대한다는 것을 알고 있다. 따라서 리더의 자리에 오르면 대부분 가장 좋은 이미지로 심지어 절대적으로 보여야 한다는 사회문화적 압박을 자연스럽게 받는다. 그 이상적인 이미지를 유지하기 위해서 그들이 운영하는 환경을 항상 통제하고 싶어 한다.

리더들이 이것을 의식하고 있지 않으면, 이러한 압박과 통제의 필요성이 다음의 두 가지를 만들어낸다. 첫째, CEO병의 시작인 고정 마인드셋을 발달시킨다. 둘째, 이미 고정 마인드셋을 갖고 있다면, 그 마인드셋의 부정적인 측면을 증폭시켜 CEO병이 깊이 뿌리내리게 한다.

고정 마인드셋을 갖는 것이 리더들에게 왜 그렇게 파괴적인가? 이 질문에 대한 답을 위해 경영학에서 다루는 조직 상층부 이론을 살펴보도록 하자. 기본 전제는 조직의 최고위급 리더들이 어디에 집중하고 관심을 두느냐에 따라 조직의 정보 처리, 의사 결정, 그리고 궁극적으로 조직의 방향과 성공에 영향을 미친다는 것이다. 리더들이 주목하는 것과 그들이 정보를 처리하는 방법은 무엇에 의해 주도되는가? 당연히 마인드셋이다. 이 이론은 조직 상층부에 있는 소수의 리더들의 마인드셋이 조직의 성공에 불균형적인 영향을 미치며, 조직의 성공은 상층부 리더들의 마인드셋이 겉으로 좋게 보이는 것에 초점을 맞추는지 아니면 배우고 성장하는 것에 초점을 맞추는지에 달려 있다는 의미이다.

따라서 조직의 리더들이 고정 마인드셋을 가지고 있으면 조직에 불균형적으로 부정적인 영향을 미친다. 그들을 압도적으로 지배하는 욕망은 좋게 보이고 "가짐"의 상태로 보이는 것이다. 따라서 그들의 우월성과 위대함을 확인하는 것에 자연스럽고, 일차적이며, 일관된 초점을 맞춘다. 이렇게 초점을 맞추면 조직에 긍정적인 영향을 미치고 싶은 욕망은 묻어버린 채 그 밖의 다른 일을 수행하게 된다.

이렇게 고정 마인드셋은 조직 차원의 발전과는 반대로 자기 보호를 하게 만든다.

고정 마인드셋을 가진 리더와 그 마인드셋의 작용을 리 아이아코카의 예로 살펴보겠다. 아이아코카는 1979년부터 1992년까지 크라이슬러의 사장, CEO 및 회장을 역임했다. 그는 자아가 강한 인물로 유명하며, 크라이슬러의 이미지를 되살리고 회사를 소생시켜 처음에는 영웅으로 호평 받았다(역사의 사후 판단에서 크라이슬러가 회생한 것은 정부의 구제금융과 일본 수입품에 대한 적시의 중재였다는 것이 드러났다).

비즈니스 평론가들은 아이아코카가 강한 자아, 스타성, 그리고 스스로 영웅이라고 지칭한 베스트셀러 자서전으로 미국 기업들의 리더십 지형을 변화시켰다고 제시했지만, 긍정적인 의미는 아니었다. 아이아코카 이전에는 미국 CEO의 일반적인 이미지가 딱딱하고 특징이 없으면서 조직에 순응하는 보수적 인물이었다. 그러나 아이아코카가 성공하고 명성을 날리자 CEO들은 유명인사로 격상하여 미국의 슈퍼히어로가 되었다. 좋은 기업을 넘어 위대한 기업으로, 성공하는 기업들의 8가지 습관Good to Great and Build to Last의 저자 짐 콜린스는 다음과 같이 말했다. "1980년대에 언론과 문화가 CEO들에게 대응하는 방식에 변화를 주었다. 그리고 당신은 그 변화를 하나의 사건, 즉 아이아코카가 책을 출간한 것이라고 정확히 적시할 수 있다. 모든 것이 달라졌다는 것을 분명히 볼 수 있었다." 이렇게 해서 슈퍼히어로로서 CEO의 신화가 탄생했다. 모든 회사들은 그들만의 아이아코카를 원했다.

위의 논평가들에 따르면 아이아코카가 아니었다면 도널드 트럼프, 스티브 잡스, 일론 머스크 같은 사람들은 대중의 관심의 대상이 아니었을 것이라고 한다. 슬레이트Slate지에 기고한 제임스 서로위키의 글에 따르면 "아이아코카가 아니었다면 오늘날 엔론과 월드컴에 대해 이야기할 것 같지는 않다"고 한다.

아이아코카 자서전의 표지를 보면 아이아코카의 고정 마인드셋이 드러난 욕망을 느낄 수 있다. 셔츠와 넥타이를 맨 차림으로 사무실 의자를 뒤로 젖히고 앉아 있다. 두 손은 잔뜩 힘을 준 채 머리 뒤로 포개었다. 최후의 승자로 보이고 싶었던 것이 분명하다. 그는 리더십을 통해 자신을 "가짐"의 존재로 증명하면서 자신의 위대함을 입증하고 싶은 욕망을 일관되게 드러냈다. 그는 크라이슬러의 발전보다 자기 자신의 발전에 더 치중했다.

증거는 다양하다. 크라이슬러 내부자들은 아이아코카가 "나는 크라이슬러 주식회사의 회장이다, 영원히."를 써 붙이고 다닌다고 농담조로 이야기 했다. 외부 사람들의 눈에도 크라이슬러가 자신의 대중적 이미지를 높이는 일(크라이슬러 주가 높이기에 힘쓰기도 했으나)에 회사의 시간과 자원을 너무 많이 쓰고, 회사가 장기적으로 수익을 낼 수 있는 일에는 충분한 시간을 들이지 않는 것이 분명히 보였다. 예를 들면 직원들의 저임금 상태를 계속 유지하고 생산성 향상을 위한 투자는 제한했다. 반면 뉴욕의 월도프 호텔의 자기가 쓸 회사 스위트룸을 개조하는 데 200만 달러를 썼다.

아이아코카의 고정 마인드셋 때문에 큰 혼란이 일어났던 또 다른 증거가 있다. 크라이슬러가 초기 회복세를 보였다가 다시 고군분투하기 시작했을 때인데, 주주들이 크라이슬러의 실적에 불만을 표하자 아이아코카는 책임을 전가하고 변명을 했다. 주인의식을 갖고 문제의 근원을 찾는 태도가 아니었다. 일본 자동차 제조업체(예: 도요타, 혼다)가 미국 시장을 점유하기 시작했을 때 아이아코카는 크라이슬러 자동차의 품질을 개선할 방안을 모색하기보다는 레이건 행정부와 협력하여 일본 제조업체에 관세와 쿼터를 부과했다. 뉴욕타임스는 "해결책은 미국이 더 좋은 차를 만드는 것이지, 일본을 비난하며 변명하는 게 아니다."라고 일침을 가했다.

짐 콜린스는 아이아코카가 크라이슬러 CEO로 재임하는 동안 조직의 발전이 아니라 자기를 보호하기 위한 열망에 사로잡혀 있다는 것을 분명히 표현한다. 고정 마인드셋의 영향이었다.

리 아이아코카는 크라이슬러를 재앙의 위기에서 구해냈고, 미국 기업의 역사상 가장 화려한 (인정할만함) 전환기를 잘 넘겼다. 임기 중반쯤에 크라이슬러의 주가는 2.9배까지 올랐다. 그러나 그는 미국 비즈니스 역사에서 가장 유명한 CEO가 되는 것에 집중했다…그는 투데이쇼나 래리 라이브 킹 같은 토크쇼에 정기적으로 출연했고, 80개가 넘는 광고에 개인적으로 출연했으며, 미국 대통령 선거에 출마할 생각을 가지고 있었다(이런 말도 남겼다 "크라이슬러를 운영하는 것은 나라를 운영하는 것보다 더 대단한 일이었으니 국가 경제는 6개월 안에 다스릴 수 있다.") 그리고 자서전(700만 부 판매)을 널리 홍보했다. 아이아코카의 개인 주가는 급등했지만 임기 후반기에 크라이슬러의 주가는 시장 평균에 비해 31퍼센트 하락했다.

이런 고정 마인드셋의 영향이 아이아코카에게만 나타난 것은 아니다. 연구원들은 CEO가 겉모습을 중시하고 "가짐"의 상태를 중요시하는지는 다음을 보고 판단할 수 있다고 한다. (1) 차상위 연봉을 받는 임원에 비해 급여를 얼마나 더 많이 받는가 (2) 회사의 연례 보고서에 실린

CEO의 사진 크기는 어떠한가, 둘은 보통 CEO가 결정한다. 연구 결과 급여와 사진이 크면 클수록 CEO는 자신의 비전을 과도하게 확신하고 사기에 연루될 가능성이 더 높은 것으로 나타났다.

캐롤 드웩은 고정 마인드셋 리더들의 부정적인 영향력을 다음과 같이 요약한다. 고정 마인드셋 리더의 표준 경영 방식은 "다른 사람을 비난하고, 실수를 은폐하고, 주가를 높이며, 경쟁자와 비판자들을 짓밟고, 약자를 옥죄는 것"이다. 더 안타까운 상황은 리더들이 고정 마인드셋 때문에 표준 경영 방식을 최고의 관행으로 여긴다는 것이다.

성장 마인드셋 리더가 있는 것이 왜 그렇게 가치 있는가? 리더들이 성장 마인드셋을 가지면 자기 자신의 이미지 관리 차원을 뛰어넘어 조직의 발전을 중요시하고 이에 주력한다. 성장 마인드셋 리더와 고정 마인드셋 리더의 경영법 차이는 다음 네 가지로 정리할 수 있다. 이에 따라 조직과 직원들의 차이도 생긴다.

첫째, 성장 마인드셋을 가진 사람은 겉으로 드러나는 모습이나 자신을 증명하는 것에 초점을 맞추기보다는 겉모습이 근사하지 않아도 성공에 필요한 일을 하는 데 초점을 맞춘다. 그러면 장기적으로 회사에 이익이 되는 결정을 내리게 된다.

대표적으로 좋은 사례가 2001년부터 2009년까지 제록스의 회장 겸 CEO를 지낸 앤 멀케이다. 기업계에서 전설적인 인물로 남은 그녀는 파산 직전까지 간 제록스를 회생시켜 몇 년 안에 수익을 창출했다. 포춘지는 그녀를 "루 거스트너를 이은 뛰어난 회생 전문가"라고 칭송했다.

멀케이가 처음 제록스의 CEO가 되었을 때, 자신에게 좋은 일이나 자신을 돋보이게 하는 일을 가식적으로 하기보다는 조직이 성공하는 데 필요한 일을 했다. 반드시 가장 긍정적인 이미지를 보여주지 않아도 상관하지 않았다. 예를 들어 회사의 상황을 잘 이해하고 자신이 내린 결정의 결과를 파악하기 위해 주말마다 큰 바인더를 집으로 가져가 월요일 아침에 기말고사라도 보는 것처럼 공부했다. 심지어 대차대조표 기초과정을 따로 배웠다. 이런 행동은 유능한 CEO의 표본은 아니지만, 자신의 이미지 관리보다 조직을 발전시키는 데 더 집중한다는 것을 보여준다. 고정 마인드셋 리더들 중 몇 명이나 대차대조표 기초과정을 찾아 배우는지 궁금하다.

둘째, 성장 마인드셋을 가진 사람들은 비난을 전가하거나 변명(자기보호 행동)을 하기보다는 주인의식과 책임감을 가지고 긍정적인 변화를 일으킨다. 실수나 잘못에 대해 책임을 진다고 리더가 훌륭해지는 것은 아니지만, 그렇게 하지 않으면 조직은 만회의 기회마저 놓치게 된다.

멀케이를 "루 거스트너를 이은 뛰어난 회생 전문가"라고 하는 극찬이 어디에서 왔는지 자세히 살펴보도록 하자. 거스트너는 1993년 4월부터 2002년까지 IBM의 회장 겸 CEO를 역임했다. 재임 기간 중인 1993년에 미국 기업 역사상 가장 큰 손실(80억 달러)을 기록한 회사를 인계 받았다. 그리고 9년 임기 동안 시가총액을 290억 달러에서 1,680억 달러로 높인 대규모 조직 변화를 이끌었다. 엄청난 일이다. 그 당시 IBM은 컴퓨터 중심의 비즈니스 모델을 완전히 변경하여 통합 정보기술 솔루션 회사로 탈바꿈했기 때문에 대규모 조직 변화라는 표현도 약할 수 있다.

아이아코카와 달리 거스트너는 IBM이 성공하지 못할 때 외부 시장 상황을 탓하지 않았다. 또한 명성에 집착하지 않았다. 그렇게 하지 않으니 IBM의 쇠퇴와 관련된 근본 원인을 찾아 처단할 수 있었다. 컴퓨터 시장에서 IBM이 마이크로소프트, HP, 애플에 크게 패하자 거스트너는 생산성 부족(고정 마인드셋 리더들이 만들었을 가능성이 큼)을 초래하는 내부 요인에 재빨리 초점을 맞추었다. 바로 위신과 특권이었다. 그는 수평적 조직을 만들고, 경영위원회(IBM 임원들의 핵심 권력)를 해체하고, 외부 파트너들에게 자문을 구하고, 권모술수를 부리거나 내부 음모를 꾀하는 사람들을 해고했다. 학습, 개발 및 발전에 집중하는 성장 지향 문화를 만들었고 그 결과 시가 총액이 여섯 배나 증가했다.

셋째, 성장 마인드셋을 가진 사람들은 자신에게 도전하는 사람들에게 방어적인 태도를 취하기보다는 그런 사람들을 찾아 나선다. 성장 마인드셋 리더는 반발이나 비판에 부딪치더라도 "나보다 더 똑똑한 사람을 고용하려고 한다"고 말한다. 이러한 접근법을 취하는 성장 마인드셋 리더들은 자신들도 약점이 있다는 것을 인정한다. 하지만 고정 마인드셋 리더처럼 약점을 감추는 게 아니라 극복하기 위해 사람들을 모아서, 보다 건강한 방법으로 강점과 기술과 힘의 균형을 맞춘다.

그러한 리더가 에드 캣멀이다. 픽사에서 일하기 전부터도 캣멀은 자신의 팀이 성공을 거두고 기술을 확장할 때 따르는 어려움에 대처하려면 자기보다 더 똑똑하고 자격을 갖춘 사람들을 채용해야 한다는 것을 알고 있었다. 그가 조직을 이끌고 팀을 구성할 첫 번째 기회가 왔을 때였다. 그가 인터뷰한 사람들 중 한 명은 화려한 이력의 소유자, 바로 앨비레이 스미스였는데 캣멀은 다음과 같이 인정했다. "앨비를 만났을 때 솔직히 연구소를 이끌기에 나보다 더 좋은 자격을 갖춘 것 같아 갈등을 느꼈다. 잠재적인 위협에 본능적으로 불편한 감정이 올라왔고 아직도 생생하게 남아 있다. 언젠가 내 자리를 차지할 사람이 될 수도 있을 것 같았다. 아무튼 나는 그를 채용했다." 캣멀은 성장 마인드셋으로 자신을 보호하기보다는 조직을 발전시킬 수 있는 능력을 발휘했다. 그는 연구소를 성공시키기 위해서는 가장 민감한 마음까지 끌어안아야 한다는 것을 알았다. 그것은 바로 그의 불안감을 떨쳐버리는 것이었다.

캣멀이 커리어 조반에 마주한 이 상황에서 배운 것을 생각해 보자. 성장 마인드셋이 있었기에 가능한 일이다.

"그 이후 나는 나보다 똑똑한 사람을 채용하자는 방침을 세웠다. 탁월한 인재를 채용했을 때 얻는 확실한 성과가 있다. 그들이 혁신을 실현시키고 우수한 성과를 거둔 덕분에 회사와 더불어 당신까지 훌륭하게 만드는 것이다. 그러나 돌이켜보면 확실하진 않지만 나만 누린 보상이 있다. 앨비를 채용한 것을 계기로 나는 경영자가 되었다. 두려움이 올라오는 마음을 무시하자 그 두려움은 근거가 없다는 것을 알게 되었다. 이후 몇 년 동안 나는 더 안전한 길로 보이지만 사실 그렇게 안전하지 않은 길을 택한 경영자들을 만났다. 앨비를 채용하면서 약간의 위험을 감수했지만, 그 위험으로 가장 큰 보상, 즉 뛰어나고 헌신적인 동료를 얻었다. 대학원 시절에 나의 대학원 프로그램 같은 좋은 환경을 조성하는 방법을 고민했었다. 이제 그 방법이 보였다. 비록 위협적으로 보일지라도 더 뛰어난 인재에게 기회를 주는 것이다."

넷째, 성장 마인드셋을 가진 리더는 자신의 발전에만 집중하기보다는 자기가 이끄는 사람들을 발전시킨다. 고정 마인드셋 리더는 직원들이 재능, 능력 및 지능을 향상시킬 수 없다고 판단하기 때문에 직원들의 발전을 위해 시간과 노력, 자원을 투자할 이유가 없다. 따라서 성장 마인드셋을 가진 사람들만이 시간과 노력, 자원을 할애하여 직원들의 발전을 돕는다.

피터 헤슬린, 돈 반데월, 게리 라담은 독특한 연구를 실시했다. 그들은 성장 마인드셋을 가진 관리자들이 더 많은 양과 더 좋은 질의 피드백을 준다는 것을 알아냈다. 또한 실적이 안 좋은 직원을 코치해줄 의향이 훨씬 더 많았는데, 만약 고정 마인드셋 관리자라면 그들을 포기할 가능성이 더 많다는 의미이기도 하다. 다시 말해 어떤 사람이 기대에 부응하지 못할 때, 리더로서 그 사람이 왜 성과가 낮은지(예: 필요한 자료나 자원이 없다) 확인 해야 하는데, 그와 반대로 그 사람을 놓아버리며 성과가 저조한 이유를 보거나 밝히려고 하지 않는다.

성장 마인드셋 리더는 배움과 성장에 주력한다. 겉으로 좋게 보이는 것이나 자기 자신을 증명하는 게 중요하지 않기 때문에 자아를 보호하려고 힘을 빼지 않는다. 자신의 우월성을 증명하고 드러내지 않는다. 따라서 시간과 자원을 자기가 이끌고 있는 사람들의 성공에 쏟을 수 있다.

인생, 일, 리더십의 성공에서 세상을 보는 렌즈같은 작은 무언가의 역할이 얼마나 큰지, 놀랍지 않은가? 자, 이제 성장 마인드셋을 강화하고 발전시키는 작업을 해보자.

Chapter 8

|

성장 마인드셋 개발하기

우리의 문제는 너무 높은 목표를 세우고 실패하는 것에 있는 게 아니라, 너무 낮은 목표를 세우고 성공한다는 것에 있다. -미상

앞서 조니 맨지엘의 사례로 고정 마인드셋이 생각, 학습 및 행동에 어떻게 작용하여 타고난 재능을 활용하지 못하는지 알아보았다. 1980년대 또 다른 운동선수의 비슷한 사례가 있다. 그 역시 고정 마인드셋 때문에 비슷한 방법으로 어려운 시기를 보냈지만 그 후 성장 마인드셋을 길렀다. 통계 분석 및 예측 기술을 사용하여 야구 선수들의 역량을 보다 정확하게 평가함으로써 야구 경기에 변화를 주었고, 이 기술은 현재 모든 팀들이 활용하고 있는 것이다. 운동선수이자 현재 오클랜드 애슬레틱스 부사장인 빌리 빈이 그 주인공이다. 그를 주제로 한 책 머니 볼은 동명의

영화로도 만들어져 흥행에 성공했다.

빈은 샌디에이고 인근 카멜 고등학교에 다니면서 지속적으로 프로 스카우터들과 팀의 관심을 받았다. 타격 정확도, 장타력, 주루 능력, 송구 능력, 수비 능력을 두루 갖춘 진정한 5툴 플레이어였다. 남부 캘리포니아 고등학교 출신 야구 선수 중 으뜸이었다. 거기엔 많은 의미가 담겨 있었다.

만능 운동선수인 빈은 야구뿐만 아니라 농구와 미식축구에서도 두각을 나타냈다. 또한 성적도 우수해 4.0의 완벽한 학점을 받았다. 스탠포드대는 야구와 미식축구 양쪽의 장학금을 제시했다(NFL 최고의 쿼터백으로 꼽혔던 존 엘웨이의 후계자 자리). 그는 1980년 메이저리그 야구 드래프트에서도 최고의 유망주였다. 대부분의 구단들은 그가 프로로 진출하기보다는 스탠포드대에 진학할 것이라고 보고 그를 뽑지 않았다. 뉴욕 메츠가 1라운드에서 23번째로 선발했다.

빈은 뛰어난 재능을 타고났지만 고정 마인드셋을 가진 바람에 실패를 통해 인내하는 능력이 부족했다. 야구에서 실패는 경기의 중요한 일부분이다. 평균 출루율이 0.320인 타자라 해도 32%만 베이스로 출루한다. 마이클 루이스는 저서 머니볼Moneyball에서 다음과 같이 말한다. "빈이 실패하기를 싫어한다는 것만은 아니었다. 실패하는 방법을 모르는 것이 문제였다." 빈은 강타 라인 드라이브 아웃이든 삼진 아웃이든 각각의 아웃을 자신이 실패했다는 표시로 보았다. 자신의 재능을 고정된 것으로 보았기 때문에, 이 실패를 내면화시켜 자신감을 잃었다.

불행하게도 빈은 고정 마인드셋 때문에 경기를 잘 할 수 있는 잠재력을 지녔지만 이를 발휘하지 못했다. 그는 오랜 시간 동안 마이너리그에 머물러야 했다. 결국 메츠에서 방출되어 미네소타 트윈스, 디트로이트 타이거즈, 오클랜드 애슬레틱스 2군 리그 등을 전전했다. 삶에 지친 그는 1990년 오클랜드 애슬레틱스의 스카우터로 새 커리어를 시작했다. 3년 후 부단장으로 승진했고, 1997년 애슬레틱스의 단장이 되었다.

그런데 빈이 부단장으로 근무하는 1995년 애슬레틱스의 구단주가 바뀌었다. 애슬레틱스의 선수단 연봉은 메이저리그 최고액에서 최저액으로 완전히 달라졌다. 이제 뛰어난 선수들을 영입할 예산이 없기 때문에, 우승할 야구팀을 조직하기 어려웠다.

이 무렵 빈의 마인드셋이 바뀌기 시작했다. 애슬레틱스 선수단 연봉이 한계가 있었으므로 경기장에서의 성과를 중요시하는 선수 선발 시스템을 개발했다. 야구계를 지배했던 재능 위주의 패러다임을 깬 것이다. 캐롤 드웩의 개념을 적용시키자면, "그들은 재능을 산 게 아니라 마인드셋을 샀다."

빈이 성장 마인드셋을 가지고 시도한 선택은 2002년에 결실을 맺었다. 애슬레틱스는 모든 구단 중에서 두 번째로 연봉이 낮았지만 그 해 20연승을 포함하여 103승을 달성했다. 두 말할 필요 없이 이 성공은 세상을 떠들썩하게 했다. 그 이후로 MLB 팀은 과학적으로 통계를 분석하여 선수를 영입하고 경기 도중 선수들이 플레이하는 방법(예를 들어 타순 정하기, 선수들의 위치 정하기)을 결정했다.

마인드셋은 바꿀 수 있다.

누구나 자신의 마인드셋을 바꾸어 더 큰 성공을 거둘 수 있다. 연구원 조슈아 아론슨, 캐리 프리드, 캐서린 굿은 학생들에게 어려움을 무릅

쓰고 열심히 노력한 것이라는 주제(성장 마인드셋을 개발하는 과제)를 주고 글을 쓰게 했다. 이 학생들은 통제 조건에 있는 학생들에 비해 학교에서 참여도와 성적이 높아졌고 이러한 작은 활동이라도 태도와 행동에 미치는 영향이 최대 6주 동안이나 지속된다는 것을 발견했다.

마인드셋은 인지과학에 기반하기 때문에 인지과학을 알면 마인드셋을 바꾸는 데 도움이 된다. 우리의 마인드셋은 전전두엽 피질에 있는 신경망이며 다른 신경망보다 더 강하고 더 빠르게 활성화한다. 이렇게 빠르게 작동하는 신경망은 시간이 지남에 따라 예측 가능하고 반복적인 방법으로 정보를 신속하게 처리한다. 그러므로 마인드셋을 바꾼다는 의미는 우리의 뇌를 다시 연결하는, 더 구체적으로는 뇌에 있는 신경망을 다시 연결한다는 의미이다. 우리는 부정적인 마인드셋 신경망을 약화시키고 긍정적인 마인드셋 신경망을 강화해야 한다. 신경생물학에서 유명한 금언을 기억하면 더욱 도움이 될 것이다. 신경은 함께 활성화되고 함께 연결된다. 기본적으로 우리가 해야 할 일은 긍정적인 마인드셋의 신경망 연결을 연습하는 것이다.

우리의 뇌를 재설계하는 이 과정은 외국어로 10까지 유창하게 세는 과정과 다르지 않다. 처음에는 숫자와 관련된 단어를 익히는 것부터 한다. 그 다음 일상생활에서 조금씩이더라도 의도적으로 새로운 언어로 세는 연습을 한다. 이렇게 몇 주가 지나면 우리는 새로운 언어로 10까지 세는 것이 자연스러워질 정도로 차츰 발전할 것이다. 이게 바로 뇌를 재설계하는 것이다.

고정 마인드셋을 가진 사람들이 마인드셋을 바꾸려고 할 때 겪는 어려움은 현재의 뇌 연결 상태를 바꿀 수 없다는 생각이 고정되어 있다는 것이다. 캐롤 드웩은 고정 마인드셋에서 성장 마인드셋으로 전환한 개인적인 경험을 이렇게 썼다. "실수하고 실패할까 봐 왜 그렇게 항상 걱정했는지 깨달았다. 그리고 내게 선택권이 있다는 것을 이제야 알았다." 뇌를 재설계하고 고정 마인드셋을 바꾸는 것은 선택을 하는 것이다. 즉 바꿀 수 있다고 믿는 것을 선택하면 된다.

이 믿음을 발전시키려면 뇌가 얼마나 유연하고 가소성이 있는지 알아야 한다. 뇌가소성에 대해 공부하기 위한 좋은 자료가 TED와 TEDx 강연에 있다. 유튜브에서 "TED와 뇌가소성"을 검색하면, 훌륭한 강연이 십여 개 검색된다. 또한 노먼 도이지의 저서 〈기적을 부르는 뇌: 뇌가소성 혁명이 일구어낸 인간 승리의 기록들〉을 추천한다. 책에서 발췌한 일부 설명이다.

"뇌가소성은 수세기 동안 내려온 인간의 뇌가 변하지 않는다는 개념을 뒤집은 새로운 개념이다…반쪽 뇌만 가지고 태어난 여성이 뇌를 재설계하여 정상 뇌가 있는 것과 같이 생활하고, 시각장애인이 보는 법을 배우고, 학습장애가 치료되고, IQ가 높아지고, 노화하는 뇌가 젊어지고, 뇌졸중 환자가 말을 배우고, 뇌성마비 아이들이 더 우아하게 움직이는 법을 배우고, 우울증과 강박이 완치되고, 타고난 성격이 변하는 것을 목격한다."

도이지 박사는 이 놀라운 사례를 들어 몸과 감정, 사랑, 성, 문화, 그리고 교육의 미스터리를 밝혀내면서 우리의 뇌, 인간의 본성 및 인간의 잠재력을 바라보는 방식을 영원히 바꾸어 놓을 엄청나게 고무적인 책을 썼다.

마인드셋을 바꿀 수 있다고 일단 믿으면, 마인드셋이라는 언어를 배울 동기가 생길 것이다.

1단계: 고정 및 성장 마인드셋을 학습하고 신호 파악하기

이 부분을 읽기 전까지는 고정 마인드셋이 무엇인지, 성장 마인드셋이 무엇인지 전혀 알지 못했을 수도 있다. 마인드셋에 이런 라벨을 붙이고 기본적인 이해가 없으면 마인드셋을 깊이 들여다보고 개선하기 힘들다.

일단 마인드셋에 라벨을 붙이고 기본적인 개념을 이해하고 나면 객관화할 수 있다. 마인드셋은 이제 당신이 평가하고, 집중하고, 조정할 수 있는 것이다. 특정 마인드셋에 라벨을 붙이고 그 내용을 배우는 것이 가장 영향력 있는 부분이다. 지금까지 순조롭게 잘 가고 있다.

이렇게 기본적인 이해를 하고나면 각 마인드셋과 관련된 신호들을 확인할 수 있다. 이러한 신호를 알면 고정 마인드셋이나 성장 마인드셋이 하는 역할을 완전히 깨달을 수 있는 능력이 높아진다.

고정 마인드셋의 신호는 다음과 같다.
- 지능, 재능 또는 우월성을 증명해야겠다고 느낌.
- 지위, 계층, 그리고 통제력 장악에 가치를 둠.
- 단지 힘들어 보인다는 이유로 하기 싫어짐.
- 현재 직원을 성장시키는 것보다 최고의 인재를 골라서 채용함.

- 일이 잘못되었을 때 주인의식을 가지고 책임지기보다는 변명과 비난을 함.
- 권력을 잡을 기회를 노림.
- 다른 사람들을 "가짐"이나 "못 가짐"으로 나누어 봄.
- 다른 사람들보다 우월해야 한다고 느낌.
- 직원 채용시 새롭고 다른 관점으로 자극을 줄 사람보다 예스피플을 고용함.
- 자기계발서나 여타의 학습 기회를 죄책감을 느끼게 하는 존재로 봄.
- 일이 자연스럽게 풀리지 않으면 급속하게 흥미를 잃음.
- 잘 하고 싶은데 그만큼 안 되면 "나가고" 싶다고 느낌.
- 다른 사람들의 성공을 보면 위협을 느낌.
- 건설적인 비판에도 방어적 태세를 취함.
- 익숙한 일과 배워야 하는 일 중 하나를 선택해야 하면 익숙한 일을 고수함.

성장 마인드셋의 신호는 다음과 같다.

- 도전하는 것이 즐겁고 도전하면서 배우고 성장할 수 있는 기회에 설렘.
- 신분 장벽 및 계층 구조 해체를 촉구함.
- 최고의 재능을 가진 사람을 채용하는 게 아니라 재능을 육성하는 데 더 집중함.

- 일이 잘못되었을 때 주인의식을 가지고 책임을 짐.
- 당신의 권력을 나눌 수 있는 기회를 찾음.
- 모든 사람이 성공할 수 있는 동등한 기회를 가지고 있다고 믿고, 성공하지 못하면 어떤 자원이 부족한지(어떤 재능이 부족한지가 아님) 찾음.
- 배울 점이 있는 사람, 당신의 약점을 보완해 줄 사람과 함께 일하고 싶고 채용하고 싶음.
- 자기계발서나 여타의 학습 기회를 흥미롭고 활력을 주는 것으로 봄.
- 무언가가 자연스럽게 풀리지 않으면 더 깊이 파고들며 노력함.
- 다른 사람의 성공에 의해 에너지를 얻음.
- 건설적인 비판을 소화해내고 탐구함.
- 익숙한 일과 배워야 하는 일 중 하나를 선택해야 하면 배워야 하는 도전을 선택함.

2단계: 현재의 마인드셋 파악하기

여러 마인드셋과 그 신호를 이해하고 있으면 현재의 마인드셋을 평가하고 깨달을 수 있다. 만약 고정 마인드셋에 빠져 있으면 이렇게 하는 게 말처럼 쉽지 않을 것이다.

최근에 한 대학 총장과 나눈 대화를 공유해보겠다. 나는 어느 이른 아침 이메일로 리더십 개발 세션 초대장을 받았다. 총장과 여덟 명의 부총장을 포함한 대학 운영진이 참여하는 세션이었다. 처음 이메일에서 주최측은 어떤 형식이라도 자기 평가 활동이 있으면 좋겠다고 했다. 나는 그들이 나의 마인드셋 검사에 대해 알고 있어서 검사를 받아보고 싶은 것으로 추측하였다. 나는 더 자세히 알려달라고 요청했고 나의 마인드셋 검사에 대한 정보도 첨부했다.

두어 시간 후 총장에게서 전화가 왔다. 그녀가 원하는 것은 팀워크 활동이라는 것이고 재빨리 이어 마인드셋에 대한 이야기를 원했던 것은 아니었다고 말했다. 그 이유는 참석자들이 "고정과 성장 마인드셋 대해 모두 알고 있기 때문"이라는 것이었다. 각 마인드셋의 장단점에 어떤 것이 있는지 나에게 말하고 있었지만 내가 느끼기에는 자기 생각만큼 마인드셋에 대해 잘 알고 있지 않다는 신호를 보내고 있었다.

나는 팀워크 활동을 하려는 목적이 무엇이라고 생각하는지 물었다.

그녀는 대학이 정말 힘든 시기를 겪고 있다면서 산적한 문제들을 나열했다.

- 등록하는 학생 수가 줄어드는 여러 가지 외부 요인.
- 운영진에 새로 들어온 세 명의 멤버가 해당 부서에 불편을 유발함.
- 최근 내부 고발자의 항의가 여러 차례 발생함.
- 교수들이 행정부에 대한 불만을 공식적으로 제기하기 위해 연대함.

이런 문제들 때문에 그녀와 운영진은 현 상황이 대학 곳곳에서 발생하는 불을 끄고 다니는 것 같다고 했다. 그녀는 그룹으로서의 회복탄력성을 길러줄 세션을 원했고, 그것이 현재 겪고 있는 총체적 난관 속에서 긍정적인 경험이 되리라 기대했던 것이다.

"총장님 팀은 어떻게 돌아가나요? 협력이 잘 되나요?" 내가 물었다.

"13년 임기 중 가장 좋은 팀을 만났어요." 그녀가 답했다.

약간 당황스러워진 나는 다음 말로 마무리지었다. "대학은 지금 마인드셋에 문제가 있는데, 이 문제를 먼저 해결해야 하지 않을까요? 다 같이 잘 하고 있다고 느끼는 팀워크 활동이 굳이 필요할까요?"

서로 의견이 엇갈린 우리는 서둘러 통화를 마무리 지었다. 리더십 및 마인드셋 개발을 시도해보라는 나의 말을 총장과 운영진이 좋게 생각하지 않는 것이 느껴졌다. 전화를 끊기 직전 그녀는 마지막 공격을 결심했는지 "제 비서가 그러는데 제안하신 가격이 비싸다고 하더군요."라고 말했다. 헛웃음이 터졌다. 나는 평소 비용의 절반을 제시했었고 그 대학은 미국에서 등록금이 가장 비싼 대학 중 하나였기 때문이다.

총장은 고정 및 성장 마인드셋에 대해 "알고 있다"고 말했지만, 자신의 고정 마인드셋을 의식하지 못했고 문제를 회피했다. 그리고 대학이나 내가 주는 피드백을 받아들이지 못했다. 현재 운영진이 그녀의 임기 중 최고라는데, 그녀의 지배적인 리더십에 대항하기 싫어서 그녀를 떠받드는 예스피플이기 때문인 건 아닌지 의심이 들었다. 현재의 마인드셋과 그 안에 담긴 의미를 정확하게 파악하지 못하면 마인드셋을 향상시킬 동기를 찾기 힘들다. 고정 마인드셋과 성장 마인드셋의 차이를 이해하고 현재의 마인드셋을 완전히 깨달은 다음 그 다음 단계로 나아가는 세 가지 방법이 있다.

첫째, 내면을 성찰하라. 자신을 잘 들여다보고 겉으로 좋게 보이는 것을 얼마나 가치 있게 여기는지의 정도와 자기 자신의 효용성을 증명하고 재능, 능력 및 지능을 검증할 필요성을 느끼는 정도를 측정해본다. 또한 위에 나열된 단서를 사용하여 살면서 그러한 단서를 보았을 때의 사례를 찾아본다.

둘째, 아직 하지 않았다면 앞에서 언급한 개인 마인드셋 검사를 해보라. 당신의 마인드셋이 고정형인지 성장형인지 수천 명의 사람들과 비교하며 판단할 수 있다.

셋째, 외부로 손을 뻗어라. 가장 어려운 단계이지만 현재의 마인드셋을 판단하는 데 가장 유익할 수 있다. 직장 사람들이나 친구들처럼 당신과 가장 가까운 사람들에게 당신이 고정 마인드셋으로 보이는지 성장 마인드셋으로 보이는지 물어본다. 그리고 당신의 마인드셋이 어떻게 작용하는 것으로 보이며 그들에게 어떤 영향을 미쳤는지 물어본다.

3단계: 목적지를 파악하고 코스를 도표화하기

일단 현재의 마인드셋을 파악하는 것이 출발지점이고, 당신이 지향하는 마인드셋이 무엇인지 확인하라. 그 곳이 목적지이다. 출발점과 목적지를 모두 파악하고 나면 마인드셋 개선을 위한 코스를 도표로 작성할 수 있다.

이제 실력을 제대로 발휘해야 하는 지점으로 성장 마인드셋이 더 활성화되도록 신경망을 바꾸려는 특별한 노력을 기울여야 한다. 다른 언어로 10까지 유창하게 세는 법을 배우려면 의도적이고 반복적인 연습을 해야 하는 것처럼, 마인드셋을 바꿀 때도 마찬가지다.

처음에는 자연스럽게 되지 않을 것이다. 도전에 직면하면 고정 마인드셋 신경망이 끼어들어 재빨리 활성화시키게 된다. 이 때 속도를 늦추고 의식을 깨워야 한다. 단순히 반응하기보다는 사려 깊은 태도로 반응해야 한다.

연구에 따르면, 이런 능력을 향상시키는 가장 좋은 방법 중 하나는 명상이라고 한다. 2년 전만 해도 나는 명상을 해본 적이 없었고 하찮게 여겼다. 그러나 마인드셋을 뒷받침하는 신경과학에 빠져들수록 명상의 효과를 칭송하는 연구를 더 많이 접하게 되었다. 많은 연구에서 명상이 이롭다는 것이 밝혀졌다. 몇 가지만 추리자면 다음과 같다.

- 마음의 방황을 줄여준다.
- 상충하는 요구들 속에서 정신을 집중하도록 돕는다.
- 산만함을 유발하는 요소를 줄인다.
- 새로운 정보를 처리하고 대응하는 능력을 향상시킨다.
- 창의력, 확산적 사고와 수렴적 사고, 문제 해결력을 증진시킨다.
- 부정적인 스트레스 유발 요인에 강하게 반응하지 않고 잘 대처할 수 있도록 돕는다.
- 목표 또는 건설적인 피드백에 더 긍정적으로 반응하도록 돕는다.
- 부정적인 감정이 소멸하는 데 걸리는 시간을 단축한다.
- 일과 건강한 심리적 거리를 유지하도록 돕는다.
- 정보를 보다 효율적으로 처리하고 합리적으로 행동할 수 있도록 돕는다.
- 보다 긍정적인 감정을 유지하도록 돕는다.
- 다른 사람들과 더 효과적인 관계를 형성하도록 돕는다.
- 의사소통의 질이 더욱 높아지도록 돕는다(듣기, 의식 향상, 평가하

는 판단 줄임).

- 공감, 연민, 존중이 더 커지도록 돕는다.
- 갈등을 보다 효과적으로 처리하고 해결하도록 돕는다.
- 상황을 정확하게 판단하여 편견을 부르는 잠재적 왜곡의 영향을 덜 받게 돕는다.
- 심리적으로 더 안전한 환경을 조성하도록 돕는다.
- 자신의 일에 더 만족하도록 돕는다.
- 진정성 있고 낙관적이도록 돕는다.
- 역경, 갈등 또는 실패에 직면했을 때 회복력이 좋아지도록 돕는다.
- 변화를 더 편하게 받아들이도록 돕는다.
- 뚜렷한 의도를 가지고 자신의 일을 하도록 돕는다.
- 자율적 동기를 더 많이 갖도록 돕는다(중요하고, 가치 있고 즐겁다고 인식되는 활동을 추구하도록 유도).
- 업무 수행 능력이 높아지도록 돕는다.
- 윤리적 행동, 친사회적 행동은 늘리고, 일탈적인 행동은 줄이도록 돕는다.

본질적으로 명상은 완전히 현존하고 의식이 깨어 있도록 노력하는 시간을 따로 떼어놓는 연습을 하는 것이다. 일반적으로 마음이 완전히 현존하게 하는 방법으로 호흡에 집중하는 것이 있다. 호흡이 명상에서 중요한 부분이지만, 마음의 불가피한 습성인 방황이 일어날 때 그 중요성이 가장 부각된다. 그럴 때 마음이 방황했다는 사실을 얼른 알아차리고 다시 호흡으로 돌아와 집중해야 한다. 현재 의식 안에 들어왔다가 나갔다가를 요요처럼 반복하는 수련이다. 그러면 부정적인 마인드셋 신경망이 빠르게 연결되고 활성화되는 것을 의식적으로 중단하려는 뇌의 기능이 강화된다. 그리고 긍정적인 마인드셋의 신경망 연결이 서서히 활성화된다. 명상을 한다고 반드시 마인드셋이 바뀌는 것은 아니지만, 바꿀 수 있는 능력이 분명 향상된다.

마인드셋을 고정 쪽에서 성장 쪽으로 바꾸기 위한 구체적인 방법을 몇 가지 추천해보겠다. 마인드셋을 바꾸려면 오랜 시간에 걸쳐 꾸준하고 반복적인 연습이 필요하기 때문에, 다음의 아이디어를 날마다 번갈아 가며 실천하는 것을 추천한다. 한 달 정도 지나면 새로운 긍정 마인드셋을 능숙하게 발휘하는 데 성공할 것이다.

- 일기를 써라. 실패를 반복했던 시간을 써본다. 한 번 실패를 했는데 교훈을 얻지 못하고 또 다시 실패했던 시간에 대해 쓰는 것이다. 첫 번째 실패했던 때와 장소를 쓰고, 그로부터 배우겠다고 선택한 것을 쓴다. 삶에서 도전한 결과 성공했던 시간에 대해 쓴다. 이전에 해보았으니 다시 할 수 있다는 것을 스스로에게 보여준다.
- 고정 마인드셋과 성장 마인드셋에 대해 더 많이 읽고 배워라. 캐롤 드웩의 저서 〈마인드셋Mindset〉을 추천한다. 또한 젠 신체로의 저서 〈사는 게 귀찮다고 죽을 수는 없잖아요?You are a Badass〉도 읽어보길 추천한다. 인터넷에서 마인드셋을 주제

로 한 글을 찾아 읽어보라. 나의 블로그도 있다. https://www.
ryangottfredson.com/blog.

- 개발하려는 마인드셋을 설명해주는 동영상을 시청하라. 에듀아
르도 브리세노는 이 주제에 대한 훌륭한 TEDx 강연을 두 번이
나 했다. 에이미 퍼디도 마찬가지다("한계 너머의 삶Living beyond
Limits" 참조). 온갖 역경을 겪었어도 일어나 도전하는 모습을 보여
주는 영화도 좋다. 로키, 루디이야기, 리멤버 타이탄, 옥토버 스카
이, 히든 피겨스가 있다. 팔과 다리가 없이 태어난 닉 부이치치는
대중에게 동기부여 강연을 하는 연설가인데 유튜브에서 강연 영
상을 찾아볼 수 있다.

- 고정 마인드셋과 성장 마인드셋에 대해 소그룹 토론을 하라. 최
근 당신의 생활이나 같이 지내는 사람들의 생활 속 어디에서 각
각의 마인드셋을 목격했는가? 결과는 어땠는가? 이 과정에서 각
마인드셋에 대해 당신이 알게 된 것을 다른 사람들에게 최대한
알려준다. 가르치는 게 가장 잘 배우는 길이다.

4단계: 우세한 마인드셋 떠나보내기

앞의 세 단계를 실행하면 마인드셋을 바꾸는 것은 어렵지 않지만, 결
연한 의지와 노력이 필요하다. 이 노력 부분에서 어려움을 느끼는 것은
다음 두 가지 이유 때문이다. 첫째, 새로운 습관을 들여야 한다. 둘째, 어
떤 사람에게는 두려운 일이다. 두려운 이유는 우리가 특정한 방식으로
세상을 보는 것에 익숙해졌기 때문이다. 우리는 현재 세상을 보는 방법
과 자신을 동일시하고 그 관점을 우리 자신의 중요한 일부로 여긴다. 따

라서 자신의 마인드셋을 바꾸겠다는 생각이 배신하는 것처럼 느껴지는 사람도 있다.

1장의 앨런이나 리 아이아코카처럼 전형적인 "내 방식대로 따르든지 아니면 떠나라."는 식의 관리자를 생각해 보라. 그들의 리더십 스타일은 겉으로 좋게 보이려는 욕망에 의해 주도된다. 이러한 자기정당화, 자기중심적인 관점은 그들이 생각하는 자신의 일부가 되었다. 만약 그들이 변화한다면, 자신을 배신하거나, 유약해지거나, 패배를 인정하는 꼴이라고 생각할 것이다. 하지만 현실은 배신하는 것이 아니라 자신을 개선하고 있는 것이다.

세상을 새롭고 다른 방식으로 보는 것은 불확실하고 심지어 두려운 제안일 수 있다. 술을 마셔본 적이 없는 성인이 지금 술을 마시자는 제안을 받았다고 생각해 보자. 그 사람은 술이 즉각(통제력과 자제력을 잃게 될까?), 아니면 가까운 매래에(내일 아침에 속이 메스꺼울까?), 아니면 장기적으로(술이 일상이 되면 삶은 어떻게 달라져버리나?) 미칠 영향이 불확실하기 때문에, 술에 대한 자신의 입장을 놓아버리기가 두려울 것 같다. 불확실성은 두려울 수 있다. 마인드셋을 바꾸고 개선할 것이라는 다짐에도 비슷한 감정이 들 수 있다.

놓아주는 것에 도움이 될 수 있는 몇 가지 방법을 제안하겠다.

첫째, 마인드셋을 바꾸고 개선한 사람들에 대해 연구하라. 캐롤 드웨의 저서 마인드셋에는 많은 사례가 담겨 있다. 토니라는 학생은 고정 마인드셋과 성장 마인드셋에 대해 배운 후 자기 자신과의 대화 내용을 바꾸었다. "나는 타고난 재능이 있으니 공부할 필요가 없다. 잘 필요도 없다. 나는 우월하다."에서 "너무 똑똑한 것 아닌지 고민하지 마라. 실패를 피하려고 그렇게 애쓰지 마라. 자기 파괴에 이를 뿐이다. 공부도 하고 잠도 자고 일상을 살아가자."로 바꾸었다.

둘째, 작은 승리를 맛보아라. 엄청난 노력을 들이지 않아도 되는 기술을 익히고 싶은가? 예를 들어 케이크 굽는 법을 배우고 싶다면, 유튜브 영상 몇 개를 보고 두 달 동안 주말마다 하나씩 만드는 연습을 하라. 결국 새로운 기술을 발전시키는 것이 예상했던 것만큼 어렵지 않다는 것을 알게 될 것이다. 〈처음 20시간의 법칙: 무엇이라도…빠르게 배우는 법The First 20 Hours:How to Learn Anything…Fast〉의 저자인 조시 카우프만에 따르면 새로운 것을 시도하는 동안 도전적이 된다고 한다. "인간의 뇌는 새로운 기술을 매우 빨리 익히도록 최적화되어 있다. 현명한 방법으로 꾸준히 연습한다면, 단기간에 극적인 향상을 경험하게 될 것이다…의도적으로 20시간 정도 연습하면 자신이 설정한 목표를 달성할 수 있다."

셋째, 긍정적인 자기대화를 하라. 스포츠 심리학자 연구팀은 44,000명 이상을 대상으로 한 대규모 연구를 실시하여 가장 긍정적인 효과를 가진 세 가지 동기 부여 기법을 테스트하고 이 중 가장 효과가 좋은 것을 밝혀냈다. 자기대화(자신에게 말하는 것, "나는 더 잘할 수 있다"), 시각화(더 잘 하고 있는 자신을 상상하는 것), 그리고 if-then 플랜(예를 들어 "나 자신에 의심이 들기 시작하면, 나에겐 그 기술이 있다는 것을 떠올리는 것이다). 그중 자기대화가 노력과 수행의 강도에 가장 긍정적인 영향을 주는 것으로 나타났다.

성장 마인드셋을 발전시키기 위해 자기대화를 활용하는 방법은 다음과 같다.

- 어떤 일을 할 수 없다고 말하지 말고, 문장에 "아직"을 붙여라. "케이크를 처음부터 끝까지 다 만들 수 없다."라고 말하는 게 아니라 "아직은 케이크를 처음부터 끝까지 다 만들 수 없다."라고 말한다.
- 실패 또는 좌절이라는 단어 대신 배움이란 단어를 써라.
- "이건 힘들다", "할 수 없다"고 생각하는 대신 "언제나 발전하고 있으니 계속 노력하겠다."라고 생각하라.

나는 최근에 이렇게 했었다. 학자이자 연구자이기 때문에 내가 연구한 것은 상위 학술지에 등재되어야 한다. 등재율은 10퍼센트 정도 밖에 안 되니 탈락이 드문 일은 아니다. 하지만 그렇다고 해서 탈락되는 것이 쉽게 받아들여지지는 않는다. 내가 정말 잘했다고 생각했던 연구 논문이 한 학술지에서 탈락되자, 나의 뇌는 고정 마인드셋 메시지를 보내기 시작했다. "너는 뛰어난 연구자가 아니잖아.", "출간에 필요한 내용이 없어." 그리고 "아마도 이 논문을 포기해야 할 거야, 왜냐하면 너는 앞으로 더 많이 거절당할 테니까."

감사하게도 나는 고정 마인드셋의 신호를 알고 있기 때문에, 이러한 자연스러운 감정이 올라올 때 대처할 수 있었다. 그 방법은 다음 두 가지였다. 첫째, 나 자신에게 이것이 내가 배우고 성장하며 내 논문을 개선할 수 있는 기회라고 말해주었다. 둘째, 내 논문이 여섯 번째 학술지에 실릴 건데 그 전에 다섯 개의 학술지에서 거부된 것이라고 되뇌었다. 그리고 그 여섯 번째 학술지가 출간되고 약 1년이 지난 후에, 내 논문이 당 해 최고 논문으로 선정되었다는 소식을 들었다.

자기대화를 통해 나는 패배감과 절망감에서 벗어나 훨씬 긍정적이고 흥미로운 접근법을 갖게 되었고, 논문을 수정하여 새로운 학술지에 제출할 수 있었다.

그 밖의 아이디어로는 다음과 같은 것들이 있다.

- 천재성을 재정의한다. 재능이 있다고만 천재가 아니라 열심히 노력해야 천재이다.
- 비판을 실패와 분리시키고, 비판을 배우고 개선시킬 수 있는 기회로 본다.
- 도전은 웨이트 트레이닝과 비슷하다. 저항력은 힘을 길러주고 향후 도전하는 능력을 더욱 키워준다.
- 새로운 기술을 익히는 데 걸리는 현실적인 시간을 파악하라(고정 마인드셋인 사람들은 새로운 기술을 발전시키는 데 걸리는 시간을 과대평가하여 더 빨리 좌절한다).

기억하자. 성장 마인드셋을 구축하는 것은 성공을 거두기 위해 할 수 있는 가장 중요한 일이다. 생각하고 배우고 행동하는 것뿐만 아니라 삶과 일 그리고 리더십에서의 성공을 고양시키는 성장 마인드셋을 개발하려면 의도적이고 집중적인 노력을 기울여야 한다.

III
PART

개방 마인드셋, 폐쇄 마인드셋
Open Mindset, Closed Mindset

ı

'내가 옳다'라는 생각에서
'내가 옳다는 것을 어떻게 알지?'로
바꿔야 한다.

Chapter 9

|

발전의 속도는 못마땅한
아이디어의 장점을
얼마나 고려하느냐에 달려있다.

세상에서 배우고 발전하는 속도는 새로운 아이디어의 장점을, 비록 본능
적으로 마음에 들지 않더라도, 얼마나 가늠해볼 의향이 있느냐에 달려 있다.
특히 마음에 들지 않으면 더욱 그렇다. -셰인 패리시

레이 달리오는 브리지워터 어소시에이츠의 창립자이다. 그의 리더십
하에 브리지워터는 세계 최대의 헤지펀드(운용 중인 자산 1,600억 달러)가
되어 역대 어떤 헤지펀드보다 고객들을 위한 돈을 더 많이 벌었다. 2016
년 포춘은 브리지워터를 미국에서 다섯 번째로 중요한 민간 기업으로
인정했다.

성공의 비결은 무엇이었을까?

그의 저서 〈원칙Principles〉에서 그 비밀을 밝힌다. 바로 그가 말하는 "극단적으로 개방적인 마인드"이다. 극단적으로 개방적인 마인드는 극도의 진실과 극도의 투명성을 항상 결합시킨다. 이를 실천하기 위해 그와 그의 팀은 모든 회의를 녹화하고, 야구 카드 같은 시스템을 활용하여 각 직원들이 효과적인 의사결정에 참여하도록 지원하고, 어떤 사람이 얼마나 신뢰도가 있는지 직원들이 실시간으로 평가하는 시스템을 만들어 피드백과 개발성을 높였다. 이런 문화로 심지어 직위가 낮은 직원들도 조직을 개선하기 위한 건설적인 비판을 리더들에게 할 수 있게 되었다.

어느 날 회의가 끝난 후 달리오는 부하 직원에게 다음과 같은 이메일을 받았다.

"레이 회장님, 오늘 ABC와의 회의에서 레이 당신의 성적은 "D-"입니다. 회의에 참석한 모든 사람이 반 점 정도의 차이가 있을 뿐 이 가혹한 평가에 동의하고 있습니다. 오늘 회의가 특별히 실망스러웠던 것은 다음 두 가지 이유 때문입니다. 1) 주제가 같았던 이전 회의에서 회장님은 훌륭했습니다. 2) 우리는 어제 구체적인 기획 회의를 열었던 것이고, 시간이 2시간으로 제한되어 있으니 회장님에게 문화와 포트폴리오 구성이라는 두 가지 주제에 집중해 달라고 요청했습니다. 저는 투자 과정을 담당했고, 그레그는 참관인 자격이었고, 렌달은 실행 계획을 담당했습니다. 그런데 회장님은 총 62분 동안 이야기했습니다(제가 시간을 쟀습니다). 여기에다가 포트폴리오 구성이라고 생각되는 주제에 대해 무려 50

분 동안 횡설수설하고 나서야 나머지 12분 동안만 문화에 대해 이야기했습니다. 사전에 잘 준비했더라면 애초에 그렇게 두서없게 이야기할 리가 없었기 때문에 전혀 준비하지 않았다는 것이 분명하게 드러났습니다."

당신이라면 이 이메일에 어떻게 답할 것인가? 달리오는 전체 직원들에게 전달했고, 직접적인 피드백으로 개선의 여지를 준 것에 감사했다. 그리고 조직의 모든 단계에서 극도의 진실과 투명성, 그리고 개방적인 마인드가 발전에 필수적이라는 생각을 강화하고 장려하기 위해 노력했다. 달리오는 개방적인 마인드를 유지하고 브리지워터에 그러한 문화를 심으려고 꾸준히 노력했다. 하지만 항상 잘 되지만은 않았다.

극단적으로 개방적인 마인드로의 여정
달리오는 1975년에 브리지워터 어소시에이츠를 설립했다. 10년이 될 때까지 그는 투자계에서 영향력 있는 목소리를 냈다. 다양한 상품 시장(곡물, 가축, 육류 등)에 지식이 많아 맥도날드에도 컨설팅을 했으며, 그 결과 치킨 맥너겟 개발로 이어져 가장 성공적인 패스트푸드 메뉴가 되었다.

1979년부터 1981년까지 달리오와 브리지워터는 어느 때보다도 시장의 변동성이 큰 시기를 지나고 있었다. 1981년, 10%까지 치솟은 인플레이션은 점차 가속화되고, 경제활동 전반이 둔화되고 있었다. 부채가 소득보다 빠르게 증가하고 있는 와중에 미국 은행들은 신흥국에 막대한 자금을 빌려주고 있었는데, 운영 자본보다 훨씬 더 많은 금액이었다. 이를 보고 달리오는 1981년 3월 고객들에게 심각한 불황을 예측하는 글을 썼다. "엄청난 부채 규모는 이번 불황이 30년 전에 겪었던 것만큼 심각하거나 더 안 좋을 수 있다는 의미이다." 이 주장에 많은 논란이 일었다.

1982년 8월에 멕시코는 국가 채무를 이행하지 않았다. 다른 신흥국들의 채무불이행도 확실해졌다. 이들 국가에 돈을 빌려준 은행들은 대출 활동을 중단할 수밖에 없었다. 달리오가 18개월 전에 예측했던 일이다. 그는 시장에서 일어나고 있는 일을 정확하게 파악한 몇 안 되는 사람이었기 때문에 TV에 출연하고 의회에서 증언하는 등 많은 관심을 받기 시작했다. 이런 모습에서 그는 미국경제가 공황으로 향하고 있다고 단언하고 그 이유를 설명했다. 그는 또 다른 큰 공황이 올 확률을 95%로 잡았고, 다른 대안은 하이퍼인플레이션뿐이었다. 그는 최악의 시나리오에 대비하여 자신을 보호하기 위해 자본을 투자하였다. 이번에는 달리오가 완전히 틀렸다. 시장은 붕괴되지 않고 유지되었을 뿐만 아니라 급속히 회복하기 시작했다. 이로 인해 1980년대 미국 경제는 인플레이션을 일으키지 않은 성장기를 누렸고 "호황의 80년대"라는 이름도 붙었다.

달리오가 경제 붕괴를 확신하고 그 확신에 근거해 투자했던 결과 브리지워터는 큰 손실을 입었었다. 결국 그는 모든 사람들, 심지어 가장 친한 친구와 파트너도 떠나보내야 했다. 그는 너무 많은 돈을 잃어서 가족의 두 번째 자동차를 팔기 전까지 아버지에게 4,000달러를 빌려야 했다. 그는 아내와 어린 두 아이들을 부양하기 위해 버티고 있었다.

이 경험에 대해 달리오는 다음과 같이 쓴다.

"이 시기에 이런 일을 겪으면서 나는 야구방망이로 머리를 연속으로 맞는 것 같은 느낌이었다. 예상이 완전히 틀렸고, 특히 공개적으로 틀린 것에 믿을 수 없을 만큼 초라해졌고 브리지워터에서 내가 이룬 모든 것을 잃었다. 완전히 잘못된 관점을 전적으로 확신한 오만한 바보였다는 것을 깨달았다.…나는 지나치게 자신만만해서 내 감정에 휘말렸다. 내가 얼마나 오만했는지 아직도 충격적이고 당혹스럽다."

이것은 여러 면에서 달리오 인생의 전환점이었다. 가장 기본적인 차원인 마인드셋도 포함되었다. 그런 참사를 다시 경험하지 않으려면 "마인드셋을 '내가 옳다'라는 생각에서 '내가 옳다는 것을 어떻게 알지?'라고 물어보는 것"으로 바꿔야 한다는 것을 알았다고 말했다. 즉 폐쇄 마인드셋에서 개방 마인드셋으로 바꾸는 것이다.

이 경험을 통해 달리오는 극단적으로 개방적인 마인드를 중시하게 되었고 이를 브리지워터 문화에 녹여냈다. 달리오는 "돌이켜보면 나의 대실패는 지금껏 내게 일어난 일들 중 가장 좋은 일이었다. 왜냐하면 공격성의 균형을 맞추는 데 필요한 겸손을 가르쳐주었기 때문이다."라고 말했다. 이러한 마인드셋의 변화는 1980년대 초 1인 기업에 불과했던 브리지워터가 미국에서 가장 큰 헤지펀드로 성공하고 성장하게 만든 주요 동력이 되었다.

개방 및 폐쇄 마인드셋

달리오와 브리지워터를 큰 성공으로 이끈 마인드셋의 변화를 좀 더 자세히 살펴보자.

앞서 언급했듯이, 우리의 마인드셋은 부정과 긍정 사이의 연속체 상에 있다. 폐쇄 및 개방 마인드셋의 경우 폐쇄 마인드셋은 부정의 맨 끝에 있는 반면 개방 마인드셋은 긍정의 맨 끝에 있다. 우리 각자는 이 연속체 상의 어딘가에 위치한다. 각 마인드셋은 다른 목표에 의해 움직인다. 폐쇄 마인드셋이 있으면, 자신의 관점에서 올바르고 또 올바르게 보이는 것에 주로 관심을 쏟는다. 우리는 자기가 알고 있는 것이 최선이라고 생각하는 경향이 있고 따라서 다른 사람들의 생각과 제안에는 마음을 닫는다. 자기의 생각을 지지하고 입증하는 정보만 소중히 여기는 반면 자신이 틀렸다는 것을 보여주는 정보는 피한다.

개방 마인드셋이 있으면, 진리를 추구하고 최적의 사고를 하는 것에 주로 관심을 쏟는다. 이러한 욕망에는 불완전한 정보를 가지고 있고 틀릴 수 있다는 신념이 따른다. 현재의 상황을 개선하고 진실에 더 가까이 다가갈 수 있도록 다른 사람들의 생각과 제안에 개방적이고 이를 찾아낸다. 이러한 마인드셋이 있으면 옳게 보이고 싶거나 모든 답을 가진 것으로 보이고 싶은 에고의 욕구를 저지할 수 있고, 생각과 의사결정의 질을 제한하는 사각지대를 피해갈 수 있다.

당신의 마인드셋은 폐쇄에서 개방까지의 연속체 중 어디에 있는가? 셰인 패리시가 그의 블로그, 파남 스트리트Farnam Street에 올린 글을 인용하자면, "가슴 위에 열린 마음의 스티커를 붙이고 으스대기 전에, 한번 생각해보라. 닫힌 마음을 가진 사람들은 그들의 마음이 닫혔다고 결코 생각하지 않는다. 사실 그들이 인식하고 있는 열린 마음은 매우 위험한 것이다."

나는 당신에 대해 잘 모르지만, 이것과 온전히 연결시킬 수 있다. 만약 우리가 10년 전으로 돌아가서 당신이 내게 개방적 마인드인지 물었다면 나는 당당히 "네!"라고 말했을 것이다. 그러나 이제 내 오래된 자아를 되돌아보면 폐쇄적 마음에 경직된 사고를 하는 나 자신이 보인다.

우리가 폐쇄적 마인드일 때, 어떻게 하면 더 개방적 마인드를 가질 수 있는지 알기 어렵다. '우리는 이미 개방적 마음이야!' 라는 생각 때문에 우리가 얼마나 개방적 마인드인지 스스로 평가하는 것이 매우 어려워진다. 그래서 어떤 사람들은 개인적인 마인드셋 평가에서 중간을 훨씬 웃도는 점수를 받고도(예를 들어 중간지점은 4.0이고 4.9를 받음) 폐쇄 마인드셋이 더 많다는 결과가 나온다. 현실적으로 폐쇄적 마인드를 암시하는 답을 스스로 선택하기가 어렵다. 따라서 평가 점수 자체의 비중을 덜고 검사를 실시한 다른 사람들과 상대적으로 비교한 자신의 결과에 더 비중을 두는 것이 좋다.

개방 마인드셋과 폐쇄 마인드셋을 가진 사람들의 특성

폐쇄 마인드셋과 개방 마인드셋을 가진 사람들의 차이는 상당히 크다. 폐쇄 마인드셋을 가진 사람들은 질문을 하거나 피드백을 얻는다거나 의견 불일치를 유발하는 것보다 답을 주며 리드하는 것을 좋아한다. 개방 마인드셋을 가진 사람들은 질문을 던지고 자기 자신과 자신의 환경 및 주변 사람들을 더 좋게 할 새로운 정보와 다양한 관점을 끊임없이 추구하며 리드하는 것을 좋아한다.

개방 마인드셋과 폐쇄 마인드셋이 드러나는 전형적인 사례는 정치적 스펙트럼의 양 끝에 있는 사람들이 벌이는 논쟁이나 토론이다. 개방적 마인드를 가진 사람들은 자신과 다를 수 있는 다른 사람들의 생각에 공감하고 자신의 견해 및 철학과 비교하여 판단할 수 있다. 닫힌 마음을 가진 사람들은 다른 사람의 입장을 이해하려는 시도를 하지 않는다. 그들은 자신의 견해를 외부의 견해 및 철학과 비교하여 판단하지 못하며, 자신의 견해가 더 우월하다고 여긴다. 한 마인드셋은 가장 좋은 견해를 갖는 것에 관심을 두는 반면, 다른 마인드셋은 가장 좋은 견해라고 간주하는 것을 전달하는 데 초점을 맞춘다.

남부 캘리포니아 대학교 연구원들은 이러한 정치적 폐쇄성을 뇌신경과 연관시켰다. 자기공명영상(MRI)을 이용해 강한 정치적 관점을 가진 사람이 상대 진영을 지지하는 정보를 제공받으면, 그의 뇌는 자아 정체성을 보호하기 위해 말 그대로 폐쇄된다는 사실을 발견했다. 특정 정치철학을 고수하지만 강하게 동일시하지 않는 사람은 자신의 사상과 다른 생각도 즐길 수 있다.

마인드셋의 차이는 여기에서 그치지 않는다. 당신의 마인드셋을 더 정확히 평가할 수 있도록, 아래의 차이점을 더 충분히 비교해보자.

폐쇄 마인드셋을 가진 사람들	개방 마인드셋을 가진 사람들
완고하고 비논리적으로 자신의 견해를 고수한다	자신이 틀릴 수 있다는 가능성을 열어둔다
자신의 생각과 의견을 지지하는 아이디어를 듣고 싶어 한다	자신의 생각과 의견을 반증하는 아이디어를 찾아낸다
자신의 관점을 검증하는 것에 주로 관심이 있다	중요한 관점을 놓치는 것이 두렵다
판단이 빠르다	다른 관점을 적절히 평가할 때를 기다리며 판단을 보류하기도 한다
다른 견해를 탐색하지 않고 자신의 생각이 최고라고 믿는다	다른 견해를 탐색하여 자신과 타인 및 그들의 상황을 최대한 정확하게 파악하고 싶어 한다
자신이 가장 좋은 답을 알고 있다고 확신한다	자신이 모든 정보를 가지지 않았을 것이라고 인정한다
답을 주는 것이 쉽다	질문하는 것이 쉽다
추측을 하고 자기 추측을 확신하는 경향이 있다	자신의 추측이 정확한지 확인하려고 묻는 경향이 있다
다른 사람들이 생각하는 것을 이해하려고 하지 않으므로 다른 사람들이 어떻게 상황을 판단하는지 모른다	다른 사람들이 생각하는 것을 이해하려고 하므로 다른 사람들이 어떻게 상황을 판단하는지 이해한다
자신이 하고 있는 일이 올바른 행동 과정이라는 말을 듣고 싶어 한다	자신이나 다른 사람들이 무언가 오류를 범하고 있거나 목표 달성을 가로막고 있는지 알고 싶어 한다
비판을 피한다. 비판을 받으면 방어적이 되고 아니면 신속히 정당화한다	방어적인 태도 없이 비판을 환영하고 비판을 통해 배우려고 한다
적극적으로 피드백을 구하지 않는다	적극적으로 피드백을 구한다
자신이 옳다는 것을 증명하기 위해 투쟁도 불사한다	무엇이 진실인지 알아내기 위해 투쟁도 불사한다
맞으면 승자고 틀리면 패자라고 본다	올바른 결정을 내리는 것(생각을 바꾸는 것이라 해도)을 승자로 보고 잘못된 결정을 내리는 것을 패자로 본다
자신의 아이디어에 도전하는 것을 싫어하고 그럴 경우 좌절한다	자신의 아이디어에 도전하면 기꺼이 받아들이고 호기심을 보인다
다른 사람들이 자신에게 틀렸다는 말을 직간접적으로 말하지 못하게 한다	다른 사람들에게 자신이 틀리면 말해줄 것을 장려한다
의견 불일치를 위협으로 간주한다	의견 불일치를 배움의 기회로 간주한다
다른 사람들의 말을 차단하고 생각을 표현할 여지를 남겨두지 않는다	말하는 것보다 듣는 것에 더 관심을 보이기도 하고 다른 사람들의 생각을 표현하도록 격려한다
두 가지 상반된 생각, 견해 또는 개념을 동시에 품을 수 없다	두 가지 상반된 생각, 견해 또는 개념을 동시에 품을 수 있고 둘 사이를 오가며 상대적인 장점을 평가할 수 있다
자기보다 훨씬 더 많이 아는 사람들 주변에 있는 것이 불편하다	자기보다 더 많이 아는 사람들 주변에 있는 것이 짜릿하다

마인드셋 평가에서 개방 마인드셋의 정도를 측정할 때 아래 사항을 참고하길 바란다.

1. 본인의 마인드셋을 평가할 때, 개방적일 때를 더 중시하고 폐쇄적일 때를 경시하는 경향이 있다.
2. 타인의 마인드셋을 평가할 때, 폐쇄적일 때를 더 중시하고 개방적일 때를 경시하는 경향이 있다.

당신이 가끔 폐쇄 마인드셋이라는 것을 알고 있지만, 개방 마인드셋이 표출되는 순간을 재빨리 알아차리면 실제보다 더 많이 개방적이라고 인식하게 된다. 달리 말하면 당신이 폐쇄적 마인드를 단 몇 가지 경우에만 내보여도, 다른 사람들은 당신을 폐쇄적 마인드로 인식한다. 함께 살고, 일하고, 어울리는 사람들은 우리가 표의 오른쪽(즉 개방적 마인드)이 묘사하는 사람이기를 기대한다. 잠깐이라도 우리가 그보다 못한 행동(즉 폐쇄적 마인드)을 하면 우리와 우리 주변의 문화를 부정적으로 본다. 따라서 우리 자신을 아무리 개방적 마인드라 여기더라도, 우리의 동료, 어울리는 사람들, 친구들은 우리가 훨씬 더 개방 마인드셋일 것이라고 기대하고 개방마인드셋의 덕을 볼 것으로 생각한다.

사람들은 왜 폐쇄 마인드셋을 발달시킬까?

개방 마인드셋이 그렇게 유익하다면, 사람들은 애초에 왜 폐쇄 마인드셋을 키우는 것일까?

두 가지 주요한 이유가 서로 얽혀서 존재한다. 첫 번째 이유는 우리의 자아에 관한 것이다. 우리 각자는 다른 사람들에게 소중히 여겨지고, 영향력을 가지며, 자기 자신 및 현재의 상태와 지위를 보호하고 싶은 본능이 있다. 이것은 자연스럽고 좋은 일이다. 그런데 우리의 자아는 우리가 소중히 여겨지고, 영향력을 가지며, 스스로를 보호하는 것은 최고의 자리에 오르고 우월해져야 이루어지는 것이라고 끊임없이 말한다. 우리의 자아는 답을 주는 것을 우월감과 동일시하고, 답을 듣고 질문을 하는 것은 열등감과 동일시한다. 심지어 어떤 주제는 알지 못하는데도 자아는 우리가 답을 줄 만큼 충분히 알고 있으며 질문을 할 필요가 없다고 착각하게 만든다. 또한 개방적 마인드는 나약함의 표시라고 주입시킨다. 따라서 우리의 자아는 우리를 폐쇄적 마인드로 계속 끌어당긴다.

두 번째 이유는 폐쇄 마인드를 갖는 것이 더 쉽다, 또는 그러하다고 우리 자신에게 쉽게 말할 수 있기 때문이다. 정보를 수집하는 데는 귀중한 시간이 소요되고 의사 결정 과정이 지연될 수도 있다. 따라서 우리의 폐쇄적 마인드를 시간을 절약하기 위한 결정이라고 정당화하기 쉽다. 빠르게 움직이는 것과 의사 결정의 질 및 그 결정이 미치는 장기적인 영향 간의 차이를 고려할 때 이러한 타협이 발생한다. 예를 들어, 어떤 팀이 누군가의 아이디어를 중단시키면 빨리 다음 단계로 넘어갈 수 있지만, 그 사람은 다시 의견을 내는 것을 꺼릴 것이고 결국 장기적인 효율성과 효과가 저하될 것이다.

자아의 끌어당김도 있고 속도와 효율성의 유혹도 있지만, 성공으로 이끄는 것들은 지금 이 순간 우리에게 반드시 가장 좋은 것은 아니라는 것을 기억해야 한다. 성공으로 이끄는 것에는 정확성, 명확성 및 진리의 추구가 있는데, 궁극적으로 우리가 최선의 답을 찾고 최선의 결정을 내리도록 한다.

딱딱한 후면, 부드러운 전면

주관 없이 호락호락하게 넘어가는 사람이 되어야 한다고 말하면 그게 무슨 말이냐고 의문을 제기할 것이다. 전혀 그렇지 않다. 개방 마인드 셋을 가지고 있다고 해서 자신과 다른 신념을 표현한다거나 다른 사람의 결론을 맹목적으로 받아들이는 것이 아니다. 딱딱한 후면을 막아주지 않는다고 전면까지 부드러워야 하는 것은 아니다. 따라서 우리가 어떤 주관을 가지는 동시에 모르는 것이 많다는 가능성을 열어둔다면 다른 사람들의 관점을 더 완전히 볼 수 있는 것이다.

부드러운 전면을 갖는다는 생각은 겸손함을 표현하는 또 다른 방법이다. 겸손한 사람은 자신의 지위나 지식의 수준에 상관없이 다른 사람들의 생각과 아이디어를 기꺼이 받아들인다. 진정으로 겸손하고 다른 사람들을 받아들이는 사람들은 높은 자존감을 가지고 진지하게 행동한다. 그들은 자신의 존재를 기뻐하고, 타인이 다른 관점을 지닌 것을 자기 존재를 향한 위협으로 보지 않으며, 방어적인 태도를 취하지도 않는다. 그들은 다른 사람들이 가진 관점과 상관없이 존중을 표할 수 있다. 겸손함은 개방 마인드셋의 정도에 의해 도출되는 것으로 다른 사람들로부터 신뢰와 존중을 이끌어내는 건강하고 긍정적인 형태의 개인적 힘이다.

다음은 레이 달리오의 말이다.

"당신도 나처럼 당신이 알아야 할 모든 것을 알지 못하며, 그 사실을 받아들이는 것이 현명할 것이다. 자신이 할 수 있는 최선의 일이 무엇인지를 알아내기 위해 마음을 열고 머리를 맑게 하면, 그리고 그것을 할 수 있는 용기를 불러일으킬 수 있다면, 인생을 최대한 활용할 수 있을 것이다. 그렇게 할 수 없다면, 왜 그런지 돌이켜보아야 한다. 왜냐하면 그것이 당신이 인생에서 원하는 것을 더 많이 얻는 데 가장 큰 장애물이 될 가능성이 높기 때문이다."

이렇게 폐쇄 마인드셋과 개방 마인드셋이 우리의 생각, 배움 및 행동에 더 깊은 영향을 준다는 것을 알 수 있다.

Chapter 10

|

의사결정의 효율성을
방해하는 자아의 장벽

항상 변화에 열린 마음을 가져라. 변화를 환영하고 대접하라. 의견과 생각
을 검토하고 또 검토함으로써 성장할 수 있는 것이다. -데일 카네기

　1840년대에 비엔나의 병원에는 불가사의하고 무서운 산욕열이 퍼졌
다. 막 아기를 낳은 산모의 약 15퍼센트가 사망하는 병이었다. 전염병이
최고조에 달했을 때에는 산모의 3분의 1이 출산 도중 또는 직후에 사망
했다. 조산사의 도움으로 낳은 산모보다 세 배나 높은 수치였다. 원인을
규명하기 위해 이그나츠 제멜바이스라는 헝가리의 의사가 가설을 내놓
았다. 그는 전날 사망한 여성들을 부검한 의사와 의대생들이 곧장 분만

실로 가는 것을 관찰했다. 당시 세균이나 병원 매개 바이러스의 개념을 이해하는 사람이 없었는데, 제멜바이스는 그들이 손에 "병과 관련된 독"을 지니고 있을지도 모른다고 생각했다. 따라서 그는 학생들에게 산부인과 병동에 가기 전에 염소화석회 용액에 손을 씻으라고 지시했다. 그리고 산모의 사망이 멈추었다. 생명을 살리는 놀라운 결과였다. 그런데 제멜바이스가 다른 의사들에게 손 씻기의 중요성을 알리려고 하자, 그들은 증거를 받아들이지 않고 본질적으로 그에게 반대했다.

이그나츠 제멜바이스는 동료들에게 수백 명은 아니더라도 수십 명의 생명을 구할 수 있는 의사가 될 수 있다고 조언한 사람이다. 정말 그랬다. 손 씻기가 그렇게 어려운 일도 아니지 않은가? 하지만 의사들은 여전히 폐쇄적인 마인드를 보였다. 왜 제멜바이스의 동료들은 증거를 받아들이지 않고 환자들이 비극적이고 불필요하게 죽어나가는 원인을 찾아낸 그에게 감사조차 하지 않았을까?

바로 그들의 자아 때문이다.

간단한 조치로 생명을 구하는 방법을 의사들이 받아들이려면 제멜바이스가 많은 여성들을 죽음에서 구하는 데 도움을 주었다는 사실을 인정해야 할 것이다. 이 받아들이기 힘든 깨달음은 자신을 의료 전문가이자 현명한 치료사로 보는 의사들의 견해와 맞부딪혔다. 그들은 진실보다 옳다고 보이는 것을 원했다.

세계적으로 위대한 혁신이 그토록 많은 저항에 부딪히는 것이 흥미롭지 않은가? 그러한 저항은 개개인의 사람들과 심지어 전 세계에게, 해를 끼치지 않는다 해도, 반드시 제약을 가한다. 그 뿌리에서 폐쇄 마인드셋을 가진 사람들이 주도하는 것에 영향을 받는다.

달리오는 그의 저서 〈원칙Principles〉에서 브리지워터 어소시에이츠가 열린 마음을 갖지 않은 것의 결과를 분명하고 강력하게 논의함으로써 극단적인 열린 마음을 장려하고 지지하는 이유를 분명히 밝히고 있다. 그 내용은 아래와 같다.

- 다른 사람들이 제시하고 있는 좋은 기회와 위험한 위험을 모두 놓침.
- 건설적이고 심지어 생명을 구할 수 있는 비판을 차단함.
- 더 나은 성과를 낼 수 있는 것을 받아들이기를 완강히 거부했기 때문에 패배함.
- 자신의 상황을 객관적으로 바라보지 못하고 자신과 다른 사람들이 어떻게 생각하는지 따져보지 못했기 때문에 나쁜 의견이나 잘못된 의견이 있어도 바로잡는 것에 실패함.

각 동그라미 기호 끝에 있는 단어를 보라. 놓침, 차단함, 패배함 그리고 실패함. 성공을 주도하는 방식으로 생각하고, 배우고, 행동하는 사람을 묘사하는 단어들인가? 물론 아니다. 다음은 달리오의 말이다.

"사려 깊은 반대 의견을 받아들이지 않고 잘못된 의견을 품고 그 의견에 근거해 잘못된 결정을 내리는 것은 인간의 가장 큰 비극 중 하나이다. 사려 깊은 반대를 할 수 있으면 공공정책, 정치, 의학, 과학, 자선활동, 대인관계 등 모든 분야에서 의사결정을 아주 쉽게 획기적으로 개선시킬 수 있다."

폐쇄 및 개방 마인드셋이 우리의 생각, 배움 및 행동에 어떤 영향을 미치는지 더 깊이 탐구해보자.

생각하기와 배우기

영화 히든 피겨스는 NASA에서 일하는 세 명의 뛰어난 아프리카게 미국인 여성의 삶과 도전에 관한 실화를 바탕으로 만들어졌다. 이 여성들은 우주 비행사 존 글렌을 궤도에 진입시키는 역사적으로 위대한 작전을 이끄는 두뇌이며 NASA에서 각각 다른 역할을 수행했다.

캐서린 존슨(타라지 P. 헨슨)은 로켓과 우주 비행사가 우주로 향하는 발사 시간대, 로켓 궤도 및 재진입 경로를 계산하는 책임을 맡은 수학자이다. 그녀는 세 가지 이유로 팀에서 두드러진다. 똑똑하고, 여성이며, 흑인이다.

캐서린의 직속 상사 폴 스태포드(짐 파슨스)는 캐서린과 함께 일했던 여러 엔지니어들을 섞어 만든 캐릭터다. 영화 내내 폴은 캐서린이 업무 수행에 중요한 정보나 회의에 대해 접근하는 것을 제한하는데 이유는 캐서린이 여성이고 흑인이기 때문이다. 이러한 한계가 있었어도 캐서린은 NASA에서 가장 뛰어나고 똑똑한 사람임을 증명하면서 계속해서 뛰어난 실력을 발휘해나간다.

또 다른 복합 캐릭터인 알 해리슨(케빈 코스트너)은 스페이스 태스크 그룹의 대표이자 폴 스태포드의 보스이다. 알은 캐서린이 그 그룹에 기여한 공로를 인정하고, 폴이 캐서린을 억누르려는 것도 알아차리게 된다.

다음 장면에서 알은 캐서린과 폴이 언성을 높이며 대화를 나누는 것을 본다.

알 해리슨: 폴, 여기서 무슨 일인가?

캐서린 존슨: 해리슨 부장님, 오늘 브리핑에 참석하고 싶습니다.

알 해리슨: 무슨 이유라도 있는가?

캐서린 존슨: 음, 선생님, 데이터가 너무 빨리 변합니다, 캡슐이 변하고, 무게와 착륙 좌표가 매일 바뀌고 있습니다. 저는 제 일을 하고 본부장님이 브리핑에 참석하십니다. 전 다시 시작해야 해요. 몇 주 후면 글렌 대령이 발사되는데, 아직 계산을 하지 못했어요.

알 해리슨 (폴에게): 캐서린은 왜 참석할 수 없는가?

폴 스태퍼드: 보안인가가 없기 때문입니다.

캐서린 존슨: 모든 자료와 모든 정보를 실시간으로 알지 못하면 일에 차질이 생깁니다. 저도 들어가서 들어야 합니다.

폴 스태퍼드: 펜타곤 브리핑은 민간인은 못 들어갑니다. 최상의 보안인가가 필요합니다.

캐서린 존슨: 계산을 설명할 수 있는 사람으로 제가 적임자입니다.

알 해리슨: 물러날 생각 없지, 그렇지 않은가?

캐서린 존슨: 절대 없습니다.

폴 스태퍼드: 캐서린은 여자이고 이 회의에 여자가 참석하는 것은 규정에 없는 일입니다.

알 해리슨: 나도 그 부분은 알아, 폴. 하지만 NASA에선 누가 규정을 누가 만드는가?

캐서린 존슨: 부장님이시죠, 부장님이 대장이에요. 대장답게 행동하세요. 부장님.

영화 후반부에서 알은 폴에게 말한다. "폴, 자네 일이 뭔지 알지? 그 천재들 중에서 천재를 찾는 거야, 우리 모두가 올라갈 수 있도록. 함께 오르지 않으면 정상엔 못 올라가." 이 고무적인 교훈은 폴이 자신의 편견을 뛰어넘어 팀에 최선인 것을 하도록 의도한 것이다. 따라서 캐서린의 성별이나 피부색이 불편하다고 그녀를 제한하는 게 아니라 팀에서 더 중요한 임무를 맡긴다. 폴은 캐서린의 능력과 의견을 비롯해 캐서린과의 모든 관계를 차단함으로써, 팀이 문제를 빨리 풀지 못하게 하고 나아가 NASA가 로켓을 우주로 진입시킬 수 있는 시간을 지연시키고 있었다.

이 예는 우리의 직장, 단체 그리고 가족들에게도 적용된다. 사실 당신이 어떤 집단에 속해있든, 폐쇄적 마인드셋 때문에 아이디어의 흐름, 진행 속도, 그리고 집단의 전반적인 능력을 제한하는 사람이 꼭 있다고 감히 추측해본다. 마인드셋에 따라서 당신일 수도 있다.

이런 사람들은, 영화의 폴처럼, 자신의 입장이 정당하다고 느낀다. 그들은 안정과 확실성을 좋아하는데, 이것은 변화가 두렵고 자기와 다른 사람과 사물이 두렵다는 것을 에둘러 표현하는 것이다. 그들은 스스로를 보호자로 여긴다. 하지만 보호자가 된다고 해서 이용 가능한 정보를 차단하고, 관련 정보를 사전에 무시하며, 새로운 아이디어에 비추어 우리의 마음을 바꾸려 하지 않는 딱딱한 전면을 가져야 한다는 말은 아니다. 기억하자. 개방 마인드셋은 딱딱한 후면과 동시에 부드러운 전면도 가질 수 있다는 것을 의미한다. 부드러운 전면을 갖는다는 것은 이용할 수 있는 정보에 열려 있고, 관련 정보를 섣불리 무시하지 않으며, 새로운 아이디어에 비추어 우리의 마인드셋을 기꺼이 바꾸겠다는 말이다.

이 두 가지 선택 중에서 누가 더 나은 생각을 하고, 의사 결정을 잘하고, 잘 배울 것이라고 생각하는가? 변화하는 시장 상황에서 누가 더 민첩하게 적응을 잘 할 것이라고 생각하는가? 누가 변화의 속도를 따라갈 것인가? 누가 퇴보한 채 남겨질 것인가?

연구원들은 개방 마인드셋을 가진 사람들이 행동처리와 의사결정에 더 공정하고, 편견이 덜하며, 더 정확하다는 것을 거듭 발견했다. 두 가지 예를 들어보겠다.

첫째, 당신이 경쟁적인 옵션을 두고 어려운 결정을 내려야 하는 상황이라고 해보자. 일단 결정을 내리고 난 후 선택하지 않은 옵션은 어떻게 보았는가? 연구진 에디 하몬 존스와 신디 하몬 존스는 폐쇄 마인드셋을 가진 사람들은 개방 마인드셋을 가진 사람들보다 남겨진 옵션을 훨씬 더 부정적으로 보는 경향이 있다는 것을 발견했다. 그들은 여러 옵션들 사이에서 잠시 갈등을 겪을 수 있지만 결정을 내린 즉시 선택한 옵션이 나머지 옵션들보다 마법처럼 훨씬 좋아져 다소 극단적인 입장을 취하기도 한다. 폐쇄 마인드셋을 가진 사람들은 자신의 결정에 대해 정신적으로 갈등을 느끼고 싶어 하지 않는 것이다. 반면에 개방 마인드셋을 가진 사람들은 자신의 의사결정 과정에서 훨씬 더 객관성을 가질 수 있다. 결론적으로 폐쇄 마인드셋을 가진 사람들은 자신이 내리는 결정의 가치에 편향적이어서 실패한 행동방침을 고집하도록 만든다.

둘째, 다수의 연구팀은 개방 마인드셋을 가진 사람들이 자신의 성공에 기여한 것을 훨씬 더 정확하게 판단한다는 것을 발견했다. 리 아이아코카의 사례에서 그가 폐쇄 마인드셋을 가지고 있다는 신호가 많이 나타났다. 그가 자신을 크라이슬러의 구세주로 표현한 것도 그러하다. 그의 생각으로는 크라이슬러를 성공으로 이끈 것이 시장 상황이 아니라 자기 자신이었다. 하지만 현실적으로 더 정확하게 말하자면 리 아이아코카가 CEO로 재임한 전반기 동안 크라이슬러가 약간의 상승세를 타긴 했지만 그는 여기에 기여한 커다란 퍼즐 중 한 조각에 불과했다. 개방 마인드셋을 가진 사람들은 성공에 기여하는 요소를 자신을 넘어서는 다른 요소를 생각하는 경향이 훨씬 많다. 이와 같은 결과를 통해 연구자들은 폐쇄 마인드셋을 가진 사람들이 훨씬 더 불굴의 환상에 빠지기 쉽고 성공 확률을 정확하게 인식하지 못한다고 한다. 그리고 이것이 재난을 부르는 방법이라고 주장한다.

결론적으로 증거는 분명해 보인다. 개방 마인드셋을 가지고 우리가 모든 정보나 정답을 가지고 있지 않을 뿐더러 다른 사람들이 우리보다 더 좋은 것을 볼 가능성을 받아들인다면, 우리는 더 나은 결정을 내리고 문제를 더 효과적으로 해결할 수 있다. 이그나츠 제멜바이스의 동료들이 그의 말을 더 일찍 들었더라면 구할 수 있었을 모든 생명을 생각해 보라. 달리오는 "개방 마인드셋일수록 자신을 기만할 가능성이 적다"라며 핵심을 잘 요약했다.

행동하기

개방 마인드셋을 가지면 더 나은 생각을 하고 더 큰 배움을 얻는다. 그러나 우리의 행동에 미치는 영향에 관해서는 절충안이 있다.

틀릴 수도 있지만 최적으로 생각하고 있다고 확신하고 싶을 때, 우리는 대안과 새로운 정보를 탐색하는 데 마음을 활짝 열어젖힌다. 어쩌면 대안과 새로운 정보를 탐색하는 데 시간을 들이는 것이 시간 낭비일 수 있다. 하지만 우리가 옳고 가장 좋은 방향을 안다고 믿을 때, 대안을 찾는 데 시간을 쓰기보다는 우리의 생각과 의사결정을 확실히 굳히면서 행동으로 실천한다. 따라서 행동으로 실천하는 것과 올바른 방향으로 확실히 나아가는 것 사이에는 절충이 필요하다.

그러나 이러한 마인드셋을 하나의 시나리오로 생각하는 것이 도움이 될지는 잘 모르겠다. 데이비드 고긴스의 사례로 판단해보자.

데이비드 고긴스는 그의 책 〈나를 해칠 수 없다Can't Hurt Me〉에서 놀라운 인생 이야기를 들려준다. 어린 시절 심한 학대를 받고, 교육을 제대로 받지 못한 채 십대를 보내고, 공군 지원에 실패했다. 136kg의 몸으로 해충약을 살포하는 일로 먹고 살다가 72kg로 감량하여 3주간의 헬 위크를 버텨내 해군 특수부대 네이비씰Navy SEAL이 된다. 이어 육군 특수부대 레인저가 되고, 울트라 마라톤 및 철인3종 경기 선수가 된다. 이 책에는 마인드셋을 개발하여 성공을 이루는 화려한 과정이 담겨있다. 그렇다고 해서 그가 마이드셋을 통째로 바꾸었다는 뜻은 아니다. 마인드셋을 바꾸기 이전에는 명료성과 방향성이 결여된 상태였다가 그 이후에는 마음먹은 그 무엇이라도 이룰 수 있는 사람이 되었다. 하지만 그가 개선한 것은 마음먹은 것을 이루는 능력이었기 때문에, 폐쇄 마인드셋은 점점 더 확고해졌다.

이것은 네이비씰 대원일 때 그의 약점으로 작용했다. 씰팀6 선발시험에 응시하려던 때였다. 씰팀6은 최고의 네이비씰이 모인 곳으로 미국 최고의 엘리트 반테러부대이다. 씰팀6의 선발시험에 응시하려면 씰로서 5년의 경험이 있어야 한다. 그는 5년이 거의 다 되었을 때 씰팀6 시험에 응시하겠다는 목표 안에 "갇혀" 삶의 모든 영역에서 자신을 밀어붙였다. 훈련 중에는 최대한 열심히 했다. 그런데 저녁이나 주말에 팀이 비번일 때조차 공부를 하거나 운동을 했다. 또한 동료 대원들이 자기만큼 시간과 노력을 많이 들이는 것 같지 않을 때에는 경멸의 시선을 보냈다. 한편 다른 동료 대원들은 저녁과 주말에 정기적으로 서로 어울리곤 했다. 그는 자신과 동료들 사이의 거리가 점점 멀어지는 것을 "비범한 사람들 사이에서 흔치 않은 사람"이 되기 위해서라고 정당화했다.

지휘관들은 그가 동료들과 점점 멀어지는 것을 보면서, 팀 내에서 원만하게 잘 지내는 노력을 하라고 권고했다. 씰로서 실력을 향상시키려는 열망은 인정하지만, 동료들이 그를 신뢰하는 것 또한 중요했다. 특히 전투에 나가려면 서로 간의 신뢰가 매우 중요했다. 하지만 고긴스는 자신을 고립시킴으로써 신뢰 형성을 막고 있다는 지적을 받았다.

고긴스는 씰팀6의 선발 시험을 준비하는 데에만 몰입하고 팀 동료들과 유대감을 쌓으라는 제안에 귀를 막아버렸다. 결국 지휘관의 피드백을 받아들이지 못했고 씰팀6에 선발되지 못했다. 그의 커리어에 지장이 생긴 것이다.

고긴스는 자신의 폐쇄적인 사고방식이 놀라운 업적을 달성하고 "비범한 사람들 사이에서 흔치 않은 사람"을 만드는데 중요한 역할을 했다고 말할 수 있을 것이다. 그러나 그 폐쇄 마인드셋 때문에 그에게 정말 중요한 목표를 달성할 수 있는 행동을 하지 못했다는 것도 맞을 것이다.

하지만 최적으로 생각하는 것과 절제되고 집중적인 행동을 하는 것은 둘 다 가능하다. 고긴스가 팀과 신뢰를 쌓기 위한 행동을 하는 것에는 비교적 적은 노력이 들고 타협하기도 쉬웠을 것이다.

요약

어떻게 종합적인 결론을 내릴 수 있을까? 비영리 단체의 리더인 앨런과 레이 달리오와 비교하여 비슷한 상황을 어떻게 다르게 접근했는지 비교해 보자.

언젠가 앨런은 타냐를 고용하여 앨런과 다른 트레이너들이 제공할 수 있는 트레이닝 서비스를 판매하게 하여 수익 창출에 주력한 적이 있었다. 이 시기는 사무실의 다른 직원들의 업무가 과도했던 때라 앨런은 타냐가 영업을 놓고 다른 물류 및 경영 일을 도와주도록 했다. 직원들은 타냐를 자기 부서의 일에 계속 끌어들이며 타냐에게 의지했고 타냐는 주 업무인 영업에서 멀어지게 되었다. 앨런은 처음에는 이 사실을 잘 모르고 직원들이 훨씬 더 효율적으로 일하는 것처럼 보였다. 그러나 시간이 흐르면서 타냐가 판매를 전혀 하지 않는 것이 거슬렸다. 앨런은 고용할 때 맡겼던 일을 하지 않는다는 이유로 그녀를 해고해야겠다는 생각이 들었다.

그 때 앨런은 나를 따로 불러 타냐를 해고할 계획을 설명하고 조언을 구했다. 타냐의 상황을 조금 알았던 나는 앨런에게 타냐가 많은 매출을 올리지는 않았지만, 조직에 기여한 것이 많고 긍정적이라고 말해주었다. 타냐가 더 많은 매출을 올리기를 원한다면 경영 방식을 바꾸어서 그녀가 다른 사람들의 업무에 빠지지 않도록 더 명확한 판매 목표와 성과 목표를 설정하고, 발전할 수 있는 피드백을 줄 것을 제안했다. 해고하기 전에 그녀가 영업 능력을 증명할 기회를 주어야 한다는 것이 내 의견이었다.

앨런의 자기중심적이고 폐쇄적인 마인드셋 때문에 일차적인 문제를 자신이 효과적으로 관리하지 못한 것임을 보지 못했다. 타냐의 업무 수행이 문제가 아니었다. 앨런은 경영 방식을 바꾸는 게 아니라 해고할 계획이었고, 한 직원이 그만둘 때까지 타냐에게 경영 업무를 더 메우길 요구했다. 반면 레이 달리오는 비관적인 상황에서도 열린 마음으로 접근했고, 결국 조직에 긍정적인 변화를 가져왔다.

한 번은 브리지워터 직원이 고객의 돈을 적절한 시기에 특정한 곳에 투자하는 것을 놓쳐버렸다. 그 실수로 고객은 수십만 달러를 잃었다. 달리오는 폐쇄 마인드셋을 써서 직원 해고와 같은 극적인 일을 할 수도 있었으므로 실수가 용납되지 않을 것이라고 무거운 어조로 말했다. 그러나 그는 다음과 같이 썼다. "실수는 항상 일어난다. 다른 직원들이 자신의 실수를 감추게 만들었을 것이고 이것은 훨씬 더 큰 손실이라는 오류를 낳았을 것이다. 상황을 개선하기 위해 무엇을 해야 하는지를 배우려면 문제점과 논쟁을 표면으로 드러내어야 한다고 굳게 믿었다."

그는 이 직원을 징계하기보다는 협력하여 오류 일지라는 것을 만들어냈다. 그 때부터 거래 담당 부서 직원들은 실수가 발생하면 일지에 기록하였고 후속 조치와 개선이 가능해졌다. 이렇게 해서 브리지워터는 개방 마인드셋이 강화되고 학습, 진화 및 개선 능력도 향상되었다.

달리오는 개방 마인드셋 덕분에 이 값비싼 실수를 배움의 기회와 긍정적으로 대처하는 기회로 보았다. 조직이 고객에게 더 효과적으로 서비스를 제공하기 위해 늘 배우고 다듬을 수 있는 시스템을 만들어낸 것이다.

Chapter 11

|

삶, 일 및 리더십의 성공을 이끄는 개방 마인드셋의 힘

자신의 마음을 바꿀 수 없는 사람은 아무것도 바꿀 수 없다. -조지 버나드 쇼

영화 피치 퍼펙트는 대학교 여성 아카펠라 합창단의 대학부 전국대회 우승을 향한 도전을 그리고 있다. 세 명의 주인공은 합창단의 선배이자 고집스럽고 독선적인 리더인 오브리(안나 캠프), 흥미로운 편곡을 위해 서로 다른 장르의 음악을 혼합하는 방법에 대한 혁신적인 아이디어를 가진 베카(안나 켄드릭), 성대 수술을 받고 더 이상 고음을 낼 수 없는 신입생 클로이(브리타니 스노우)이다.

클로이가 더 이상 특정 음을 낼 수 없기 때문에 좌절하며 클로이의 솔

로 파트를 대신할 사람을 선택해야 하는 장면이 있다. 클로이는 베카를 지명한다.

클로이: 베카가 내 솔로를 맡아야 할 것 같아.

베카: …신곡을 골라 편곡을 하는 것이라면 솔로도 좋아.

오브리: 글쎄, 우리가 그렇게 처리할 일은 아니야.

클로이: 오브리, 베카 말이 맞을지도 몰라. 어쩌면 새로운 걸 시도해 볼 수도 있어.(오브리가 차단함)

오브리: "Turn the Beat Around"를 부르면 돼. 내가 정말 듣고 싶은 노래야.

베카: 그 노래는 무리야. 그 노래로는 우승하지 못해. 봐, 우리가 다른 장르의 샘플을 뽑아서 겹치면 (오브리가 차단함)

오브리: 좋아, 아직 이해 못한 것 같으니까 설명해 줄게. 우리의 목표는 결승전으로 돌아가는 거야. 이 노래들로 결승에 갈 수 있어. 그러니 대회에 참가한 적도 없고 매드 립Mad Lib 박자를 가진 어떤 알토 파트의 충고를 듣지 않더라도 이해해줘. 내 말 알아들었지?

오브리는 자신을 이 그룹이 우승하기 위해 필요한 것을 알고 경험이 풍부한 리더라고 생각한다. 그러나 폐쇄 마인드셋 때문에 방어적 태도를 보이고, 혁신적인 뭔가를 하자는 베카의 제안을 막아버린다. 사실 오브리의 폐쇄 마인드셋과 겉으로 좋게 보여야 하는 마음 때문에 베카는 그룹을 떠난다. 일정 시간이 흐른 후, 그룹 멤버들은 베카의 재능이 그룹의 가치를 높였다는 것을 깨닫는다. 그녀가 돌아왔고 그녀의 도움으로 그들은 대학부 전국대회에서 우승했다.

피치 퍼펙트는 픽션이지만, 이와 같은 상황은 드물지 않다. 예를 들어 어떤 부모는 자녀의 말을 귀담아 듣지 않고 "내가 엄마니까, 그래서야!"라고 말한다. 어떤 사람은 배우자의 조언을 받아들이거나 자신의 사각지대를 보려고 하지 않고 방어적인 태도를 취한다. 또 어떤 관리자는 팀의 아이디어와 제안을 재빨리 격추시킨다. 너무 고집스럽고 닫힌 마음으로는 사고방식과 행동방식을 개선할 수 있다고 보지 못하기 때문에 더 성공할 수 있는 아이디어를 몇 번이나 지나치게 된다.

폐쇄 및 개방 마인드셋은 우리 삶에서 가장 중요한 역할을 하는데, 결정의 질에 영향을 미치는 것이다. 성공은 의사결정의 효율성에 기초한다. 앤디 앤드루스는 〈다시 시작하게 하는 힘The Noticer Returns〉에서 "비즈니스의 어느 부분에서든 직원, 관리자 또는 소유주로서 한 개인의 장기적인 성공이나 실패는 결정을 잘 할 수 있는가와 정확하게 할 수 있는가에 따라 결정된다."라고 썼다. 앤드루스는 우리가 더 나은 결정을 내릴 수 있다면 더 나은 행동을 하고, 더 나은 결과를 창출하고, 명성을 높이고, 궁극적으로 우리의 삶, 일, 리더십 전반에 걸쳐 성공을 이끌 것이라고 제안한다.

삶에서의 성공

개방 마인드셋이 삶을 성공적으로 이끄는 여러 가지 방법이 있지만, 여기에서는 두 가지 기본 요소에 초점을 맞추고 싶다. 즉 타인과의 관계의 질과 의사 결정의 질이다.

관계의 질

혹시 모든 것을 알고 있는 것처럼 행동하고, 항상 옳아야 하며, 다른 관점에 귀 기울이지 않는 사람을 알고 있는가? 아마 한 명 이상 떠오를 것이다. 이 사람들은 당신이 함께 시간을 보내고 싶은 사람들의 목록 어디쯤에 있는가? 대부분 맨 아래에 있다.

다행히도 위의 묘사와 일치하는 사람들은 많지 않다. 폐쇄적 마음을 가진 사람들의 대다수는 실제로 타인의 틀에 맞추긴 하지만, 여전히 접근하기 어렵고 정이 안 가게 한다.

폐쇄적인 사람들을 괴롭히는 세 가지 유형의 폐쇄적인 마음이 있다. 서로 다른 방식으로 폐쇄적인 사람은 100% 늘 폐쇄적인 태도를 취하는 것은 아니지만, 약간의 폐쇄적인 태도조차도 다른 사람의 눈에는 폐쇄적인 사람으로 비춰진다는 것이 중요하다. 따라서 이 세 가지 유형의 폐쇄적인 마음을 인식하고 각 유형에 그 정도가 어디까지인지 민감해야 한다.

폐쇄 마인드셋의 첫 번째 유형은 자신을 전문가라고 생각하여 전문성이 부족한 다른 사람들의 아이디어와 제안을 둘 공간을 만들지 않는 경우이다. 두 번째 일반적인 유형은 내가 양심적 사상가라고 부르는 사람들이다. 그들은 철저하고, 책임감 있고, 조직적이며, 미리 방향이나 해결책을 마련하기 위해 모든 것을 철저히 생각하는 것을 좋아한다. 의사결정 과정에서 남보다 앞서기 때문에 다른 사람의 생각을 "시대에 뒤처진 것"으로 보고 재빨리 무시한다. 세 번째 일반적인 유형은 개인적 또는 직업적 성취에 초점을 맞춘 사람들이다.

데이비드 고긴스 같은 사람들이다. 그들은 이미 무엇을 할지 결정을 내렸고 이제 그 결정을 실행하는 데 집중하고 있다. 이 사람들은 실행 모드에 있을 때 새로운 아이디어가 생기면 자신의 페이스와 의사결정에 장애물이 생긴 것으로 간주한다. 한 발 물러서서 왜 사람들이 이런 폐쇄 마인드 유형에 빠지는지 생각해보면, 흥미로운 패턴이 나온다. 폐쇄적 마음의 사람들의 중심에는 자아와 사각지대라는 두 가지 장벽이 있다. 폐쇄적 마음의 사람은 올바르고 싶거나, 적어도 옳다고 보이길 원한다. 이것이 자아 장벽이다. 사각지대 장벽은 자신이 중요한 모든 것을 안다고 믿고 높은 수준의 결정을 내리는 데 필요한 보이지 않는 다른 관점은 인정하지 않을 때 발생한다.

이러한 장벽은 개방적 마음을 차단하고 양질의 관계를 구축하는 데 방해가 된다. 이것이 어떻게 진행되는지 개인적인 예를 하나 들어보겠다. 갤럽에서 일했을 때, 나는 실행 모드로 깊이 들어가는 고객 참여 프로젝트에 투입되었다. 고객 참여 데이터를 심층 분석해야 했다.

이 프로젝트는 주로 거래처 파트너가 관리했고 비공식적으로 파트너의 멘토가 관리했는데, 두 사람 모두 함께 일해본 적 없는 사람들이었다. 둘 다 그 주제에 대해 자신을 전문가라고 생각했다. 그들은 고객 참여 데이터에 대한 데이터 수집 방법론을 설계했기 때문에, 이미 다양한 결정 포인트에 따라 생각했다. 그들은 세 가지 폐쇄 마인드 유형의 상자에 체크를 했다. 실행 모드에 있는 양심적 전문가이다.

나는 분석에 들어가기 전에 고객에게서 두 가지 방법으로 데이터를 수집했다는 것을 알았다. 일부는 온라인 설문조사에 응답했고, 다른 일부는 매장 내 설문조사에 응답했다. 결과를 분석할 때 데이터 수집 방법에 따라 유의미한 차이가 있는지 알아보기 위해 전체 데이터 세트뿐만 아니라 데이터 수집 방법을 기반으로 결과를 살펴보았다.

아니나 다를까, 결과는 온라인 데이터와 매장 내 데이터가 크게 달랐다. 결과를 바탕으로 고객에게 추천을 제안하려고 했기 때문에 나는 걱정이 되었다. 설상가상으로 온라인 설문조사 결과, 매장 내 설문조사 결과, 그 둘을 혼합한 결과라는 세 가지 결과가 되었다. 이것은 큰 문제이자 루스-루스 상황(Lose Lose Situation)이었다. 나는 파트너와 그의 멘토에게 이 문제를 알렸는데, 둘 다 나의 우려를 바로 무시하고 진지하게 받아들이지 않았다.

전화를 끊고 나서 그들이 내린 결정에 좌절하지는 않았지만, 내 목소리가 진지하게 받아들여지지 않고 존중받지 못해 답답했다. 결국 이것은 내가 그 사람들을 리더로서 얼마나 존경하는지, 그리고 함께 나아가며 일하고 싶은 정도에 영향을 미쳤다.

폐쇄적인 마음이 커질 상황이었지만, 나는 그들의 폐쇄적인 마음을 이끄는 자아와 사각지대 장벽을 분명히 볼 수 있었다. 첫째, 그들이 결함이 있는 데이터 수집을 설계했기 때문에, 내 의견을 진지하게 들었더라면, 그들이 실수를 저질렀다는 것을 인정했을 것이다. 확실히 자아에 충격은 갈 것이다. 둘째, 두 사람은 모두 나보다는 프로젝트를 더 잘 파악하고 있다는 것을 알았기 때문에 자기들이 모든 것을 안다고 생각했다. 그러나 그들은 내가 실시한 심층 분석과 각 세트의 결과가 얼마나 다른지 검토하지 않았다. 그들은 많은 것을 알지만 고객에게 제공했던 추천의 효과를 제한할지도 모르는 새로운 정보는 보지 못했다.

나는 이러한 형태의 폐쇄적인 마음을 받는 쪽에 있을 뿐만 아니라 이러한 모든 형태의 폐쇄적인 마음에 죄책감을 느껴온 사람으로서, 다른 사람과의 관계에 영향을 미치는 두 가지 결과를 배웠다. 첫째, 아이디어가 검증 없이 거부되면 무시당했다는 느낌이 든다. 둘째, 향후 아이디어를 내거나 제안하는 것에 안전성을 느끼지 못하여 관계의 질에 제한이 생긴다.

의사 결정의 질

성인은 하루에 의식적인 의사결정을 몇 번 할까? 백 번? 천 번? 그 이상? 믿기 힘들겠지만 전문가들은 35,000번이라고 말한다. 날마다 분당 20번 이상의 결정을 내리는 것이다. 대다수가 사소한 결정이지만, 우리의 의사결정을 향상시킨다면 점진적으로라도 그 영향력이 커질 것이다.

당신이 중대한 결정을 내렸던 것을 떠올려보라. 대학에 갈지 말지, 어느 대학에 갈지, 무슨 전공을 할지, 어떤 직업을 가질지, 누구와 결혼할지, 아이를 가질지 말지, 새로운 직업을 가질지 등등. 지금까지 우리의 삶에 큰 영향을 미친 결정들이다.

이러한 결정을 내렸을 당시 어떤 마인드셋이었는지 생각해 보라. 마인드셋의 영향으로 다른 사람의 의견을 구했는가? 누구였는가? 몇 명 정도였는가? 그들은 당신의 아이디어를 시험하고 이의를 표하더라도 당신의 관심사에 확신을 주었는가? 독특하거나 또는 색다른 관점을 제공하였는가? 당신은 "나 혼자서 할 수 있어."라고 생각하면서 다른 사람들의 생각을 거부했는가? 당신은 중요한 관점을 놓치는 것이 두려웠는가?

이제 이렇게 물어보겠다. 이러한 결정을 내릴 때 당신이 개방 마인드셋이었다면, 더 나은 혹은 또 다른 선택을 했을까?

나 역시 그렇지만 다른 방식의 삶을 상상하기가 어렵다. 하지만 현실은 그렇게 많이 생각하지 않고 내린 결정들로 점철되어 있다. 나는 그저 주어지는 것을 택했고, 나에게 잘 맞은 결정도 많았다. 하시만 내 사아와 사각지대가 이끄는 폐쇄 마인드셋의 방해를 받지 않았더라면 내 삶이 어떻게 달라졌는지, 더 나아지거나 성공할 수 있었는지 궁금하다.

개방 마인드셋은 우리가 마음을 열어 더 많은 선택지를 고려하고, 더 박식한 사람들과 교류하며, 현실을 보다 효과적으로 처리하고, 그리고 궁극적으로 최선의 결정을 내릴 수 있게 해준다. 이 주제에 대해 레이 달리오는 저서 〈원칙〉에서 이렇게 말한다. "열린 마음을 갖는 것은 득이 된다… 삶의 질은 목표를 추구하면서 내리는 결정의 질에 크게 좌우된다는 것을 기억하라." 그는 또한 "만약 당신이 알고 있는 것에 너무 자랑스러워하거나 어떤 일을 얼마나 잘하는지에 대해 너무 자부심을 느낀다면, 당신은 덜 배우고, 열등한 결정을 내리고, 잠재력에 미치지 못할 것이다."라고 덧붙였다.

일의 성공

2012년 구글은 "완벽한 팀"을 구축할 목적으로 최고 성과를 낸 팀의 비결을 찾기 위해 '프로젝트 아리스토텔레스'라는 이름의 대규모 프로젝트를 시작했다. 구글 임원들은 단순히 최고의 인재들을 모아놓으면 최고의 팀이라고 오랫동안 믿었기 때문에, 이제는 팀 구성을 살펴보기 시작했다. 재능, 성격, 직장 밖에서의 관계, 성별, 민족적 다양성 등의 다양한 조합을 분석했는데 이 심층 탐구에서 발견한 것은… 아무것도 없었다. 어떤 패턴도 나타나지 않았다.

그들은 다시 처음으로 돌아가 고유한 팀 문화를 만들어낸 역동성과 관계, 그리고 업무 습관을 검토했다. 여기에는 팀원이나 리더가 서로 관여하는 정도, 대화 순서, 생일 축하, 주말 계획이나 활동에 대한 이야기, 가십 나누기 및 특정 주제 토론하기가 포함되었다. 1년 넘게 걸린 이 연구는 몇 가지 패턴과 결과를 보여주었다. 이러한 역동성, 관계, 습관이 팀의 생산성을 향상시키는 열쇠인 건 맞지만, 이제 가장 중요한 것이 무엇인지 알아내야 했다.

추가 연구를 통해 그들은 결국 구글에서 최고의 성과를 낸 팀들이 가진 한 가지 핵심 요소를 알아냈다. 바로 심리적 안전이었다. 팀원들이 자신의 생각과 의견을 표현하고 두려움 없이 위험을 감수할 수 있어야 하는 것이다. 구글에서 최고의 성과를 낸 팀들은 팀원 모두가 편하게 목소리를 낼 수 있고, 서로의 아이디어에 열린 마음을 가지며, 팀원의 감정과 참여에 민감한 문화와 환경을 즐겼다.

심리적 안전이 팀 성적을 최고로 끌어올린다면 심리적 안전을 만들어내는 것은 무엇인가?

필요한 전제조건은 개방 마인드셋을 갖는 것이다. 개방 마인드셋을 가진 사람들만이 위험을 감수하더라도 새로운 아이디어와 제안을 기꺼이 듣고 검증할 수 있다. 픽사와 디즈니 애니메이션의 에드 캣멀은 개방적이고 심리적으로 안전한 문화를 만드는 것이 중요하다는 것을 이해한다. 그는 이 문화가 기념비적인 성공의 근간이 되었다고 말하면서도 그러한 문화를 만드는 것이 말처럼 쉽지 않다는 것도 알고 있다. 혁신적이고 창의적이며 큰 성공을 거둔 성공한 픽사와 디즈니 애니메이션 영화를 제작하려면 높은 수준의 문제 해결력과 공동 작업이 필요하다. 캣멀은 이를 위해서 아이디어와 의견 및 비판을 공개적으로 공유할 필요가 있다고 한다. 팀원들의 집단 지식과 다듬어지지 않은 의견을 끌어낼 수 있다면 더 나은 의사결정을 할 수 있기 때문이다.

그러나 개방성은 종종 강한 내부적, 사회적 힘 때문에 방해를 받는다. 캣멀에 따르면 이러한 힘은 "어리석고 나쁜 사람처럼 보이는 말을 하는 두려움, 남을 기분 나쁘게 하거나 위축되는 두려움, 보복하거나 보복을 당할지 모른다는 두려움"을 포함하여 자기보존을 위한 개인적인 두려움과 본능에 근거한다. 만약 위험성이 높고 많은 사람들이 존재하는 강한 계층구조처럼 직원들의 자기보호 욕구를 활성화시키는 환경이라면 이런 힘은 기하급수적으로 증가한다.

픽사와 디즈니 애니메이션은 문제를 해결하고 효과적으로 의사소통하는 긍정적인 환경을 만들기 위해 심리적 안전을 잠식하는 자연적인 힘과 어떻게 싸워왔을까? 비결은 솔직함을 증진시키는 것이었다. 솔직함은 진실을 말하는 것과 숨김이 없다는 것 모두를 포함한다. 캣멀은 솔직하지 못한 것이 결국 역기능 환경을 초래한다는 것을 발견했고 이렇게 말했다. "저를 믿으세요, 사무실 안에서(솔직한 소통을 통해) 근본적인 아이디어나 정책이 결정되지 않고, 복도에서 더 솔직하게 소통하는 회사에 있고 싶지는 않을 거예요." 그는 직원들이 솔직함에 열려 있을 때 마법이 일어난다는 것을 알고 있다.

픽사와 디즈니 애니메이션에서는 이 마법이 "브레인트러스트" 회의에서 일어난다. 이 회의는 각 영화를 평가하기 위해 몇 달에 한 번씩 열린다. "똑똑하고 열정적인 직원들을 한 방에 모은다. 문제를 파악하고 해결하라고 맡기고, 서로 솔직하게 이야기하도록 장려한다." 이 회의는 영화 한 편, 또는 어느 한 부분을 보는 것으로 시작된다. 그 다음 조직 전체의 리더, 감독, 작가 및 이야기의 책임자들이 감독과 직접 대화를 나눈다. 방에 있는 모든 사람들은 사생활에 관한 의제가 아니라 영화를 개선하거는 데 합심한다. 그리고 아이디어에 대한 공로를 인정받거나, 감독의 신임을 얻거나, 점수를 획득하는 데 초점을 맞추는 동료(상호 존중하는 동료)로 서로를 본다. 이런 환경에서는 놀라운 발전적 피드백이 일어나고 감독은 모든 사람들이 영화를 비판하는 것이 아니라 개선하려고 노력한다는 것을 이해하기 때문에 이 피드백에 마음을 열 수 있다.

브레인트러스트가 왜 그렇게 중요한가? 캣멀에 따르면, "픽사의 모든 영화는 초기 단계에서는 엉망이기 때문이다." 그가 계속 말한다.

"나는 겸손하게 보이려고 이런 말을 하는 것이 아니다. 픽사 영화들은 처음에는 그다지 상태가 좋지 않아 괜찮은 작품으로 만드는 것이 우리의 일이다…지금은 훌륭한 영화가 한때는 형편없었다는 생각은 많은 사람들이 이해하기 어려운 개념이다. 하지만 말하는 장난감들이 구태의연하다거나 너무 감상적이거나, 아니면 노골적인 상품화를 걱정하는 영화를 만드는 것이 과연 얼마나 쉬울지 생각해 보라. 쥐가 음식을 만드는 영화가 얼마나 불쾌할 수 있을지, 아니면 월-E를 초반 39분 동안 아무런 대사 없이 시작하는 것이 얼마나 위험해 보였을지 생각해 보라.

우리는 이런 스토리를 시도하면서 한 번에 제대로 성공시켜본 적이 없다. 그게 당연할 것이다. 창의성은 어딘가에서 시작되어야 하고 우리는 솔직한 피드백과 반복적인 과정의 힘을 믿는다. 즉 결함이 있는 스토리가 중심을 잡아가고 텅 빈 등장인물들이 영혼을 찾을 때까지 작업하고, 다시 작업하고, 또 다시 작업하는 힘을 진정으로 믿는다."

사회적으로 폐쇄 마인드셋을 장려하는 공동의 조직력이 작용하는데도 캣멀은 개방 마인드셋이 번성할 수 있는 환경을 조성했다. 이것은 픽사와 디즈니의 애니메이션 성공에 결정적인 역할을 했다. 이러한 환경에서 직원들은 다음과 같이 할 수 있다.

- 옳게 보이는 것을 추구하기보다는 진리를 추구한다.
- 아이디어가 지지받기를 바라기보다는 선택할 수 있는 옵션을 최적화 한다.
- 피드백을 피하지 않고 피드백을 구한다.
- 새로운 관점을 피하지 않고 새로운 관점을 제시한다.
- 의견 불일치를 위협이 아니라 배울 수 있는 기회로 본다.
- 알고 있는 것이 최선이라고 증명하기보다는 틀릴 수 있다는 것을 인정한다.

이러한 환경에서는 창의성, 혁신 및 효과적인 변화가 번성하고 심리적 안전이 함께 자리 잡는다.

리더십의 성공

당신은 개방 마인드셋을 가진 리더, 즉 틀릴 가능성에 열려 있고, 최고의 아이디어를 찾는 데 관심이 있으며, 자신의 관점을 기꺼이 바꿀 수 있는 사람을 따르고 싶은가? 아니면 폐쇄 마인드셋을 가진 리더, 즉 항상 자신이 옳다고 생각하고, 자신의 관점을 증명하려고 하며, 다른 사람의 생각에는 신경 쓰지 않는 사람을 따르고 싶은가? 답은 명백해 보인다. 겸손하고 열린 마음의 지도자를 따르고 싶을 것이다. 그리고 남들이 따르고자 하는 사람이 되려면, 그렇게 되어야 한다.

겸손하고 개방 마인드셋인 지도자들을 따르고 싶은 이유는 무엇인가? 많은 리더들이 간과하는 것으로, 간단하게 설명된다. 다음을 생각해보자. 우리는 우리를 소중히 여기는 사람들을 따르고 싶어 한다, 그리고 우리의 목소리와 공헌이 인정받을 때 소중히 여겨진다고 느낀다.

갤럽에서 일하기 전에도 이것을 알고 있었지만 갤럽에서 경험적 증거를 얻었다. 갤럽은 조직 내 참여를 평가할 때, 참여를 촉진하는 데 가장 중요하다고 판명된 12개의 질문이나 진술을 사용한다. 각각은 매우 동의하지 않음에서부터 매우 동의함까지 5점 척도로 측정된다. "직장에서 내게 무엇을 기대하는지 알고 있다.", "지난 7일 동안 인정을 받았다." "직장에 친한 친구로 지내는 사람이 있다." 등의 내용이 있다.

각각의 진술이 모두 중요하지만, 나는 일에 몰입하는 데 가장 강한 원동력이 무엇인지 궁금했다. 갤럽은 이 질문에 공개적으로 답하지는 않겠지만, 나는 개인적으로 9개 기관 6만 명에 이르는 직원을 대상으로 분석을 했다. 내가 발견한 것은 직원이 "내 의견은 직장에서 중요하다"는 말에 매우 동의라고 답했다면, 직원들의 95%가 업무에 잘 몰입하고 있다는 것이다. 이는 NBA(2017~2018시즌 89.4%)의 슬램덩크 전환율보다 높은 비율이다. 즉 직원들이 직장에서 자신의 의견이 중요하다고 강하게 느낀다면, 업무에 적극적으로 헌신하고 몰입하게 되는 슬램덩크인 것이다.

직원들이 자신의 의견이 중요하게 여겨진다는 것에 매우 동의함을 선택하는 것은 말처럼 쉽지 않다. 9장에서 나는 대부분의 사람들이 그것이 진실이든 아니든 개방 마인드셋을 가지고 있다고 믿는다고 언급했다. 특히 리더들에게 해당되는 말이다. 리더십이나 관리직에 있는 사람에게 개방 마인드셋이냐고 물어보면 그렇다고 말할 것이다. 하지만 갤럽의 통계를 더 활용하자면 미국 직원의 약 30퍼센트만이 업무에 온전히 몰입하고 있는 것으로 나온다. 대다수의 직원들이 자신의 의견이 직장에서 중요하다고 생각하지 않는다는 것을 의미한다. 이는 관리자가 자신이 생각하는 것만큼 개방적이지 않거나 필요만큼 개방적이지 않다는 것을 암시한다.

어쩌면 그렇게 놀랄 일이 아니다. 〈감성지능 2.0Emotional Intelligence 2.0〉의 저자인 트래비스 브래드베리와 장 그리브스는 조직 전체의 감성지능 수준을 보면 가장 높은 수준을 가진 이들이 중간급 관리자라고 보고한다. 기업 사다리 위로 올라갈수록 감성지능은 급격히 떨어진다. 가끔 경영진이 조직에서 가장 낮은 수준의 감성 지능을 가진 경우도 있다.

나의 개인적인 마인드셋 연구에서 리더들은 개방적이라고 느끼는데 왜 부하직원들은 그 목소리가 들리지 않는지 이유를 분석했다. 만약 당신이 감독관, 이사, 매니저, 교사 또는 부모라면, 당신은 나의 결론에 놀라 눈이 동그래질지도 모른다. 매니저가 단지 몇 번, 아주 잠깐이라도 폐쇄적인 태도를 보이면, 직원들은 매니저를 폐쇄적인 성격으로 단정 짓는다. 이것은 2011년 사이콜로지 투데이에 실린 논문과 유사하다. 긍정적인 진술을 핵심 신념으로 심으려면 열 번 이상의 반복이 필요하지만 부정적인 진술이나 비판이 고착되는 데는 3초 밖에 걸리지 않는다. 폐쇄적인 마음은, 심지어 아주 잠깐이라도, 정말로 다른 사람들에게 불쾌감을 주며 당신을 접근하기 어려운 사람으로 보이게 한다.

만약 당신이 매니저인데, 마감일이 임박하여 스트레스를 받고 있다고 하자. 자동적으로 다른 사람이 내는 개선이나 변화를 위한 아이디어가 귀에 들어오지 않을 것이고 그러면 다른 사람들은 앞으로 발언하려는 의지를 접게 된다. 만약 당신이 교사인데, 학생이 수업 중 어려운 것에 도전하려는 것을 검증해보지 않고 중단시켰다고 하자. 학생들은 앞으로 당신에게 다가가는 것을 안전하지 않다고 느끼게 된다. 만약 당신이 부모인데, "내가 너의 엄마 또는 아빠니까, 그러니까" 라는 말로 자녀의 요구를 차단한다면, 자녀들은 어떤 문제가 생겨도 당신에게 마음을 열려고 하지 않을 것이다.

사람들이 따르는 리더가 되고 싶다면, 다른 사람이 효과적으로 목표를 달성할 수 있도록 긍정적인 영향을 주고 그들의 최대 장점을 이끌어내는 환경을 조성해야 한다. 그러기 위해서는 개방 마인드셋을 갖는 것이 필수이다.

개방 마인드셋으로 더욱 성공하기

개방 마인드셋을 가지면 삶, 일 그리고 리더십 전반에 걸쳐 더욱 성공할 것이다. 모르는 것이 많다는 것을 인정하고 새로운 아이디어에 마음을 열면 삶의 모든 면에서 더 나은 결정을 내릴 수 있는 힘을 얻게 된다. 또한 심리적으로 안전한 환경을 조성하여 직원들이 최고의 능력을 발휘하고 팀에서 가장 효과적으로 일할 수 있도록 지원하게 된다. 마지막으로 직원들이 조그만 폐쇄적인 태도도 금방 알아차린다는 것을 안다면 직원들이 편안하게 의견을 개진하고 자신의 의견이 중요하게 받아들여진다고 느끼는 환경을 만들 것이다.

다른 사람의 새로운 생각, 관점, 심지어 의견 불일치에 대해 열린 태도를 갖지 않으면, 결코 당신의 잠재력을 발휘하지 못할 것이다.

Chapter 12

|

개방 마인드셋 개발하기

열린 마음이 있다면 언제나 개척자가 될 수 있다. -찰스 케터링

앞서 소개한 브리지워터 어소시에이츠의 설립자이자 폐쇄적인 마인드였던 레이 달리오는 폐쇄마인드셋을 극단적인 개방 마인드셋으로 바꾸어 성공을 거둔 좋은 사례이다. 달리오가 그렇게 극단적인 개방 마인드셋으로 바꾼 계기는 무엇일까? 그는 이렇게 말한다.

"고통스러웠던 실수를 경험하고 나서 '내가 옳다는 것을 안다'라는 관점이 '내가 옳다는 것을 어떻게 아는가?'라는 관점으로 바뀌었다. 나의 대담함이 균형을 잡는 데 필요한 겸손도 알게 되었다. 내가 틀릴 수 있다는 것을 아는 것과 다른 똑똑한 사람들이 사물을 다르게 보는 이유가 궁금해진 것은 나의 눈뿐만 아니라 다른 사람들의 눈을 통해 사물을 보도록 자극했다. 나의 견해로만 사물을 볼 때보다 더 다양한 차원에서 볼 수 있게 되었다. 가장 좋은 정보를 선택하기 위해 다른 사람들의 의견을 신중히 고려하는 방법을 배워서… 올바른 선택을 할 가능성을 높였고 그건 몹시 짜릿한 일이었다."

다행히 고통스러운 실수를 경험하는 것 외에도 개방 마인드셋을 발전시키는 다른 방법들이 있다.

우리의 마인드셋을 바꾸는 것은 뇌의 신경망을 바꾸는 것과 관련이 있다는 것을 떠올려보자. 이렇게 하는 가장 좋은 방법은 다른 언어로 유창하게 10까지 세는 것과 비슷한 과정을 따르는 것이다. 하지만 이 경우 우리는 개방 마인드셋을 자유자재로 다룰 수 있어야 한다. 우리의 관점과 상반되는 정보를 받았을 때 자동적으로 뇌를 차단할 게 아니라 상충지점을 오히려 더 자세히 들여다봐야 한다. 개방 마인드셋을 자유자재로 다루려면 먼저 현재의 마인드셋을 깨우친 다음, 개방 마인드셋과 관련된 신경망을 반복적으로 강화하는 의도적인 행동을 규칙적으로 해야 한다.

현재 마인드셋을 깨우침
개방적인 마인드셋을 더 개발하려면, 우선 현재의 마인드셋이 우리가 생각하는 것만큼 개방적이지 않을 수도 있다는 생각을 해야 한다.

현재 마인드셋을 보다 정확하게 파악할 수 있는 몇 가지 방법을 제안하겠다.

첫째, 개인의 마인드셋 검사 결과를 분석하는 것이다. 올바른 도구나 틀 없이 개인의 마인드셋을 주관적으로 평가하는 것은 어려운 일이다. 이 평가는 수천 명의 다른 사람들과 비교하여 개방적인 정도를 나타내도록 설계되었다. 따라서 다른 어떤 방법보다 객관성이 보장된다.

둘째, 검사에 그치지 않고 자신의 마인드셋에 대한 이해를 깊게 하려면 목표와 두려움을 탐구해본다.

목표부터 시작하자. 사람들은 세 가지 주요 목표 중 하나를 가지고 자신이 하는 일을 하게 된다. 그 세 가지는 숙달하기, 높은 수준의 성과 창출하기, 또는 낮은 성과를 피하기이다. 뒤의 두 가지는 다른 사람들이나 다른 기준에 비해 어떻게 수행하느냐에 초점을 맞추고 있기 때문에 각기 다른 두 가지 유형의 목표로 간주된다.

대학생을 예로 들어보자. 그들이 대학 생활을 하는 동기는 배우고 익히고 싶은 욕구, A학점처럼 좋은 점수를 받고 싶은 욕구, 낙제를 피하고 싶은 욕구에서 나온다.

우리의 주된 목표가 두 가지 수행 목표 중 하나라면, 폐쇄 마인드셋이 더 많을 수 있다는 지표이다. 높은 수준의 성과를 내는 것이 중요하다면, 새롭고 독특한 아이디어를 즐기는 것을 뒤처지거나 심지어 남들에 비해 뛰어나지 않다는 신호로 본다. 부진한 성과를 피하는 것이 중요하다면, 검증된 사실에 집착하기 쉽고, 모호함을 불편해하며, 제안과 새로운 아이디어를 실패하고 있다는 신호로 본다. 두 경우 모두 자기 보호의 한 형태이자 폐쇄 마인드셋이며, 두려움에 사로잡힌 채 자기 자신을 더 깊이 파고들게 된다.

우리가 목표와 마인드셋을 의도하지 않는다면, 기본적으로 우리의 목표와 마인드셋은 두려움에 의해 좌우된다. 다음은 폐쇄 마인드셋을 발전시킴으로써 무의식적으로 자기 보호를 만들어 낼 두려움이다.

- 잘못된 것으로 보일 것에 대한 두려움
- 통제하지 못할 것에 대한 두려움
- 불확실성에 대한 두려움

우리는 각 두려움을 느낄 때마다 자신에 대해 어떻게 느끼고 다른 사람들이 우리를 어떻게 생각하는지 신경 쓰며 자아를 보호하려고 애쓴다. 이그나츠 제멜바이스의 말에 귀를 막은 의사들을 생각해보라. 그가 더 많은 생명을 구할 수 있는 방안을 촉구했지만 그들은 듣지 않았다. 우리의 자아는 타인의 생각에 대한 개방성은 비효율적으로 작동하고, 충분하지 않으며, 통제력을 갖지 못한다는 것을 인정하는 것이라고 자연스럽게 말한다.

위에 나열된 자아 주도적 두려움은 얄볼 게 아니다. 종종 마음 깊은 곳에 자리하기도 한다. 그런 두려움을 가지면 결국은 약해지거나 약하게 보이는 것을 두려워하며, 열린 마음을 갖는 것이 약함의 한 형태라고 생각한다. 하지만 아이러니하게도 현실은 우리가 그러한 두려움에 따라 행동할 때, 약해 보인다는 것이다. 열린 마음과 모든 답을 아는 게 아니라고 인정하는 능력은 약점이 아니다. 그것은 겸손과 상처에 대한 취약함으로, 큰 힘이 필요하다.

현재의 마인드셋을 명확히 아는 세 번째 방법은 폐쇄 마인드셋과 관련된 단서들을 연결하는 것이다. 치아의 매끈한 표면을 느끼는 것이 치아의 청결 상태를 보여주는 척도인 것처럼, 폐쇄 마인드셋과 관련된 단서를 알고 느끼는 것은 자신의 정체성을 확인하는 데 도움이 될 수 있다. 폐쇄 마인드셋 신호에는 다음과 같은 것이 있다.

- 방어적 및 보호적 느낌
- 누군가 당신의 의견에 동의하지 않으면 좌절함
- "아니오"를 듣는 것은 느리고 말하는 것은 빠름.
- 쫓기거나 압박감을 느낌
- 누가 옳고 그른지 경쟁함
- 피드백을 흡수하는 대신 피드백을 정당화하는 방법을 모색함
- 방에 있는 다른 사람들보다 더 많이 안다고 생각함

끝으로 다른 사람들은 당신의 마인드셋을 어떻게 인식했는지 서로 이야기해보자. 사랑하는 사람, 동료 모두 편안하게 솔직한 피드백을 주는 분위기를 만든다면, 그리고 그들이 관찰한 것을 무시하지 않고 그 관점을 진지하게 받아들일 수 있을 만큼 개방되어 있다면, 폐쇄에서 개방까지의 연속체 중 당신이 현재 서 있는 위치에서 당신을 더 완전히 일깨워줄 정보를 받아들이게 될 것이다.

개방 마인드셋과 연관된 신경망을 의도적으로 강화하기

좀 더 개방적인 마음이 되도록 신경망을 바꾸고 싶은가? 다음 여섯 가지 방법을 참조하자.

1. 명상하기

기억하자, 명상을 하면 마인드셋을 바꾸는 능력이 향상된다. 명상은 우리의 자연적이고 중립적인 신경의 활성화를 차단하고 훨씬 더 의도적이고 긍정적으로 작동하는 인지능력을 강화시킨다.

2. 이야기 바꾸기

우리가 우리 자신에게 들려주는 이야기들은 마인드셋과 얽히게 된다. 폐쇄 마인드셋을 가진다면, 우리 자신에게 이런 이야기를 할 것이다.

- 나는 충분히 알고 있다.
- 나는 옳다.
- 나는 이것에 대해 식견이 있다.
- 나는 전문가다.
- 그들은 자신이 말하고 있는 것이 뭔지 모른다.
- 그들은 나만큼 경험이 많지 않다.

좀 더 개방적 마음이 되기 위해서는 다음과 같은 이야기로 바꾸어야 한다.

- 나는 항상 더 많이 배울 수 있다.
- 나는 틀릴 수도 있다.
- 내가 모든 면을 다 볼 수 없다.
- 내가 많은 것을 알고 있을지라도, 여전히 모르는 것이 많다.

- 창의성은 급진적인 아이디어를 탐구해야 나온다.
- 나는 누구에게나 배울 수 있다.

당신의 이야기를 개선하기 위해 우선 당신의 삶에서 정말로 개방적인 마음이었던 시간을 생각해 보자. 그 마음의 틀에 어떻게 도달했는가? 쉬웠는가, 어려웠는가? 결과는 어떠했나? 더 나은 곳에서 끝났는가? 그 마음의 틀 속에 머무는 데 방해가 된 것은 무엇인가? 본질적으로 크게 애쓰지 않고 마인드셋을 바꿨던 때를 기억할 수 있고 그렇게 해서 얻은 긍정적인 이점을 떠올릴 수 있다면 이야기를 바꾸는 데 도움이 될 것이다.

이런 질문을 나 자신에게 던지면서 내가 모든 면에서 다른 사람들로부터 방향성과 더 분명한 명확성을 찾는 폐쇄적 마인드를 보이는 경향이 있다는 것을 깨달았다. 내가 스스로에게 하는 이야기는 다른 사람에게 의지해서는 안 되고, 만약 그렇게 되면 나는 그들에게 짐이 되고, 궁핍하고, 어리석고, 의존적인 존재로 비춰지리라는 것이다. 그러나 내가 방향성이나 더 분명한 명확성을 더 요구했던 상황을 되돌아보면 그렇게 인식되는 경우는 거의 없었다. 나는 훨씬 더 효율적이고 효과적으로 행동할 수 있었다. 이렇게 빠르게 성찰해보면 "묻는 것은 나쁘고 창피하다"라는 나의 이야기를 "묻는 것은 도움이 되고 유익하다"로 바꾸는 데 도움이 된다.

이야기를 바꾸도록 동기부여를 하기 위해, 개방 마인드셋을 더 많이 개발함으로써 얻을 수 있는 이점을 기억하자.

- 다가갈 수 있는 사람이 됨
- 최적의 사고를 함
- 긍정적인 영향을 더 많이 받음
- 더 창의적이고 혁신적이 됨
- 보다 몰입하는 생활환경 및 근무 환경을 조성함

정기적으로 이야기 개선 작업을 할 수 있다면, 개방 마인드셋 신경망을 작동시키고 더 강화할 것이다.

3. 양동이의 크기를 바꾸기

마음을 양동이에 비유해보자. 양동이가 주어진 주제에 대한 모든 정보이고 양동이 안의 물은 그 주제에 대해 알고 있는 지식의 수준이다. 이제 주제를 선택한다. 당신이 전문가인 분야부터 시작하라. 양동이가 얼마나 찼는가?

폐쇄 마인드셋이면, 양동이가 가득 차 있다고 믿는다. 물, 즉 새로운 지식을 양동이에 부으면 담을 수 없고 흘러 넘쳐 사라진다. 개방 마인드셋을 더 개발하려면 양동이에 있는 사용 가능한 공간의 양에 대한 이야기를 바꾸고 새로운 정보와 아이디어를 위한 공간을 확보해야 한다. 이것은 현재 양동이에 있는 물의 양을 줄이거나 양동이 자체가 원래 생각했던 것보다 훨씬 더 클 수 있다는 생각에 마음을 여는 것을 의미한다.

가득 찬 양동이("나는 모두 알고 있다")에서 덜 찬 양동이("지식과 이해의 방대한 잠재력을 아직 활용하지 못했다")로 가는 것이 항상 쉬운 것은 아니다. 특히 순간의 열정이 끓어오르거나 빡빡한 시간 제약이 있을 때에는 더 그렇다. 아래는 현재 양동이의 크기를 전체적으로 그리고 바로 지금 바꾸는 데 도움이 되는 몇 가지 방안이다.

- 전체적으로
  - 되돌아보는 시간을 갖는다. 감정이 끓어오른 상호작용이나 상황을 겪은 후, 상황을 어떻게 처리했는지, 그리고 "순간의 끓어오름" 동안 얼마나 개방적이었는지를 되돌아보라.
  - 결정을 내릴 때 모든 구성요소의 입장을 정확히 이해하고 있는지 확인하라.
  - 자신의 생각 및 의견과 불일치하는 아이디어를 찾아라.

- 바로 지금
  - 수시로 자신에게 물어보라. 내가 폐쇄 마인드셋을 가지고 있는가, 아니면 개방 마인드셋을 가지고 있는가? 이 질문을 하는 것만으로도 더욱 개방적인 마음이 될 것이다.
  - 자신에게 물어보라, 내가 옳기를 바라는 건가, 아니면 진실을 알아서 정확도를 높이려고 하는 건가?
  - 당신이 중요하게 생각하는 증거뿐만 아니라 모든 증거를 객관적으로 판단하고 있는지 확인하기 위해 자신에게 물어보라. 내 입장을 나타내는 명확한 사실을 지적할 수 있는가?

4. 효율적인 시간 관리자 되기

리더를 양성하는 기관과 일할 때, 나는 부하 직원들과 리더의 마인드셋에 대해 면담할 기회를 갖는다. 일반적으로 부하 직원들은 리더를 폐쇄적인 마음가짐을 가진 사람이라고 인식한다. 이 정보를 바탕으로 나는 리더들과 코칭 세션을 가진다. 리더에게 자신의 마인드셋에 대해 묻는 것으로 시작하는데, 거의 매번 자신이 개방 마인드셋을 가지고 있다고 말한다. 이 답을 들은 후 나는 리더들에게 부하 직원들이 다르게 생각한다는 점을 알려주고 리더에게 이 단절을 설명해줄 있는지 물어본다.

리더들에게서 흔히 듣는 변명은, 자신이 개방적인 마음이긴 한데, 시간이나 공간에 따라 항상 개방적인 마음가짐이지는 않다는 것이다. 마감일에 쫓기다 보면 의도하지 않게 폐쇄적인 마음이 된다.

그 입장도 이해가 된다. 갤럽에서 근무하는 동안 항상 5~10개의 클라이언트 팀과 일했다. 각 팀마다 각각 다른 프로젝트 리더가 있었다. 이때 흥미로웠던 경험은 각 프로젝트 리더들은 대체로 맡은 임무가 동일했지만, 어떤 리더들은 마감일보다 훨씬 앞서서 일을 끝냈고, 어떤 리더들은 항상 마감일에 임박하여 일했다는 점이다. 이것은 프로젝트 팀의 개방 마인드에 영향을 주었고 그에 따라 작업의 질에도 영향을 미쳤다.

이 경험에서 배운 것은 개방적인 마인드를 가지려면 그럴 공간을 의도적으로 만들어야 한다는 것이다. 날마다 반복적으로 하는 일에 지치게 되면 반사적으로 하게 될 뿐 의도를 잃게 된다. 달력에 스케줄을 짜가며 일하는 게 아니라 마감일에 쫓겨 허둥대는 일이 흔하게 발생한다. 이렇게 되면 기본적으로 폐쇄적인 마음이 된다. 이는 우리가 의도적으로 개방적인 마인드가 자리 잡을 시공간을 만들어야 한다는 것을 의미한다.

성공하는 사람들의 7가지 습관의 저자 스티븐 R. 코비는 사람들이 업무의 중요성과 긴급성에 따라 다르게 주의를 집중한다고 말한다. 코비는 이 아이디어를 시각화하여 2사분면 형태의 시간 관리 매트릭스(아래)를 제시하였다. 이 매트릭스는 우리가 시간을 어떻게 보내고, 시간 관리 측면에서 어디에 속하는지 알 수 있게 해준다.

	급함	급하지 않음
중요함	1. 필수 즉각적인 주의가 필요한 업무. 긴급하게 대처할 일. 이 사분면의 일은 줄이는 게 좋다.	2. 질 1사분면의 일을 줄이는 습관적이고 사전 예방적인 조치. 눈앞의 현재에 집중하는 대신 먼 수평선을 볼 수 있다. 우리는 이 사분면의 일은 늘리는 게 좋다.
중요하지 않음	3. 속임수 하긴 해야 하는 일(예를 들어 이메일 확인). 선별하여 관리가 필요한 일. 2사분면의 일에 지장이 가지 않게 해야 한다.	4. 낭비 시간 낭비 활동(예를 들어 불필요한 SNS 검색). 이러한 일을 피하는 게 좋다.

만약 우리가 마감일에 쫓기거나, 긴급하게 대처해야 할 일을 하거나, 다른 사람들이 필요하다고 할 때만 일을 하는 식으로 시간을 보낸다면, 1사분면에 해당된다. 1사분면에 해당되는지 확인해보려면 다음 질문을 해보면 된다. 다른 사람의 요구사항을 들어주기 위해 마지막 순간에 정신을 차리고 하는가, 아니면 자신에게 투자하고 하루를 계획할 수 있는 충분한 시간을 가지고 일을 하는가? 누가 급함 칸에 있는 활동을 하며, 누가 중요함 칸에 있는 일을 더 많이 하는가?

3사분면에 해당되면 문자 메시지, 이메일 또는 과도한 회의에 정신이 팔려 정작 중요한 업무에 집중하지 못한다. 불행하게도, 대부분의 사람들은 1사분면과 3사분면에서 활동한다. 그렇게 하면 폐쇄 마인드셋에 기름을 붓는 꼴로 통제가 불가능하다고 느끼게 된다.

무심코 TV를 보거나, 웹 서핑을 하거나, SNS에 너무 많은 시간을 소비한다면, 4사분면에 해당된다. 여기에 속하는 활동은 계획적이지 않다.

이제 2사분면이 남는데, 더욱 개방적 마인드를 갖기 위해 필요한 공간을 만들기에 가장 이상적인 사분면이다. 이 사분면에 있는 활동을 하면 색다르고 다양한 아이디어를 담을 수 있는 정신적 공간과 아이디어를 서두르지 않고 판단할 수 있는 시간적 자유가 생긴다. 그리고 명상처럼 개방 마인드를 강화시킬 활동을 하게 된다.

더 개방적인 마인드가 되려면 무엇을 해야 하는지 다른 사람들에게 묻기

당신이 개방 마인드셋과 폐쇄 마인드셋을 어느 정도 가지고 있는지 다른 사람들에게 피드백을 달라고 할 때, 더 개방 마인드셋이 될 수 있는 방법도 함께 알려달라고 부탁할 수 있다. 이것은 자신을 좀 더 개방적인 상태로 만들 것이고 많은 것을 드러낸다. 폐쇄 마인드셋(즉, 당신의 사각지대)을 더 많이 가진 상황과 그런 상황에서 왜 폐쇄적 사고를 하는지 더 잘 이해하는 데 도움이 될 것이다. 그 과정에서 당신은 더 나은 사람, 더 나은 직원 및 리더가 되기 위해 작은 일에 빠르게 대처하는 아이디어를 얻을 것이다. 예를 들어 회의에서 가장 먼저 제안을 한 이유로 대화에 끼어드는 경향이 있다는 피드백을 받을 수 있다. 이런 피드백을 통해 사소한 조정을 할 수 있게 된다. 하지만 그 영향력은 파급적이다. 진실을 탐구하며 질문하는 당신의 새로운 능력은 팀이 더 나은 결정을 내리는 데 도움이 될 것이다. 가족 안에서 비판을 받아들이는 능력이 좋아지면 더 나은 배우자, 부모, 또는 자녀가 된다. 마지막으로, 덜 개방된 마인드셋이 주변 사람들에게 미치는 영향을 더 잘 이해하는 데 도움이 되며, 행동을 취하고 마인드셋을 개선할 공간을 만들 동기를 제공해줄 것이다.

이 과정에서 달리오는 다음과 같이 말한다.

"우리 모두는 매우 불완전하거나 왜곡된 관점을 가지고 있다… 이것을 알면 스스로 발전하는 데 도움이 될 것이다. 대부분의 사람들이 처음에는 자신의 견해가 가장 옳다는 생각에 갇혀 자기 방식대로 사물을 보지 않는 다른 사람들에게 무언가 문제가 있다는 생각에 고집스럽게 매달린다. 반면 "당신이 잘못된 사람이 아니라는 걸 어떻게 알 수 있을까?"라는 질문에 거듭 맞닥뜨리면 자신의 믿음에 맞서 자신뿐만 아니라 타인의 관점으로도 사물을 바라보게 된다. 대부분의 사람들은 처음에 이 과정을 매우 불편하게 느낀다. 지적해주는 것은 감사하지만 받아들이는 데는 감정적으로 어려움을 겪는다. 그러려면 자신이 옳다는 것에 대한 자아의 집착에서 그들 자신을 분리하고, 보기 힘든 것을 보아야 하기 때문이다."

개방 마인드셋을 갖는 것에 관한 정보 흡수하기

개방 마인드셋을 강화하기 위해 했던 활동 중 유용했던 것은 개방 마인드셋의 긍정적인 의미와 폐쇄 마인드셋의 함정을 인식하면서 개방 마인드셋을 갖는 가치에 대해 더 많이 배우는 것이었다. 다음은 가장 유용했던 자료이다.

- 에드 캣멀 〈창의성을 지휘하라〉

- 레이 달리오 〈원칙〉

- 로버트 E. 퀸 〈딥체인지: 조직 혁신을 위한 근원적 변화〉

- 앤디 앤드루스 〈수영장의 바닥〉

- 조너던 하이트 〈바른 마음: 나의 옳음과 그들의 옳음은 왜 다른가〉

- 에크하르트 톨레 〈삶으로 다시 떠오르기〉

- 피터 엔즈 〈확신의 죄: 하나님은 왜 우리의 "올바른" 믿음보다 신뢰를 원하는가?〉

요약

개방 마인드를 갖기 위해 노력하고, 진리를 추구하는 데 중점을 두며, 충분한 정보를 갖지 못해 생긴 건전한 두려움을 키우고, 목표를 가로막는 것에 대해 강렬한 호기심을 배양하고, 자신과 다른 관점에 관심을 보이고, 틀린 것과 틀렸다는 말을 받아들여야 한다. 답을 주고, 좋게 보이고, 통제하고픈 마음과 더불어 옳아야 한다는 마음은 떠나보내라.

이 모든 것에는 겸손함이 필요하다. 겸손함이 있으면 우리가 일, 가족, 운동 등 팀의 성공과 효율성에 중요한 심리적 안전이 있는 문화를 만들고 활성화시킬 수 있다. 달리오는 개방 마인드셋을 이렇게 말한다. "항상 옳다고 생각하는 집착을 무엇이 진실인지를 배우는 기쁨으로 대체해야 한다. 극단적인 개방 마인드를 통해 저차원의 자아가 통제하는 것에서 벗어날 수 있다. 그리고 고차원의 자아가 모든 훌륭한 선택을 고려하여 최선의 결정을 내릴 수 있게 한다. 이 능력을 습득할 수 있다면 – 연습하면 습득할 수 있다- 현실에 효과적으로 대응할 수 있고 인생을 근본적으로 발전시킬 수 있다.

IV
PART

추진 마인드셋, 예방 마인드셋
Promotion Mindset, Prevention Mindset

|

이기려는 자세와 지지 않으려는 자세의 결과는
성공과 실패만큼 크다

Chapter 13

|

자신만의 설계도를 가지고 인생의 바람과 폭풍에 맞서 항해할 의지

가고 있는 길이 쉽다면, 그것은 길이 아니거나 당신이 그 길에 있지 않기 때문일 것이다. -크레이그 D. 룬스브루

월드컵은 세계에서 가장 큰 스포츠 행사다. 올림픽처럼 4년마다 개최되며 한 달 동안 200개 이상의 나라에서 약 30억 명에 이르는 사람들이 관람하는 축구 경기다. 세계 최고의 국가대표팀(남자 토너먼트 32개, 여자 토너먼트 24개)이 국가적, 세계적 자부심과 명성을 걸고 겨룬다. 월드컵에 출전하는 선수들은 선수 생활 중 가장 중요한 순간을 만끽하면서도 조국에서 승리를 염원하며 보내는 응원에 극심한 부담감을 느낀다.

월드컵 축구에 대해 간단히 설명하자면, 본 경기가 무승부로 끝날 경우, 15분간 두 차례 연장전을 실시하고, 여기서도 승부가 나지 않으면 승부차기로 승패를 결정한다. 승부차기에서는 각 팀의 선수들이 골문으로부터 11미터 떨어진 페널티킥 지점에서 번갈아가면서 슛을 날린다. 골문은 상대 팀의 골키퍼 혼자 지킨다. 팀 당 다섯 번의 득점 기회가 있고, 각 선수마다 한 번씩 찰 기회가 주어진다. 선수들이 승부차기에 앞서 홀로 느끼는 압박은 가히 위압적이다.

당신이 그 선수라고 상상해보라. 120분 동안 이미 경기를 치른 후인데 한 번 더 강슛을 날려 득점해달라는 요구를 받은 상황, 이 기회 아니 이 도전에 어떻게 접근하겠는가? "팀의 승리를 위해 골을 꼭 넣어야 한다"라는 생각이 들까? 아니면 "우리 팀이 지지 않으려면 골을 넣어야 한다"라는 생각이 들까? 각 접근법과 사고방식은 다른 마인드셋을 나타낸다.

연구원 기어 조르데와 에스터 하트만은 월드컵 역사상 나온 모든 승부차기를 분석했다. 선수가 자신의 차례가 왔을 때 어떻게 접근하느냐가 행동 방식을 바꾸고 공을 차는 방식을 극적으로 바꾼다는 것을 발견했다. 만약 자기의 실수로 팀이 지는 상황에 있으면, 상대 골키퍼와의 시선을 피하고 준비시간을 덜 가지며 62퍼센트만 골을 성공시킨다. 하지만 자기의 골로 팀이 이기는 상황에 있으면, 상대 골키퍼를 마주하여 쳐다보는 시간을 길게 갖고 슛의 예상 궤적을 시각화하고 자세를 잡는 데 거의 두 배나 많은 시간을 들였다. 그리고 92퍼센트를 성공시킨다.

예방 마인드셋과 추진 마인드셋

문제를 피하고 잃지 않으려는 자세는 예방 마인드셋으로 삶을 사는 것이다. 그러나 이익을 얻고 성취하려는 자세는 추진 마인드셋으로 삶을 사는 것이다. 우리의 삶, 일, 그리고 리더십에 영향을 주는 이 각각의 마인드셋은 일련의 연속체 상에 있다. 예방 마인드셋이 부정적인 쪽이고 추진 마인드셋이 긍정적인 쪽이다. 앞서 논의한 두 가지 세트의 마인드셋과 마찬가지로 이 세트에도 많은 의미가 담겨 있다.

이러한 마인드셋의 차이를 보다 자세히 설명하기 위해 마인드셋에 따라 다르게 행동하는 선장의 예를 들어 보겠다.

예방 마인드셋을 가지고 있는 선장은 바다에 있는 위험 요소에 렌즈의 초점을 맞추고 가라앉지 않는 것을 최종 목적으로 삼는다. 이러한 목적 하에 선장은 무엇보다도 안전과 안정을 최우선으로 여기고 경계심을 갖는다. 따라서 "배를 흔드는" 문제와 위험은 선원들의 안전을 위협할 수 있기 때문에 선장은 이를 피하는 데 집중한다.

이런 마인드셋을 가진 선장은 배가 안전하기만 하다면 목적지나 방향에 대한 걱정은 덜 한다. 이것은 두 가지를 의미한다. 첫째, 선장이 명확한 목적지를 염두에 두지 않고 바람과 해류를 따라 가장 무난한 경로를 택한다는 것이다. 둘째, 폭풍을 만나면 침몰 위험성이 커지기 때문에 선장은 폭풍을 피하고 바다 상태가 고요하고 안정된 상태이길 바란다.

추진 마인드셋을 가진 선장은 매우 다르게 행동한다. 그들의 주요 목적은 특정 목적지에 도착하는 것이고 그렇기 때문에 그 목적지를 향해 나아가는 것이 중요하다. 이 선장들 역시 침몰하지 않도록 유의하지만 폭풍과 험한 파도를 만날 수도 있음을 염두에 둔다. 잠재적인 문제들을 예측해서 미리 대비하고, 자신의 목적, 특히 원대한 목적을 달성하는 과정에 위험 요소는 언제나 있기 마련이라고 생각한다. 따라서 추진적인 선장의 핵심 목표는 안정성보다는 성취다.

두 유형의 선장이 맡은 임무는 같지만, 마인드셋이 달라 완전히 다르게 생각하고 운영한다. 사고 예방이 우선인 선장의 배는 풍랑에 따라 처음에 설정한 목적지와 다른 곳으로 가게 되는데, 이는 뗏목과 다를 바 없다. 반면에 추진이 우선인 선장은 자신이 능동적으로 설계한 목적지에 도달하기 위해 바다의 풍랑에 맞선다. 예방적인 선장은 가장 무난한 일을 한다. 추진적인 선장은 그가 갖고 있는 모든 역량을 발휘하는 일을 한다.

대부분의 사람들은 분명한 목적지를 갖고 그 방향으로 나아가고 있을까, 아니면 문제와 장애물을 피하려고 애쓰면서 표류하고 있을까? 이것이 목적에 초점을 맞춘 것과 안정에 초점을 맞춘 것의 차이다. 물론 두 가지 유형의 사람들이 다 있다. 하지만 명확한 목적이나 목적지를 적극적으로 설정하지 않으면 문제를 피하고 편안함에만 초점을 맞추는 방식으로 살게 된다. 평범함으로 가는 지름길이다.

당신은 어떤 선장인가?

이 마인드셋을 유추할 수 있는 다양한 비유들이 있다. 스스로에게 물어보자.

- 당신은 당신의 인생에서 승객인가(예방), 아니면 운전자인가(추

진)?

- 스케줄대로 하는 것을 우선순위에 두는가(예방), 또는 우선순위를 정하는가(추진)?
- 주변 환경에 영향을 받는가(예방), 아니면 자신만의 설계도를 만드는가(추진)?
- 쉽고 안정된 일을 추구하는가(예방), 아니면 목적 달성을 추구하는가(추진)?

개인 마인드셋 평가에 나온 설명을 읽고 질문에 답하고 그 결과를 종합하여 당신의 지배적인 마인드셋이 무엇인지 정확히 파악해야 한다. 당신은 어떤 선장인가? 예방적인가 추진적인가?

나는 평생 동안 이 두 가지 마인드셋을 오가며 살아왔다. 스포츠에 빠져 있던 고등학교 시절 나는 매우 추진적이었다. 개인적인 편안함을 희생하는 면이 있더라도 성취하기 위해 헌신할 목표와 목적이 명확했다. 목표에 다가가기 위해 매일 시간을 할애하여 연습을 하고 특정 기술을 익혔다.

고등학교를 졸업한 후 대학 진학을 위해 집을 떠났다. 삶이 만만치 않다는 것을 빠르게 체득했다. 그렇게 인생을 항해하는 법을 배우면서 "문제를 피할 수 있다면 그게 성공이구나."라는 사고를 발달시켰다. 성인이 된 이후 줄곧 그 사고방식의 지배를 받았다. 예를 들어 빚 같은 것은 전염병이라도 되는 양 무조건 피했다. 교수가 되기로 진로를 결정했는데, 그 이유가 특별히 문제 생길 일이 없고 안정감이 있으며 삶과 일의 균형 또한 누릴 수 있을 것 같아서였다. 사업을 하게 되면 내 머릿속에서 위험! 위험! 위험! 이라고 경고등이 켜질 것 같아서 기업가가 되겠다거나 사업을 벌일 생각은 전혀 하지 않았다.

내가 갤럽에서 일하려고 교수직을 휴직했던 것은 재정 상황이 악화되었기 때문이었다. 주립대학 평균 이하의 급여를 받았고, 보너스 계약 기간인 3년은 곧 만료될 예정이었는데, 그 당시 나는 캘리포니아 주 오렌지카운티라는 미국에서 가장 비싼 지역 중 한 곳에서 살고 있었다.

예방 마인드셋을 가지고 살던 중 나에게 다음 세 가지 일이 동시에 일어났다.

- 갤럽에서 맡은 직무가 생각과 달라서 다시 CSUF로 돌아갔다.
- 이직을 결정하고 새 학기에 복귀하기 전까지 내 인생에서 내가 어디에 있는지 되돌아볼 시간이 있었다. 내 나이 즈음에 있게 될 것이라고 생각했던 곳도 아니었고 가고 싶었던 곳과 가까운 곳도 아니었다. 이것이 계기가 되어 커리어를 통해 달성하고 싶은 목적과 이바지하고 싶은 분야에 대해 더 많이 생각하게 되었다.
- 마인드셋 연구에 깊이 빠져 추진 마인드셋과 예방 마인드셋의 차이에 대해 파악하기 시작했다.

재정 상황의 돌파구를 마련해야 했고, 내 삶의 보다 명확한 목적을 일깨우면서, 혹시 내가 예방 마인드셋을 가지고 있는 건 아닌지 의심이 들던 중에 내 안의 예방 마인드셋을 확실히 깨달았다. 그래서 바로 추진 마인드셋으로 바꾸기 시작했다. 갤럽에서 나오고 추진 마인드셋을 발전시킨 지 몇 달이 지나면서 나는 예전 같았으면 결코 하지 않았을 몇 가지 일을 했다. 내 사업을 시작했고, 웹사이트 개발자를 고용하기 위해 빚을 냈다. 당장 수익이 나지 않는 것은 고려 대상에 넣지 않았다. 그리고 이 책을 쓰기로 결심했는데 작가로 성공하는 노하우를 배우는 온라인 워크숍에도 비용을 투자했다.

나에 대한 인식이 높아진 상태로 이러한 변화를 돌이켜보니 마인드셋을 바꾸기 이전의 나는 삶의 바람과 해류를 거스르길 원하지 않았다는 것이 보였다. 지평선에서 폭풍우가 보일 때, 그 폭풍우 뒤에는 내가 원하는 목적지가 있는데도 나는 안전한 곳으로만 달려갔다. 성공의 길에 필연적으로 놓인 거친 바다와 폭풍에 맞설 마인드셋과 용기가 부족했다. 다행히 그 당시 처절한 상황에 놓이지는 않았지만, 그 곳은 내가 있고 싶고 내가 있을 것이라고 생각했던 곳에서 먼 곳이었다.

추진 마인드셋을 기르고부터는 폭풍우, 바람, 해류와 끊임없이 싸우고 있는 것 같다. 나는 계속해서 나 자신을 안전지대로부터 밀어내고 새로운 일을 배우고 있다. 위험하더라도 최대한 많은 것을 시도해보면서 내 인생의 바다를 항해하는 데 과연 무엇이 도움이 되는지 안 되는지 알 수 있다.

간단한 예를 하나 들어보겠다. 처음 사업을 시작했을 때 비슷한 비즈니스 모델을 가진 기업인들을 많이 만났는데, 그들은 온라인 강좌를 만들어 상당한 돈을 버는 것 같았다. 나도 눈에 띄는 이력서를 만드는 방법에 대한 짧은 온라인 강좌를 직접 만들어 보기로 했다. 상당한 액수의 돈과 많은 시간을 투자하여 잘 해보려 했지만 아쉽게도 내가 원하는 만큼의 결실을 맺지 못했다. 나는 그것을 "실패"라고 생각하기보다는 효과가 있는 것과 효과가 없는 것을 배울 수 있는 기회로 보았다. 그리고 아직 온라인 강좌를 제작하고 가르칠 준비가 되어 있지 않다는 것도 배웠다. 나는 이 경험으로 성공하지 못했으니 패배했다고 단정 짓기보다는, 경험을 해봄으로써 내가 나아가야 할 방향에 대해 더 명확하게 알게 되었고, 그 실패가 목적지까지의 속도를 높이는 데 도움이 된다는 것을 느꼈다.

나도 바람, 해류, 폭풍이 두려웠다. 하지만 한동안 이들과 씨름을 하고 난 후 두 가지 교훈을 얻었다. 폭풍을 견디는 것은 겁먹었던 것만큼 무섭지 않았다. 폭풍과 싸우는 것이 재미있기도 했고 발전하고 있다는 느낌도 좋았다.

사람들은 왜 예방 마인드셋을 발달시킬까?

예방 마인드셋이 우리의 기본 설정일 수 있다는 증거가 나오고 있다. 거의 한 세기에 걸쳐 진행된 심리학 연구는 이롭고 긍정적인 경험을 만드는 것보다 손실을 피하는 행동을 선택하는 것이 인간의 자연스러운 경향이라는 것을 거듭 발견했다. 예를 들어 사람들은 50달러를 얻는 것에 대해 기뻐하는 것보다 50달러를 잃는 것에 대해 더 화가 난다. 연구원 랜디 라센은 긍정적인 사건보다 부정적인 사건과 경험이 더 빨리 각인되고 사람들이 더 오래 연연해한다는 것을 발견했다. 이를 부정성 편향이라고 하며 두 가지를 시사한다. 우리는 예방 마인드셋이 자연스럽게 설정되었다는 것과(명확한 목적이나 목적지가 없는 기본 설정), 추진 마인드셋을 개발하려면 그 기본 설정을 넘어서기 위한 내면의 힘이 추가로 요구되며 삶과 비즈니스에서의 성공은 위험을 수반한다는 것을 받아들이는 사회적 기준이 필요하다는 것이다.

분명한 목적을 가지고 있다는 것은 무엇인가. 나는 많은 사람들이 목적을 가지고 있지 않다는 것을 알았다. 110명 이상을 대상으로 실시한 비공식 연구에서, 참가자 중 80명(73퍼센트)이 목적을 가지고 있다고 말했지만, 그중 12명(11퍼센트)만이 그 문제에 대해 의미 있는 생각을 분명하게 표현할 수 있었다. 리더십 전문가인 닉 크레이그와 스콧 스누크는 조직의 목적에 강한 의지를 지닌 리더는 20퍼센트 미만이라는 것을 밝혀내 위의 연구결과를 뒷받침했다.

강하고 명확한 목적이나 목적지가 없을 때, 편안함에 초점을 맞추는 것이 기본 설정이 된다. 그들은 주로 자신의 편안함을 극대화하는 방식으로 생각하고, 결정을 내리고, 행동하도록 유도된다. 나쁜 것은 분명 아니지만, 이 접근법으로는 최선의 것보다는 가장 쉬운 일을 찾게 된다.

또한 우리가 처한 환경의 문화도 마인드셋을 형성한다. 조직문화는 위험회피도에 따라 다양하며, 조직의 문화에 적응해야 하는 직원들은 위험을 대하는 집단적 마인드셋을 받아들이는 경향이 있다. 최근에 같이 일했던 조직의 예를 들어보겠다.

수십 년 동안 이 조직은 고객과의 일에서 실수가 발생할 경우, 신뢰를 잃을 뿐만 아니라 고객이 떠날 확률도 높다는 사실도 알게 되었다. 자연스럽게 가치를 더하고 신뢰를 높이는 문화보다 실수와 문제를 예방하는 문화가 조성되었다. 이런 문화에서는 실수와 문제에 대한 부담 때문에 고객에게 새로운 서비스를 제공한다거나 새로운 방식을 시도해보는 것을 주저하게 된다. 또한 신제품 출시를 앞두고 있을 때에는 문제나 버

그가 절대 없도록 극도로 많은 테스트를 거쳐야 했다. 그 결과 새로운 서비스 도구나 자원을 개발하고 실행하는 것이 지속적으로 늦어졌다. 이러한 예방적인 문화는 조직의 침체와 평범한 서비스를 낳았다.

여러 조직과 함께 일해 보니 이런 현상이 보편적이었다. 사람과 마찬가지로 조직도 이득을 추구하는 것보다 손실을 회피하는 경향이 있으므로 집단적 예방 마인드셋을 발달시킨다. 조직의 리더들은 이러한 마인드셋을 신속하게 정당화할 수는 있지만, 이로 인해 혁신, 창의성, 고품질의 고객 서비스, 궁극적으로 장기적인 성공이 저해된다는 사실은 인식하지 못한다.

예방 마인드셋을 갖추는 것은 매우 쉽고, 심지어 자연스럽다. 우리는 문제가 생기지 않을 때 삶이 평화롭다고 말하고, 위험을 감수하지 않을 때 안전하다고 생각하고, 분란을 일으키지 않을 때 좋은 동료라고 자신에게 말한다. 그러나 놓치기 쉬운 점은 문제, 위험, 변화의 부재가 성공을 의미하지는 않는다는 것이다. 예방 마인드셋인 사람은 실패를 피할 수 있을지 몰라도 위대한 성공을 이룰 가능성은 낮다.

당신은 당신 삶의 운전자인가, 아니면 승객인가?

우리가 인생의 운전자가 아닌 승객이 되는 경우는 다음과 같다. 이득보다 손해 방지를 우선순위에 두고, 편안함과 안락함을 기본 설정으로 하며, 주변 환경의 문화에 영향을 받아 마인드셋을 형성할 때. 이것은 알아차리기 어렵다. 나 역시 승객이었다. 움직임, 분주함, 행동을 발전이라고 착각하기 쉽다. 저항이 최소인 길을 택한 사람들은 성공의 정상을 오르는 사람들만큼이나 많은 것을 한다고 착각한다. 최적의 방향으로 가고 있지 않다는 것은 보지 못한다.

우리가 삶의 운전자가 되는 때는 목적지와 목적을 파악하고 거기까지 가는 여정에 의도를 가질 때다. 이 추진 마인드셋으로 우리는 진로를 설정하고, 어려운 지형을 헤쳐 나가며, 때로는 풍랑을 만나도 이겨낸다. 이렇게 하여 우리가 의도를 갖고 선택한 목적지에 도달하게 되는 것이다.

Chapter 14

|

목적지의 질을 달라지게 하는 것

**행복은 쉬운 일을 함으로써 생기는 것이 아니라 최선을 다해 어려운 일을
성취한 후 오는 만족의 여운에서 온다. -테오도르 이삭 루빈**

마틴 셀리그만은 우리 세대의 가장 영향력 있는 심리학자로 손꼽힌
다. 펜실베이니아 대학교 심리학 교수인 그는 비교적 새로운 연구 분야
인 긍정심리학의 아버지다. 이 운동은 셀리그만이 미국심리학회(APA)의
회장을 역임한 30년 전인 1998년에 시작되었다.

회장 임기가 시작된 지 몇 개월 지나지 않았을 때 셀리그만은 정원
일을 하며 딸 니키와 중요한 순간을 겪게 된다. "아이들에 대한 책을 쓰
긴 하지만 고백하자면 나는 아이들을 그렇게 좋아하는 편이 아니다. 나
는 목표 지향적이고 시간에 쫓기다 보니 정원에 잡초를 뽑을 때조차 정

말 잡초만 뽑고 일을 끝낸다"라고 회고했다.

어느 날 셀리그만이 정원의 잡초를 뽑고 있는데, 니키가 춤추고 노래하며 잡초를 공중에 던지는 놀이를 하고 있었다. 딸의 놀이가 목표 달성의 장애물로 보인 셀리그먼은 딸에게 고함을 질렀다. 니키는 잠시 자리를 떴다. 조금 뒤 다시 정원으로 돌아온 딸이 아빠에게 말했다.

니키: 아빠, 드릴 말씀이 있어요.
셀리그만: 그래, 니키?
니키: 아빠, 제 다섯 번째 생일이 되기 전까지 어땠는지 기억나세요?
    세 살에서 다섯 살 무렵 저는 날마다 징징거리는 울보였잖아요.
    다섯 살이 되면서 이제 징징거리지 말자 결심했어요. 그건 그
    전까지 제가 한 어떤 일보다 힘든 일이었죠. 그리고 제가 그 결
    심을 지켜냈다면 아빠도 불평을 그만 하실 수 있는 거죠?

머릿속에 번쩍 불이 켜지는 깨달음이 왔다. 니키를 키운다는 건 징징대는 것을 바로잡는 일이 아니라는 것을 깨달았다(니키가 스스로 고치지 않았는가). 니키를 키우는 것은 "아이의 내면을 들여다보고, 이를 보듬어 길러주며 약점이나 삶의 폭풍을 이겨낼 수 있도록 돕는 것"이었다. 그는 아이를 키우는 것이 자녀의 단점을 고치는 것 이상이라는 것을 깨달았다. 아이의 강점을 간파하고 육성하여 아이가 자신의 능력을 최대한 발휘하며 사는 방법을 찾도록 돕는 것이다.

이 경험으로 셀리그만은 변화를 결심했다. 개인적으로도 달라졌고 심리학 분야 연구에서도 변화를 주도해나갔다.

세기가 바뀌기 전까지 심리학 연구의 약 99퍼센트가 인간의 기능 및 행동, 질병모델 내에서 손상된 것을 복구하는 데 중점을 두었을 뿐, 사람들이 어떻게 발전을 거듭하며 번창하고 성취하는지를 연구한 것은 거의 없었다. 모든 심리학이 사람을 부정적 상태에서 중립적 상태로 옮기는 데 초점을 이동시켰지, 긍정적 상태로 초점을 이동시킨 것은 거의 없었다.

이를 인식한 셀리그만은 APA에 심리의 긍정적인 측면에 대한 연구를 늘릴 것을 촉구했다. 몇 년 후 그는 긍정심리학을 개발했는데, 삶의 긍정적인 측면, 즉 삶을 충만하게 만드는 것에 초점을 맞춘 행동 과학 분야였다. 이제 심리학의 초점은 삶의 가치를 아우르는 쪽으로 옮겨갔고, 이는 변화를 이끌어냈다.

전통심리학과 비교했을 때 긍정심리학은 추진 마인드셋과 예방 마인드셋의 차이를 직접적으로 언급한다. 예방 마인드셋은 주로 중립적인 입장(전통심리학)으로 끌어들임으로써 나쁜 것을 제한하고 고친다. 그러나 나쁜 것을 피하는 것이 좋은 것을 창조하는 것과 같은 것은 아니다. 병이 없는 것과 건강한 것은 같지 않다. 반면에 추진 마인드셋은 중립적 또는 좋은 상태에서 위대한 상태(긍정심리학)로 전환하는 데 초점을 맞춘다.

관련된 예는 우리의 건강에 관한 것이다. 대부분의 사람들은 아플 때만 병원에 간다. 상처를 꿰매야 하거나, 약을 받거나, 아니면 어딘가를 고쳐야 할 때 간다. 순수하게 건강을 증진시키고 예방 차원에서 조취를 취하며 웰빙을 실천하고자 병원에 가는 사람은 아주 드물다.

우리는 삶의 다양한 측면에서 이러한 사고방식을 볼 수 있다. 다음 표는 예방 마인드셋과 추진 마인드셋을 가진 사람들이 수익성, 효율성, 신뢰성, 윤리성, 대인관계 및 대처방법에서 각각 어떻게 다른지 보여준다. 이에 따라 예방적 마인드를 가진 사람과 추진적 마인드를 가진 사람은 매우 다르게 생각하고, 배우고, 행동한다는 것을 알 수 있다.

예방 마인드셋을 가진 사람들이 피하려고 하는 것		추진 마인드셋을 가진 사람들이 향상시키려고 히는 것
이윤을 내지 못함	수익성	풍요로움
효율적임	효율성	뛰어남
무력함	신뢰성	무결점
비윤리적임	윤리성	도덕적임
대립적임	대인관계	배려함
기를 죽임	대처방법	번창함

생각하기

예방 마인드셋은 명확한 목적이나 목표, 목적지가 없을 때 발달된다. 그리하여 실패하지 않고 문제와 위험을 피하고 편안함을 추구하며 안전하게 행동하게 된다. 하지만 목표와 목적이 명확하게 설정되면 추진 마인드셋이 발달된다. 그래서 다소 불편하더라도 성공하기 위해 문제를 예측하고 위험을 감수하고 이익을 추구하며 발전해간다. 결국 우리는 마인드셋에 따라 환경을 매우 다르게 해석하고 접근한다.

몇 가지 예를 들어보겠다.

먼저 어린 두 아이들의 아버지로서 일상의 대부분을 차지하는 육아부터 이야기해보겠다. 만약 내가 부모로서 육아에 대한 뚜렷한 목적이나 목표가 없다면, 육아란 모든 사람이 행복하고 아무 문제도 발생하지 않게 하는 것이라 보고 아이들을 대할 것이다. 그러다가 장난감을 두고 싸우거나, 뭔가 깨지거나, 어떤 일을 끝내는 데 예상보다 시간이 더 오래 걸리거나(예를 들어 신발 신기) 같은 문제가 생기면 나는 금세 감정적으로 변하고 심지어 화를 낼 것이다. 내 사고는 문제를 가능한 한 빠르고 효율적으로 해결하는 것에 재빨리 맞춰진다. 그렇다고 항상 가장 효과적인 해결책이 나오는 것도 아니다. 하지만 내가 목적이 있고 추진 마인드셋을 갖고 있다면 장기적으로 긍정적인 결과를 만드는 데 초점을 맞추게 된다. 이것이 내 아이들이 배우고 성장하도록 돕는 길이다. 이 마인드셋에서는 모든 사람들이 행복한지의 여부를 걱정하지 않아도 된다. 아마 문제가 일어나기도 하고 내 아이들의 감정이 하루 종일 요동칠 때도 있을 것이라고 예상한다. 이를 이해하면 문제라는 것이 고쳐야 할 증상이나 피해야 할 것이 아니라 아이를 가르치고 서로 연결되게 하는 기회라는 것을 알 수 있다.

이러한 차이를 알고 나니 육아에서 예방 마인드셋을 취하면 마음이 성급해지고 효율성이 떨어지는 게 느껴졌다. 하지만 추진 마인드셋을 취하면 훨씬 침착해지고 인내심이 강한 더 좋은 부모가 되었다. 어찌할 수 없는 힘겨운 순간들을 마냥 피해야 할 것이 아니라 우리 아이들이 미래에 도전을 마주했을 때 성공적이고 독립적으로 관리하도록 능력을 키워줄 기회로 보자.

둘째, 이 두 가지 마인드셋이 우리가 변화를 보는 방식에 어떤 영향을 미치는지 생각해 보라. 일반적으로 사람은 변화를 거부한다고 생각한다. 하지만 그렇지 않다. 만약 하기 쉬우면서도 삶을 더 편하게 만드는 새로운 일이 있다면 우리는 그 일에 끊임없이 적응하고 받아들인다. 추진적인 마인드와 예방적인 마인드는 편안함을 얼마나 중시하는가에 따라 구별된다. 뚜렷한 목적이나 목적지가 없는 예방 마인드셋 사람들은 편안함을 상징하는 존재가 된다. 아무리 삶을 더 좋아지게 한들 어려운 변화를 일으킬 이유가 없다고 본다. 하지만 분명한 목적이나 목적지를 가진 추진 마인드셋 사람들은 도전을 받아들이고, 목적지를 향해 나아가고, 목적을 달성하기 위해 편안함은 중요하지 않다.

예를 들어 체중을 감량하는 것은 삶을 더 좋게 바꿀 수 있다. 하지만 건강한 방법으로 체중을 줄이는 데에는 많은 노력과 시간이 들고 고통을 감내해야 한다. 개인적으로도 잘 아는 사실이다. 성인이 된 이후 줄곧 예방 마인드셋으로 살았던 나는 체중을 감량해야 한다는 것을 알고 있었지만, 너무 힘들까 봐 한 번도 시도한 적이 없었다. 편안하고자 하는 나의 욕망이 더 건강해지고자 하는 나의 욕망을 압도했다. 하지만 추진 마인드셋을 많이 발전시킨 후, 나는 체중 감량을 위해 노력하기로 결심했다.

2018년 봄에 30파운드를 감량했고, 그 이후 몇 파운드를 더 빼고 계속 유지 중이다. 체중을 감량하니까 건강이 좋아지고(예를 들어 혈압) 활력이 생겨 언제까지라도 달릴 수 있는 기분이 든다. 달리기를 꾸준히 해왔지만 하루에 2~3마일밖에 기록하지 못했다. 지금은 하루에 4~5마일을 규칙적으로 달리고 주말에는 8마일 이상의 장거리를 달린다. 누구든지 쉬운 변화는 금방 받아들이지만, 추진 마인드셋을 가진 사람들은 더 이상적인 미래의 목적지로 가기 위해 어렵지만 필수적인 변화를 받아들인다.

셋째, 이러한 마인드셋이 의사결정에 어떤 영향을 미치는지 생각해 보라. 예방 마인드셋을 가진 사람들은 잘못될 수 있는 것과 혹은 그럴 가능성이 많은 것에 신경을 쓰는 반면, 추진 마인드셋을 가진 사람들은 잘될 수 있는 것에 신경을 쓴다. 여행할 기회가 주어지면 예방적인 사람은 여행이 자신의 삶과 재정 상태에 어떤 타격을 주는지에 더 신경 쓰고, 추진적인 사람은 여행이 줄 경이로움과 아름다움에 더 집중한다. 또한 직업의 기회 앞에서 예방적인 사람은 추진적인 사람에 비해 직업의 안정성에 더 큰 비중을 두는 반면 추진적인 사람은 발전할 수 있는 기회에 더 큰 비중을 둔다. 예방적인 사람과 추진적인 사람은 제시된 옵션에 관한 정보를 다르게 받아들이기 때문에, 자신의 옵션을 다르게 평가하고 결과적으로 다른 결정을 내릴 것이다. 스포츠 심리학자 다니엘 메머트, 스테파니 휘터만, 요제프 오를릭체크는 추진 마인드셋을 가진 사람들이 결정을 내릴 때 더 독창적이고 유연하며 적절한 해결책을 만들어낸다는 사실을 발견했다.

예방 마인드셋과 추진 마인드셋에 따라 우리가 문제를 대하는 방식, 변화의 기회, 그리고 삶이 우리에게 제시하는 선택사항들이 달라지기기 때문에, 그에 상응하여 우리가 대응하는 방식도 달라진다. 목적지의 질은 우리가 가진 마인드셋에 의해 결정된다.

학습하기

나는 지식과 경험을 쌓는 것이 우리의 성공에 매우 중요하다는 믿음으로 마인드셋에 접근해 왔다. 이 기본 전제는 다음 인용문에 잘 드러난다. 작업대 벽면, 데스크톱 컴퓨터에 붙여놓은 메모 또는 정수기 뒤쪽 게

시판에 오랜 기간 붙어 있음 직한 격언이다.

> "배우려는 의지가 없으면 아무도 도와줄 수 없다. 배우려는 의지가 확고하면 아무도 막을 수 없다." -지그 지글러

> "계속 배우는 자세는 어떤 분야에서든 성공하기 위한 최소한의 필수사항이다." - 브라이언 트레이시

> "성공을 향한 열쇠는 평생학습을 향한 투지다." - 스티븐 코비

배우려는 의지가 성공에 결정적인 역할을 한다는 것을 인식하고 자신에게 물어보자. 예방 마인드셋을 가진 사람과 추진 마인드셋을 가진 사람 중에서 누가 더 배우고, 학습을 강화하고, 더 성공할 것인가?

예방 마인드셋이 있으면 배우겠다는 의욕을 거의 느끼지 못한다. 배움은 자신을 불편한 위치에 두어야 하는데 예방적인 마인드는 이를 무의식적으로 피한다.

대학에서 내 제자들을 보고 항상 느끼는 사실이다. 많은 학생들이 학사 학위를 받는 것 외에는 교육에 뚜렷한 목적을 가지고 있지 않다. 수강 신청을 할 때 가장 쉬워 보이는 과목과 점수를 잘 주는 교수를 찾을 뿐, 어떤 과목과 강사를 선택해야 미래의 진로에 도움이 되는지에 대한 고민을 거의 하지 않는다.

게다가 예방 지향적인 학생들은 그 과목을 통과할 수 있을 만큼만 집중하여 공부한다. 그들은 공부할 때 피상적 수준의 학습 전략(예: 노트 필기, 교과서에 중요한 부분 형광펜으로 칠하기, 복습하기)에 몰두한다. 추진 지

향적인 학생들은 이렇게 하지 않는다. 그들은 교재 내용을 습득하는 데 주력하고 심층적인 학습 전략(예: 도표 작성, 다른 말로 표현하기, 자가 진단 평가)에 훨씬 더 몰입한다.

우리의 역할에 상관없이 더 나은 단계로 발전하려면 새로운 지식을 습득하고, 새로운 업무를 배우고, 더 좋은 기술을 개발해야 한다. 마치 계단을 오르듯이 한 단계 위로 올라 새로운 환경에 적응한 다음 다시 한 계단 더 올라간다. 예방 마인드셋일 때는 여러 난관을 딛고 한 단계 올라서야 한다는 사실을 외면해버린다. 현재 수준에서 편안함을 찾고, 앞으로 나아가기 위해 발돋움해야 하면 불평하거나 주저앉아버린다. 이런 마인드셋은 현재 타고 있는 비행기 안에 최대한 오랫동안 머무르려고 하는 것과 같다. 하지만 추진 마인드셋일 때는 다가오는 다음 단계를 예측하고 준비를 하며 현재의 수준에서 가능한 한 능률적이고 효과적으로 발전하려고 노력하며, 앞으로 나아갈 수 있는 기회를 두 팔 벌려 환영한다.

이 두 가지 마인드셋을 비교하면 어느 사람이 더 가파른 그래프를 그릴지 분명해진다.

행동하기

이러한 마인드셋이 우리의 배움과 행동에 어떤 영향을 미치는지 보여주기 위해, 딸과의 에피소드를 공유해보겠다.

2년 전에 당시 다섯 살이었던 아이가 오랫동안 원했던 아이스 스케이트를 타러 갔다. 어린 딸이 빙판 위에서 비틀비틀 움직이는 모습이 그려질 것이다. 나도 예상했던 바다. 딸을 도와주려고 이것저것 시도했다.

손을 놓지 않고 뒤에서 스케이트를 타기도 하고, 딸 앞에서 뒤로 가며 타기도 하고, 옆에서 가기도 했다. 심지어 어떤 코치가 다가와서 빙판과 스케이트에 익숙해지도록 스케이트장을 걸으며 돌아보라고 제안했고, 그대로 따라해 보기도 했다. 여러 가지 노력을 했지만 딸은 벽을 붙잡고 조금씩 스케이트장을 도는 게 좋다며 자신이 원하는 대로 했다. 매우 더디게 진행되었다.

얼마간 그런 시간을 보낸 후, 이제 벽에서 손을 떼고 아무 도움 없이 돌아보라고 격려했다. 딸의 대답은? "싫어!" 다섯 살짜리 아이들이 온 마음을 모아 단호하게 외치는 그 소리였다.

거북이처럼 경기장을 도는 것을 계속 지켜보고 있으니 다른 아이들, 내 딸보다 더 어린 아이들이 빙판 위를 거의 날아다니고 있는 것이 눈에 들어왔다. 어떤 아이들은 간단한 묘기도 부리고 점프도 했다. 아이들을 키우고 가르칠 때 비교하지 않으려고 하지만, 이런 의문이 들 수밖에 없었다. "어떤 아이들은 스케이트를 빨리 배우고 어떤 아이들은 그만큼 빨리 배우지 못하는 이유는 무엇일까?"

다른 스케이터들을 둘러보는데 한 아이가 반복해서 넘어지고 다시 벌떡 일어나 계속 타는 것을 보았다. 머릿속을 스치는 생각이 있었다. 내 딸이 예방 마인드셋을 작동시키고 있구나! 딸은 넘어지지 않는 것에만 집중하고 있었다. 스케이트를 배우는 것에는 별 관심이 없고 자신을 보호하는 것에 온 신경을 집중시켰다. 스케이트장을 나오며 한 번밖에 안 넘어진 것을 자랑스러워했고 스케이트를 얼마나 배웠는지에는 무관심했다.

아이스 링크에서 딸과 다른 사람들을 보면서 느낀 것은 예방적 마음이든 추진적 마음이든 아이스 스케이팅에 대한 마인드셋이 행동을 지배하고 나아가 학습 속도에 영향을 미친다는 것이었다. 딸의 예방 마인드셋은 모험해보려는 것을 막으면서 안전을 최우선시하여 벽을 짚고 다니도록 지시했다. 그렇지 않았으면 더 빨리 배울 수 있었을 것이다. 추진 마인드셋을 가진 아이들은 더 모험적이어서 기술을 개발하기 위한 방법으로 여러 가지 새로운 것을 시도했다. 또한 아이들의 아이스 스케이팅 실력은 타고난 능력보다는, 넘어질지도 모른다는 두려움을 무릅쓰고 실력을 높이고자 집중하는 정도와 더 연관성이 있다는 것을 깨달았다.

이를 계기로 나는 젊은 농구선수로서 한창 발전해가던 때를 떠올렸다. 처음 몇 년 동안 나는 분명 기술이 뛰어난 선수가 아니었다. 나보다 타고난 재능이 더 많고 운동 신경이 더 뛰어난 다른 아이들에게 가려졌다. 하지만 7, 8학년이 되었을 때, 나는 또래들보다 뛰어난 최고 선수 중 한 명이 되었다. 그 이유는 무엇이었을까?

추진 마인드셋 덕분이었다. 나는 훌륭한 선수가 되겠다는 강한 목적이 있었기 때문에 문제나 불편함을 피하기보다는 배우고 역량을 기르는 데 더 집중했다. 다소 위험하더라도 경기에서 새로운 기술을 시도하고 싶었다. 하지만 예방적인 마인드가 더 강한 팀 동료들이나 상대팀들은 멋지게 보이지 않는 것을 두려워했기 때문에 시도조차 하지 않았다. 그 기술 중에는 평소 잘 안 쓰는 손으로 레이업 슛을 하는 것이 있었다. 처음 배울 때에는 매우 어색하기 때문에 보통은 경기 중에는 물론 연습 때도 하기 싫어했다. 나는 훌륭하게 성공하리라는 목적이 있었으므로 경기에서 동료들 중 최초로 익숙하지 않은 손으로 레이업을 시도했다. 어색해 보이거나 슛을 놓치더라도 배우고 싶었다. 반면에 대부분의 동료들은 슛을 놓치거나 멋있게 보이지 않을까 봐 시도조차 하지 않았다.

개인이나 단체와 함께 마인드셋을 연구하면 할수록, 그동안 알아왔던 내용을 더 절실히 깨닫는다. 즉 두려움으로 예방 마인드셋과 추진 마인드셋이 구분된다는 사실이다. 예방적인 마음일 때 잠재된 두려움이 표면으로 배어나온다. 실패와 불확실성, 불편과 고통을 두려워한다. 이 잠재적 두려움이 우리의 삶을 규정할 때, 예방 마인드셋은 쉽게 정당화된다. 하지만 우리가 한 발 물러서서 두려움과 그 정당성을 분석한다면, 두려움이 그 순간에는 이해될 수 있을지 모르지만 궁극적으로는 우리의 발전을 저지하고 있다는 것을 알 수 있다. 나아가 이러한 두려움이 예방 마인드셋에서 어떤 역할을 하는지 인정함으로써 두려움을 줄일 수 있는 구조를 만들 수 있다. 딸의 아이스 스케이팅의 경우 넘어지는 걸 두려워하는 마음을 줄이기 위해 엉덩이 보호대와 무릎 패드를 사주었다. 또한 아이스 스케이팅의 기본을 배울 수 있도록 규칙적인 연습 과정에 참가시켰다. 이러한 노력 덕분에 딸은 실력을 향상시키는 것에 더 집중하고 넘어짐을 피하는 것에는 신경을 덜 쓰게 되었다.

우리 모두는 살면서 이와 비슷한 일을 겪는다. 만약 당신이 예방 마인드셋을 가지고 있다면, 넘어지는 것이 덜 아프도록 무엇을 할 수 있을까? 어떤 기초를 닦아야 하는가?

이런 질문들은 예방적인 마인드에서 추진적인 마인드로 바꾸는 동시에 끈기, 간결함, 결단력, 헌신, 열정, 용기, 용감함, 투지와 같은 관련 속성을 발전시키기 위해 필요한 좋은 질문이다.

Chapter 15

|

삶, 일 및 리더십의
성공을 이끄는 추진 마인드셋의 힘

꿈을 향해 확신을 가지고 나아가며 상상했던 삶을 살기 위해 노력하면, 예
기치 않던 성공을 하게 될 것이다. -헨리 데이비드 소로

당신은 빈털터리인가? 젠 신체로에 의하면 그렇다.

신체로가 빈털터리에 관해 쓴 두 권의 책은 큰 인기를 얻었다. 〈사
는 게 귀찮다고 죽을 수는 없잖아요?You Are a Badass: How to Stop
Doubting Your Greatness and Start Living an Awesome Life〉(200만부 이
상 판매)와 〈나는 돈에 미쳤다You Are a Badass at Making Money: Master
the Mindset of Wealth〉이다. 이 책에서 신체로는 과거 너덜너덜했던 처
지에서 부자가 된 자신의 이야기를 들려주면서, 독자들도 마인드셋을

바꾸면 큰 성공을 거둘 수 있을 것이라 얘기하고 그 방법 또한 제시해 놓았다.

그녀의 사연은 상당히 놀랍다. 〈사는 게 귀찮다고 죽을 수는 없잖아요?〉에서 그녀는 어른이 된 후 수십 년 동안 "태아 시절 자궁 속에 갇혀 있었던 것처럼 절망과 혼란을 느꼈고, 부자들이 과대평가되고 있음을 역겨워하며, 아무리 파산한 상태더라도 내 주장을 관철하기 위해 끝까지 싸우겠다."라는 생각을 갖고 있었다고 털어놓았다.

몇 년 동안 저임금의 일(록스타 지망생, 프리랜서, 베이비시터, 케이터링)에 시달렸고, 고장 나고 찌그러진 차를 몰고 다니고, 차고에서 생활했다. 그러다 10년 만에 자신의 삶을 뒤바꾸고 억만장자가 되었다. 그녀는 이제 이렇게 말한다. "나 같은 빈털터리가 부자가 될 수 있다면 당신도 부자가 될 수 있다."

무엇이 젠을 변화시켰는가? 한 마디로 마인드셋이다. 그녀는 잃지 않으려는(또는 아예 이기지 못할 수도 있음) 예방적인 마인드에서 승리를 추구하는 추진적인 마인드로 바꾸었다. 이제 다른 사람들도 똑같이 할 수 있게 돕는다.

이러한 변화는 과연 어떤 모습이었을까? 하룻밤 사이에 벌어진 일은 아니지만, 우선 마음을 더 긍정적인 방향으로 밀어붙여야 했다. 그렇게 하자 그녀의 생각, 배움 및 행동이 뒤따라 긍정적으로 바뀌었고 결과적으로 큰 성공도 뒤따랐다.

"서서히 성숙해가는 과정이었다. 내가 혼자 인도에 갔을 때가 기억난다. 혼자 여행하는 것이 얼마나 두려웠는지 온몸이 굳어버릴 지경이었지만, 해야 한다는 직감이 들었다. 인도는 변화무쌍하고도 아름다웠다. 반면 엄청난 가난과 고통을 보았다. 개조한 내 허름한 오두막(차고)으로 돌아가면 정말 감사하며 살 거라고 생각했다. 집에 돌아왔을 때 예전보다 훨씬 더 강하고 훨씬 더 잘할 수 있다는 감정이 솟아올랐다. 그때부터 코치를 고용하여 엄청난 활약을 펼치기 시작했다."

그녀는 새롭게 발견한 마인드셋의 힘으로 아직 코치 비용을 지불할 수익이 나는 시점이 아님에도 이를 위해 대출을 받았다(6만 달러를 대출 받음). 그녀는 다음과 같이 생각했다. (1)우승자와 최고의 운동선수들이 성공에 이르기까지 코치가 필요했듯이 그녀도 코치가 필요하다. (2)그렇게 하면 코칭 비용을 지불하기 위해 다른 비용을 점차 줄일 것이다. (3)위대함과 부를 성취하기 위해서는 위험을 감수해야 한다. 이제 그녀는 모든 사람들에게 말한다. "당신은 원하는 어떤 현실도 창조할 수 있는 힘을 가지고 있다. 단지 그것을 창조하기 위해 불편을 감수할 의향이 있느냐가 중요하다."

이것이 앞 장에서 내 딸의 아이스 스케이트 사례를 통해 배운 핵심 교훈 아니었는가?

우리 모두는 성공할 수 있는 힘을 가지고 있다. 우리의 성공 여부는 우리가 승리에 더 신경을 쓰는가 실패하지 않는 것에 더 신경을 쓰는가에 달려 있다.

삶에서의 성공

신체로는 감사해야 할 것이 많은데도 발전하지 않는 것 같으니 감사할 줄 모른다는 것을 깨달았다. 이 때 예방 마인드셋에서 추진 마인드셋으로 바꾸어 성공을 향한 길에 들어섰다.

"나의 미지근한 삶을 사는 행위를 이따금씩 여기저기서 터져 나오는 경이로움의 불꽃으로 버티는 것처럼 느껴졌다. 그리고 가장 고통스러운 부분은 저 깊은 내면에서 올라오는 갈등이었다. 나는 내가 성공한 록스타라는 것을, 훌륭한 사람들과 교류할 수 있다는 것을, 단숨에 높은 건물들을 뛰어넘을 수 있고 마음먹은 것은 무엇이든 창조할 수 있다는 것을 안다……. 몇 주 후에, 그 몇 주가 언제 어떻게 흘러갔는지 모르겠지만 나는 아직 내 지저분한 아파트에 처박혀서 매일 밤 혼자 싸구려 타코나 먹고 있다."

예방 마인드셋을 가진 사람들은 자신을 인생의 승객으로 인생의 풍파에 휩쓸린 희생자로 묘사한다. 그들은 성공하지 못한 것이 자기 자신 때문이 아니라 주변 상황 때문이라고 생각한다. 그들은 사전 조취를 취하여 대비하기 보다는 상황에 반응한다. 두려움에 사로잡혀 안전에 전념하면서 안정감과 평범함에 스스로를 구속한다. 모험을 하지 않으려고 하니 이득을 얻는 것도 없다.

반면에 추진 마인드셋을 가진 사람들은 사전 대책을 세우고, 목적 지향적이며, 성장과 성공에 전념한다. 그들은 자신의 길을 주도하는 인생의 선장이다. 조건과 환경이 이상적이지 않을 수 있지만, 인생의 바람과 해류는 인생 여정의 일부임을 알며 성공은 그들이 처한 환경을 탐색하고 대응하는 방법에서 비롯된다는 것을 안다. 안정감과 평범함, 그리고 편안함에 안주하기보다는 모험을 하고, 자신을 몰아붙이고, 목적을 달성하기 위해 어려운 일을 해내려고 한다.

　마인드셋을 연구하기 위해 여러 단체를 방문하는 동안, 나는 각각 다른 마인드셋으로 일하는 사람들을 만나게 되었는데 그들의 삶과 궤적은 충격적일만큼 달랐다. 대표적으로 데브라와 데이비드라는 두 명의 직원을 소개하겠다.

　데브라는 거의 같은 회계부서에서 20년 이상 일했다. 그녀는 자신의 직업에서 두 가지 점을 좋아하는데 바로 안정성과 정시 퇴근이다. 이 점이 정말 마음에 들지만 그렇다고 자신의 직업을 진정으로 사랑하는 건 아니다. 출근부를 찍으면서 시간을 돈과 교환한다. 근무 기간 내내 주된 관심사는 아무 문제도 일어나지 않도록 하는 것, 그녀의 안정성을 뒤흔드는 일이 일어나지 않도록 하는 것이었다. 그녀는 신뢰할 수 있는 직원이지만 동료들 중 어느 누구도 그녀를 최고의 업무 수행자라고 여기지는 않는다. 게다가 안정성에 초점을 맞추었기 때문에 변화를 단호히 거부한다. 놀랄 것도 없이 나는 그녀와 그녀의 부서가 사용하는 업무 도구, 소프트웨어 및 방법이 한물 간 옛날식이라는 것을 발견했다. 위와 같은 이유로 그녀는 19년 동안 승진을 하지 못했다. 최근에야 매니저로 첫 번째 승진을 했는데, 역시나 부서 내의 업무를 진척시키는 대신 아무 문제가 일어나지 않도록 하는 데 초점을 맞추고 있다.

　그녀의 가정생활도 그리 다르지 않다. 안정감의 열렬한 팬인 그녀는 바꾸고 싶지 않은 일상을 시작한다. 아침으론 항상 가장 좋아하는 시리얼인 허니 번치 오브 오트Honey Bunches of Oats를 먹는다. 그 다음 출근과 동시에 이미 퇴근 시간을 기다리며 집에 가서 저녁을 먹고 십자말 퍼즐을 하면서 TV쇼를 볼 생각을 한다. 주말이 되면 금요일 저녁에 (거의 같은 식당에서) 외식을 하고, 토요일에 볼 일을 보고, 일요일에는 교회에 간다. 전부 예측 가능한 루틴이다.

요약하자면 데브라는 문제없는 삶에 만족하지만 그저 표류하고 있을 뿐이다. 그녀는 목적이 없기 때문에 편안함을 확보하고 문제를 최소화하는 데 초점을 맞추고 있다. 그녀는 자신의 삶을 개선하거나 발전시키기 위한 일은 거의 하지 않고 타성에 젖어 있다. 자신은 깨닫지 못하지만 외부 환경에 편승하는 승객이다.

데이비드는 비슷한 일을 하는 다른 조직에서 근무한다. 그는 고객관리 운영 책임자로 입사했다. 끈기와 협력 정신, 그리고 업무와 회사에 대한 헌신으로 그는 인사 경험이 없는데도 인사 담당 부사장직을 제안 받았다.

예방 마인드셋을 가진 사람들은 발생할 수 있는 문제에 초점을 맞추어 그러한 기회를 즉시 고사했을 것이다. 반면 데이비드는 이 직책이 다른 사람들의 삶을 고양시키겠다는 자신의 목적을 달성할 수 있는 기회라는 점에 초점을 맞추고 받아들였다. 그는 분명한 목적이 있었기 때문에 그 해 안에 2,500명의 정규직 직원을 모두 만나겠다는 목표를 세우고 달성하는 등 자신의 역할을 수행하는 방식을 주도했다.

데이비드는 자신의 직업을 시간 및 돈과 맞바꾸는 것으로 보지 않으며 일이 끝난 후의 시간을 평범하게 보내지도 않는다. 그리고 자신의 목적을 가정생활에도 반영한다. 아내와 아이들과의 관계에도 의미를 부여한다. 자녀들이 배우고, 새로운 기술을 개발하고, 새로운 것을 경험하도록 도울 기회를 찾고 만들어낸다. 추진 마인드셋에 힘입어 데이비드는 삶이란 쉽고 편안함을 위해 끊임없이 일하는 게 아니라 배우고 성장하는 경험이라고 본다. 데이비드는 자기 인생의 운전석에 앉았고, 자신이 원하는 사람이 되어 다른 사람들에게 긍정적인 영향을 미치기 위해 거친 바다를 용감하게 헤쳐나가려고 한다.

두 사람의 삶의 궤적은 흥미롭다. 데브라의 궤적은 대부분 평탄했다. 20년 이상 직업적으로나 개인적으로나 같은 상황이 그대로 유지되어 왔다. 만약 성공한 것 같은지 물으면 데브라는 이렇게 말할 것이다. "나는 축복받고 성공적인 삶을 살았고, 안정적이고 스트레스나 걱정이 거의 없는 삶을 살았다." 반면 데이비드는 날마다 새로운 단계로 올라가며 상승 곡선을 즐겼다. 그의 추진 마인드셋은 평탄한 궤적을 "축복받고 성공적인 삶"으로 인정하지 않을 것이다.

데이비드와 데브라, 즉 성공을 향한 야심가와 평범한 생활인, 운전자와 승객을 구분 짓는 것이 추진 마인드셋과 예방 마인드셋의 차이라는 것이 분명하지 않은가?

일에서의 성공

지난 몇십 년 사이에 추진 마인드셋과 예방 마인드셋에 대한 연구의 양이 너무 많아진 관계로 메타분석이 실시되었다. 메타분석이란 특정 주제에 대한 개별 연구 프로젝트 결과물을 수집하여 프로젝트 전체 차원에서 이를 하나의 종합적인 통계치로 요약하여 집계하는 분석 방법이다. 메타분석에서는 어떤 주제에 대한 지금까지 실시된 모든 연구를 집계하기 때문에 그에 따른 결과가 나오게 되면 그것은 결정적인 것으로 간주된다.

예방 마인드셋과 추진 마인드셋에 대한 메타분석은 직원들이 추진 마인드셋을 가지고 있다면 직원과 조직 모두에게 엄청난 혜택이 돌아간다는 것을 보여준다. 특히 예방 마인드셋을 가진 직원에 비해 추진 마인드셋을 가진 직원이 아래 항목에서 월등하게 뛰어난 것으로 나타났다.

- 업무 참여
- 직무 만족
- 작업 수행
- 혁신적인 성과
- 조직의 시민의식 행동(직원에게 요구되는 행동은 아니지만 동료의 작업 수행을 돕는 것과 같이 전체 업무 및 팀 업무에 도움이 되는 행동)

이러한 결과는 추진적인 직원들이 예방적인 직원들을 능가한다는 것을 나타낸다. 뿐만 아니라 예방 마인드셋이 강할수록 작업 수행, 조직의 시민의식 행동, 직무 만족도가 떨어지고 비생산적인 업무 행동(험담, 절도, 괴롭힘)을 할 가능성이 높다는 것을 보여준다.

예방 마인드셋과 관련된 결과가 고무적이지는 않지만, 메타분석은 예방 마인드셋의 한 가지 이점을 밝혀냈다. 바로 안전 사고율이 낮은 것이다. 결국 이 연구는 명확하다. 추진 마인드셋을 가진 직원과 팀은 예방 마인드셋을 가진 직원과 팀보다 매번 성과가 좋을 것이다.

리더십에서의 성공

조직 전략가들은 왜 어떤 기업은 성공하고 어떤 기업은 성공하지 못하는지 연구한다. 이 차이를 설명하기 위해 사용하는 한 가지 이론은 상위계층이론이다. 기본 전제는 조직의 최고 리더들, 즉 상위계층 구성원들이 조직의 전략과 방향을 설정할 때, 개인적 경험, 가치관 및 목표를 비추는 렌즈, 즉 마인드셋을 통해 운영한다는 것이다. 따라서 이 이론은 리더의 마인드셋이 자신의 집중 영역을 지배하고 이것이 다시 조직의 방향을 지배한다는 것을 시사한다. 그 방향은 궁극적으로 그 조직이 얼마나 성공적일지를 결정한다.

연구원들은 이 이론과 함께 추진 마인드셋을 가진 사람들이 성공에 초점을 맞추는 반면 예방 마인드셋을 가진 사람들은 실패하지 않는 것에 초점을 맞춘다는 것을 이해하면서, 추진적인 CEO가 있는 조직들이 예방적인 CEO가 있는 조직보다 성과가 더 좋은지 조사했다.

세인트 갈렌 대학교 소속의 스위스 중소기업 및 기업가정신 연구소의 한 연구 그룹은 CEO의 마인드셋이 조직의 전략과 방향을 결정한다는 것을 확인했다. CEO의 추진 마인드셋이 클수록 기존 기회를 더 잘 포착하고(개척이라고 함), 새로운 사업 기회를 더 많이 모색하며(탐색이라고 함), 목표 지향적이면서 민첩하다는(양면성이라고 함) 결과가 나왔다. 또한 CEO의 예방 마인드셋이 클수록 조직이 개척, 탐색 및 양면성에서 뛰어난 성과를 거두지 못했다.

오클라호마 주립대학교와 조지아 대학교의 학자들이 실시한 또 다른 연구에서 CEO의 마인드셋이 궁극적으로 조직의 성과를 좌우한다는 결과가 나왔다. 그들의 연구는 세 가지 주요 사항을 지적했다. 첫째, 추진적인 CEO가 있는 조직이 예방적인 CEO가 있는 조직보다 성과가 더 좋다는 것이다. 둘째, CEO의 추진 마인드셋이 강할수록 조직의 성과가 높아지고, CEO의 예방 마인드셋 수준과 조직의 성과는 관계가 없는 것으로 나타났다. 셋째, 조직이 역동적인 환경 조건에서 운영될 때 추진 지향적인 CEO와 예방 지향적인 CEO가 있는 조직 간의 성과 격차가 커진다.

이러한 연구 결과는 CEO에게만 적용되는 것이 아니다. 리더가 조직의 계층 중 어느 위치에 있든 상관없이, 추진 마인드셋을 가진 리더는 예방 마인드셋을 가진 리더보다 성과가 더 좋다. 그 직원들 역시 더 몰입하고 민첩하며 효율적이고 창의적이다.

그 이유는 리더십의 정의에서 찾을 수 있다. 즉, 다른 사람들이 목표를 달성할 수 있도록 이끌어주는 힘과 영향력을 사용하는 것이다. 이 정의는 효율적인 리더가 가져야 할 조건이 다른 사람들에게 중심 목표 또는 목적지를 제시하고 이를 바탕으로 조직을 운영하는 것임을 시사한다.

예방 마인드셋과 추진 마인드셋을 가진 사람 중 누가 더 영감을 주는 목표나 목적지를 가지고 있을까? 패배하지 않고 안전하게 놀아야 하고 문제를 피하는 것이 목표인 리더를 따르는 것은 그리 신나는 일이 아니다. 승리하고 더 높은 수준으로 나아가려는 리더를 따르는 것이 훨씬 더 활기찬 일이다.

하지만 항상 그런 것은 아니었다. 예방 마인드셋과 추진 마인드셋에 대한 연구가 처음 시작되었을 때, 연구원들은 두 가지 마인드셋의 가치는 특정한 업무 상황에 따라 다르므로 모두 가치 있는 것으로 생각했다.

예를 들어 실수를 피해야 하는 상황에서는 예방 마인드셋이 더 유리한 반면 혁신과 발전이 필요할 상황에서는 추진 마인드셋이 더 효과적이라는 이론이 세워졌다.

내가 처음 조직 내 예방 및 추진 마인드셋에 대한 연구를 시작했을 때, 이 관점을 채택했다. 실수하면 비용이 많이 드는 부서(예: 회계, 급여)와 발전이 요구되는 부서(예: 영업, 채용)에서 인터뷰를 진행했다. 이 연구를 통해 나는 리더십 효과에 있어 예방 및 추진 마인드셋의 역할과 관련된 세 가지 중요한 관찰을 했다.

첫째, 사람들은 두 가지 마인드셋으로 어떤 작업이라도 수행할 수 있다. 오류를 방지하도록 설계된 직무일 경우, 직원들은 예방 또는 추진 마인드셋을 가지고 수행할 수 있다. 발전을 위주로 설계된 직무일 경우, 그 직원들도 마찬가지로 어느 쪽 마인드셋으로도 일을 할 수 있다. 차이는 접근법에 있다. 추진 마인드셋을 가진 직원들은 책임 영역 안에서 조직을 발전시킬 수 있는 방법에 대한 분명한 목표를 개발한다. 그들은 자기 일에 대해 사전 예방적인 접근법을 취한다. 예방 마인드셋을 가진 직원들은 문제와 실수를 피하는 것을 기본 목표로 설정한다. 그들은 수동적으로 반응하는 접근법을 취한다. 문제를 예방하고 제거하는 데 중점을 두는 회계 및 급여 부서 직원들과의 인터뷰에서 일부 직원들은 오류율을 낮추기 위한 프로세스를 미리 개발하는 데 초점을 맞추었다(추진 마인드셋). 그러나 다른 직원들은 오류가 발생하지 않기를 바라며 가만히 있었다(예방 마인드셋). 그들은 문제가 불거졌을 때야 본격적으로 열심히 했다. 따라서 주요 업무와 상관없이 리더는 추진 마인드셋을 장려할 수 있고 장려해야 한다.

둘째, 대부분의 조직에서 예방 마인드셋이 표준이다. 추진 마인드셋의 중요한 측면이 분명한 목적이나 목적지를 가지고 운영하는 것임을 염두에 두고 내가 관리자들을 인터뷰했을 때 첫 번째 질문이 "리더와 관리자로서 당신의 목적은 무엇입니까?"였다. 나는 관리자의 부하 직원들에게도 비슷한 첫 질문을 했다. "여러분의 관리자의 목적은 무엇입니까?" 나는 양측으로부터 대체로 비슷한 답을 들었다. 처음에는 응답자가 "흠, 좋은 질문이군요"라고 말하며 머뭇거리다가, 평소에 별생각 없었던 티를 내지 않기 위한 그럴싸한 답을 찾아내려고 머리를 쥐어짰다. 어쩔 수 없이 나온 대답은 리더의 직무 설명에 무엇이 명시되었건 천편일률적인 답이었다. 이것을 보고 실제로 명확한 목적과 목적지를 가진 관리자가 거의 없다는 점을 파악했고, 기본적으로 예방 마인드셋을 취한다는 의미였다.

셋째, 예방 마인드셋은 무척 쉽게 정당화할 수 있다. 선천적으로 사람들은 좋은 경험보다 나쁜 경험에 더 많은 심리적 무게를 둔다. 다른 말로 부정성 편향이라고 한다. 이러한 편향은 조직과 직원들이 그들의 고객에게 접근하는 방식에서 드러난다. 좋은 것을 만드는 것보다 나쁜 것을 피하려고 하기 때문에 조직과 그 리더 및 직원들은 고객을 유지하기 위해 문제 예방에 초점을 맞추는 경향이 있다. 서비스 제공 기업을 컨설팅해보니 리더들이 이런 접근방식을 강조하고 이에 대해 인센티브도 준다는 것을 알았다. 문제가 발생하면 고객이 떠난다는 것을 알기 때문에 리더들은 이 접근법을 정당화한다. 그들이 깨닫지 못하는 것은 문제를 예방하면 고객이 떠나는 것을 막을 수 있지만, 그러한 접근방식은 고객을 만족시키지 못하며, 장기적으로도 고객과 긍정적인 관계를 유지하기 어렵다는 점이다. 고객을 만족시키고 유지하기 위해 가치를 추가하는 것에 초점을 맞추는 추진 지향적 접근방식이 훨씬 더 우월하다고 할 수 있다. 긍정심리학자 숀 아처의 격언을 인용하자면 "질병이 없는 상태가 건강하다는 것은 아니다." 다시 말해 리더들은 고객 문제를 최소화하는 것과 고객에게 가치를 더하는 것 중 무엇이 더 고무적이고 매력적인지 스스로에게 질문을 던져봐야 한다.

1장에 나온 앨런에게서 이것을 보았다. 그는 명확한 목적이 없었기 때문에 예방 마인드적 목적을 기본 설정으로 선택했다. 편한 일을 할 것, 문제를 피할 것이 그것이다. 이 접근법은 앨런에게는 전적으로 합리적인 반면 몇 가지 심각한 부작용이 있었다. 앨런이 문제를 피하려고 세세한 것까지 관리하자 앨런의 직원들은 영감을 얻지 못했다. 예를 들어 그는 직원과 고객 간 주고받은 모든 이메일에 대해 자신에게 보고하도록 했다. 이로 인해 가치를 더하고 변화를 만드는 등의 추진적인 긍정효과가 직원들의 레이더망에는 아예 존재할 수 없는 문화가 조성됐다. 고객과 교육생으로부터 서비스 평가의 결과를 받았을 때 앨런과 그의 팀은 5점(최고점)을 받는 것보다 1~2점(저조한 점수)을 받지 않는 것에 더 신경을 썼다. 그 결과 고객들은 서비스에 불만족한 건 아니지만 감동을 받은 것도 아닌 상태로 남게 되며, 이는 결국 고객을 유지하는 것에도 도움을 주지 못했다.

추진적 마인드를 가진 인사 분야 리더인 데이비드는 앨런과 하늘과 땅만큼의 차이를 보인다. 데이비드는 분명한 목적을 가지고 있다. 즉, 조직의 업무 환경을 개선하고 장벽을 제거함으로써 직원들에게 봉사하는 것이다. 이 목적에서 팀과 리더가 변화를 일으키기 위해 노력하고 있다는 것이 느껴지기 때문에 팀원들은 의미를 되새기고 에너지를 받는다. 자기주도적인 직원들이 세세하게 관리되는 직원들보다 훨씬 더 효율적이라는 것을 알고 있는 데이비드는 기회가 보일 때마다 긍정적인 영향을 미치기 위해 자유와 자율성을 부여한다. 또한 실패에 대해 지나치게 염려하지 않는다. 사실 그는 실패도 예상하고 있다. 그의 팀이 높은 목표를 달성하기 위해서는 위험을 감수해야 하고 때로는 혁신적이어야 한다. 그는 실수와 실패가 그 과정에서 자연스럽게 생기는 부산물이라는 것을 잘 알고 있다. 그래서 실수와 실패가 나오면 팀이 진정으로 노력하고 있다는 신호로 보고 오히려 격려한다. 물론 승리도 축하한다. 데이비드의 추진 마인드셋 덕분에 출근길에 행복한 문화가 만들어진다.

요약

이번 장의 교훈은 삶, 일, 그리고 리더십에서 성공하려면 승객보다는 운전자가 되어야 한다는 것이다. 승객일 때는 명확한 목적지를 설정하지 않고 외부 세계가 당신의 방향과 목적지를 결정하도록 둔다. 운전자일 때는 자신의 운명을 주도하므로 명확한 목적지를 설정하고 그 목적지로 나아가기 위한 행동을 한다.

Chapter 16

|

추진 마인드셋 개발하기

> 사람은 훌륭한 목적, 특별한 프로젝트에 의해 고무될 때, 모든 생각의 한계가 사라진다. 마음은 한계를 초월하고, 의식은 사방으로 확대되고, 당신은 멋지고 훌륭한 신세계에 존재하게 된다. 내재된 힘, 능력 그리고 재능이 살아나고 당신이 이전에 꿈꿔왔던 당신 자신보다 훨씬 더 훌륭한 사람이 된 것을 발견한다. -파탄잘리

추진 마인드셋을 개발하고 인생의 운전자가 되기 위한 핵심과 필수 조건은 명확한 목표, 목적 및 목적지를 정하는 것이다.

앞서 언급했듯이 내게 추진적인 마인드가 있었을 때는 고등학교 시절이었다. 나의 "목적지"는 대학 수준의 농구를 하는 것이었다. 이 목표에 힘입어 나는 방향을 제시하기 위해 일련의 계단식 목표를 세우고 디딤돌을 놓았다. 한 단계 더 높은 수준의 목표는 농구 팀을 챔피언 시즌으

로 진출시키는 것이었다. 이를 위해 리더십에 관한 책을 읽고 매일 특정 기술 개발에 집중하도록 연습하는 등 낮은 단계의 목표부터 만들었다. 나는 대학 농구 선수로 뛸 나의 밝은 미래를 키워가고 있다고 생각했다.

프리시즌이 끝날 무렵 1위에 오를 정도로 3학년 때 우리 팀의 시즌 준비는 활기찼다. 그리고 본격적으로 시즌이 시작되면서 우리는 승리하기 위해 안간힘을 다했다. 돌이켜보면 두 가지 걸리는 요인이 있었다. 첫째, 우리 수석코치는 급박한 가정상황으로 휴직을 해야 했고, 보조코치는 그만큼의 지식과 기술, 전문성을 갖추지 못했다. 둘째, 그 전 여름에 우리 고등학교는 주에서 가장 큰 고등학교를 지정하는 분류 시스템에서 4A에서 5A로 한 단계 뛰어올랐다. 실제로 그 해 주에서 우리학교는 5A 중 가장 작은 학교였다. 우리는 더 많은 학생 수를 모은 훌륭한 프로그램과 경쟁하고 있었다.

결국 내가 희망했던 목표를 달성하지 못했고, 그로 인해 원하는 대학에 스카우트되는 그런 그림이 나오지 않았다. 이듬해 여름 나는 계속 목표를 위해 노력했다. 여러 군데 주니어 칼리지를 다니면서 다양한 농구 팀과 함께 운동을 계속하였다. 타주 주립대학에서 부분 장학금을 제안했지만, 미국에서 손꼽히는 운동 프로그램을 갖춘 가까운 주니어 칼리지에서 계속 해보기로 결정했다.

가을 학기가 시작되면서 테스트가 시작되었다. 60명 이상의 선수들이 다섯 자리를 놓고 경쟁했다. 최종 컷에 오른 일곱 명 안에 들었지만 다섯 명을 뽑는 최종 팀 선발 명단에 내 이름은 없었다. 망연자실했다! 돌이켜보면 팀에 못 들어가서가 아니라 내 목표가 아래로 흘러내려가는 것 같았기 때문이다. 방향타를 놓쳐버리고 의미를 잃었다.

목적을 잃고 혼자 헤쳐나가는 것이 생각만큼 쉽지 않다는 것을 배우면서 예방 마인드셋이 내 안에 자리를 잡았다. "별 탈 없이 대학을 나오고 인생을 사는 것도 웬만한 사람들보다 더 잘 하는 것이다."라는 생각을 했다. 예방적인 마인드의 색채가 진한 이 목적이 15년 동안 내 안에 자리 잡았고 갤럽에서 잠깐 일하고 다시 학계로 돌아갔을 때에서야 비로소 추진 마인드셋을 개발하기 시작했다.

13장에서 내가 예방 마인드셋에서 추진 마인드셋으로 전환한 계기가 내 삶에서 일어난 세 가지 변화 때문이라고 했다. 그 세 가지는 직장을 옮긴 것, 내 삶, 목적, 습관을 되돌아볼 시간이 있었던 것, 그리고 느슨해진 스케줄로 마인드셋을 깊이 탐구할 수 있었던 것이다. 이로써 더 긍정적인 마인드셋을 개발하는 과정의 전반부를 지나게 되었다. 즉, 최적의 마인드셋을 가지고 있지 않다는 생각을 깨닫고 받아들이며 더 나은 대안을 찾아내는 작업을 시작했다. 그러나 후반전 전투에서는 마인드셋을 확연히 바꾸고 세상을 볼 때 사용하는 렌즈를 개선해야 했기 때문에 뇌의 회로를 재구성해야 했다.

인지심리학자들은 만성적인 예방 마인드셋과 추진 마인드셋의 차이가 전전두엽 피질의 비대칭 활동과 관련이 있다는 것을 발견했다. 특히 전전두엽 피질의 오른쪽이 왼쪽보다 더 많이 작동하면 부정적이고 문제를 피하는 신호를 더 받는데 이것이 예방 마인드셋을 나타내는 것이다. 반대로 전전두엽 피질의 왼쪽이 더 많이 작동하면 긍정적이고 더 성취하려는 신호를 더 받는데 이것이 추진 마인드셋을 나타내는 것이다(우뇌 및 좌뇌 기능과 주로 쓰는 손의 연관성과는 다르다).

이것이 시사하는 바는 예방 마인드셋에서 추진 마인드셋으로 가고 싶다면 전전두엽 피질의 왼쪽에 더 많이 의존하도록 뇌의 회로를 다시 연결해야 한다. 다행인 점은 우리의 뇌는 놀라운 가소성이 있어서 그 작업이 가능하다는 것이다.

작은 반복적 연습으로 예방 마인드셋에서 추진 마인드셋으로 빠르게 전환할 수 있었는데 이때 도움이 되었던 세 가지 행동과 사용한 도구를 소개하겠다.

갤럽에서 나와 CSUF에 다시 들어간 직후, 나는 대학 리더십센터의 부원장을 맡았다. 이 자격으로 센터장과 함께 이사회 멤버들과의 만남을 가졌다. 어느 날 안티스 루핑 앤 워터프루핑Antis Roofing and Waterproofing(19장에 나옴)의 카리스마 넘치고 추진적 마인드를 가진 CEO, 찰스 안티스를 만났다. 몇 분 지나지 않아 찰스는 자신의 "성공 비결" 중 하나인 〈하루 5분 아침일기The Five-Minute Journal〉라는 책을 내게 건네주었다.

그가 처음 책을 건넸을 때 나는 열의를 표했지만 속으로는 "내가 일기를? 그런 일은 없지!"라고 생각하고 있었다. 하지만 그는 이 책이 하루를 정복하기 위한 올바른 마음가짐을 갖도록 설계된 도구라고 설명하며, 실천하는 데 5분밖에 걸리지 않는다고 했다. 일기에는 감사하는 세 가지, 멋진 하루를 만들어줄 세 가지, 그 날의 확언을 쓰고 이를 아침 습관으로 만들라는 내용이었다. 그리고 밤에는 낮에 일어났던 세 가지 놀라운 일과 그날을 어떻게 더 좋게 만들 수 있었는지를 적는다.

나 자신에게 2주를 주기로 했다. 도움이 된다면 좋을 텐데! 그렇지 않더라도 손해 볼 건 없다. 나는 하루 5분 아침 일기를 매일 실천하기 시작했다. 나의 하루를 멋지게 만들 세 가지를 적으니 목적의식이 훨씬 더 강해지는 것을 바로 깨달았다. 날마다 일어난 놀라운 일들을 검토하자 매일 더 놀라운 일을 만들어내려고 나 자신과 경쟁을 벌였다. 그 결과 목적의식이 더욱 더 강해졌다. 이 연습을 통해 추진 마인드셋의 언어를 배우기 시작했다. 나의 일기가 이 책을 쓰고 사업을 시작하기로 한 나의 결정에 연료를 공급했다고 믿는다.

더욱 더 놀라운 일을 하라는 영감을 받으면서 교수, 연구원, 기업가, 작가, 남편, 아버지, 자원봉사자로서의 역할을 동시에 하다 보니 언젠가부터 힘이 부치기 시작했다. 내가 진행하는 모든 일에 의미를 부여하고 방향을 설정하게 도와주는 무언가가 필요했다.

이 때 마이클 하얏트의 〈풀 포커스 플래너Full Focus Planner〉가 눈에 들어왔다. 이 플래너의 정수는 장기적 목표와 일상 단계 사이의 점들을 연결하게 한다는 것이다. 분기 단위로는 나의 장기적인 연간 목표를 설정, 평가 및 재평가하고, 분기별 목표를 설정하여 장기 목표에 더 가까이 가도록 만든다. 주 단위로는 이전 주에 달성한 진척도를 평가하여 큰 성과를 거둔 것을 파악한다. 그 다음 분기별 목표에 더 가까워지도록 다음 주 목표를 설정한다. 그리고 한 주의 목표를 달성할 수 있도록 그 날의 "빅 3"를 확인한다. 이렇게 하니 목표를 달성하는 데 가장 중요한 일을 계획한 후 우선순위에 놓게 되었고 그 다음 덜 중요한 일과 더 시급한 일을 배치할 수 있었다.

이렇게 플래너를 쓰다 보니 놀라운 나날을 만드는 것에 탄력이 붙었고, 나의 목적과 장기적인 목표를 좀 더 명확하게 세우자는 동기가 생겼으며 결국 추진 마인드셋을 기르는 데 필요한 목적지를 정할 수 있게 되었다.

마지막으로 명상을 시도했다. 헤드스페이스Headspace라는 앱을 다운받아 초급 시리즈를 무료로 해보았다. 이를 출발점으로 인사이트 타이머Insight Timer 같은 앱과 오더블Audible의 무료 명상 등을 이용하여 규칙적으로 명상했다.

〈하루 5분 아침일기〉와 〈풀 포커스 플래너〉에서 그랬던 것처럼 처음에는 명상의 이점을 즉각적으로 알지 못했지만, 오랜 시간 동안 규칙적으로 명상을 하다 보니 인지심리학자들이 말하는 것과 비슷한 효과를 보았다.

리처드 데이비드슨(위스콘신 대학교 감정 신경과학 연구실 교수, 현재 건강한 마음 센터라고 함)이 이끄는 10명의 연구팀은 명상이 뇌의 회로를 다시 연결하고 왼쪽 전전두엽 피질(긍정적인 생각과 인식을 일으키는 곳)에 더 많이 의존하도록 도움을 줄 수 있는지 알아보는 실험을 했다. 그들은 한 그룹의 참가자들을 모아 전전두엽의 처리과정을 평가했다. 참가자들의 절반은 8주간의 명상 프로그램에 참여했고, 나머지 절반은 대기자 명단에 올려놓고 같은 8주 동안 명상을 시키지 않다. 8주가 지나고 연구원들은 모든 참가자들의 전전두엽의 처리과정을 재측정했다. 명상 훈련을 받은 사람들은 이전 측정치에 비해 전전두엽 피질의 왼쪽에 더 많이 의존하는 것으로 나왔다. 따라서 그들은 긍정적인 신호를 더 많이 받았다. 대조군에 있는 사람들은 실제로 전전두엽 피질의 오른쪽, 즉 부정적인 면에 더 의존하는 것으로 밝혀졌다. 연구원들은 명상을 하면 뇌의 회로가 말 그대로 다시 연결되어 더욱 추진적인 마인드가 된다는 결론을 내렸다.

나도 이러한 명상의 효과를 봤다. 거의 매일 명상을 하고 그 시간이 쌓여가자 나의 뇌가 다시 연결되어 추진적인 마인드를 기르는 데 도움이 되었다.

목적지 발견하기

앞서 논의한 바와 같이 꾸준한 명상은 예방적인 마인드에서 추진적인 마인드로 뇌의 회로를 다시 연결하는 데 매우 중요한 역할을 한다. 하지만 추진 마인드셋에 필요한 조건을 개발하지 않는다면 명상할 생각조차 들지 않게 된다. 따라서 목적지와 그곳에 도달하는 단계를 확인하는 목표, 그리고 우리의 여정에서 마주칠 수 있는 바람과 폭풍에 용감하게 맞설 동기가 될 목적이나 "이유"를 개발해야 한다. 하지만 목적지를 파악하고 목표를 설정하며 명확한 목적을 세우는 일이 말처럼 쉽지는 않다. 확고하게 뿌리내린 예방 마인드셋으로 접근하면 그러한 행동이 완전히 이질적이고 불편할 수 있다. 그래서 몇 가지 지침과 방향 및 영감을 제시하고자 한다.

목적지 확인하기

진정한 성공은 우연히 이루어지는 경우가 드물다. 마음속에서 먼저 성공을 만들고 그것을 현실로 끌어내기 위해 의도적으로 행동을 취함으로써 성공을 이루어낸다. 이를 위해서는 성공이 우리에게 무엇을 의미하는지 명확하게 규명하고 이를 우리의 목적지로 만들어야 한다.

특히 예방 마인드셋을 가진 사람들의 경우, 의미 있는 목적지를 명확하게 규명하지 못하면, 동료들이 가치를 두는 것에 따라 기본 목적지를 설정하게 된다. 예를 들어 어떤 사람이 나아가야 할 목적지를 사전에 결정하지 않은 상태에서 친구들이 멋진 자동차나 유명 디자이너 옷 또는 큰 집을 가치 있게 여긴다면, 그 사람의 기본 목적지는 친구들과 똑같아질 것이다.

따라서 자신의 가치와 관심사를 바탕으로 목적지와 목적을 먼저 규명하는 것이 중요하다. 목적지와 목적을 선택해야 남은 생애 동안 타인의 시선에 얽매이지 않는다. 가장 중요한 것은 일단 목적지와 목적을 설정하는 것이며 우리가 성숙해질수록 목적지와 목적도 함께 성숙해질 것이다.

목적지를 설정하려 할 때 다음의 질문을 고려해야 한다.

- 만약 당신이 5~10년 안에 어떤 사람이 될 수 있다면, 어떤 사람이 될 것인가?
- 당신의 이상적인 미래는 어떤 모습인가?
- 미래의 자신의 모습을 묘사하고 싶은 10개의 단어는 무엇인가?

목적지를 설정할 때 고려해야 할 또 다른 질문은 배우이자 모델, 동기부여 연설가, 의류 디자이너, 작가, 스노우보드 장애인 올림픽 멀티 메달리스트로 대단한 활약을 하고 있는 에이미 퍼디에게서 나온다. 장애여성 스노보드 세계 랭킹 1위 선수로 댄싱 위드 스타(시즌18)의 준우승자다. 이렇게 많은 것을 성취했지만, 항상 순조로웠던 것은 아니다. 그녀는 TED 강연에서 19살에 세균성 뇌수막염에 걸린 경험을 공유한다. 의사들은 생존 확률이 2퍼센트라고 했다. 무릎 아래 두 다리를 모두 절단하고, 비장, 양쪽 신장, 왼쪽 귀의 청력을 잃었다. 그리고 아버지로부터 신장 이식을 받은 후, 이렇게 살아 있다. 어찌되었건 그녀는 생존 확률을 극복했다.

병원에서 막 퇴원했을 때 그녀의 삶은 지금으로선 상상도 할 수 없이 처참했다. 깊은 우울증에 빠져 "항상 원했던 흥미진진한 모험과 이야기로 가득 차길 원했던 나의 삶은 이제 어떻게 되는가?"라고 물었다. 그녀는 집으로 돌아와 침대로 기어들어갔고, 현실을 외면하려고 대부분의 시간을 침대에서 보냈다. "나는 신체적으로나 정신적으로나 완전히 망가졌다."고 말했다.

퍼디가 우울증에서 벗어나 성취를 향해 도전하고 추진 마인드셋을 장착하게 되는 데는 하나의 질문이 계기로 작용했다. "만약 당신의 삶이 한 권의 책이고 당신이 작가라면, 당신의 이야기를 어떻게 전개시키고 싶은가?" 그녀는 삶을 대함에 있어 자신의 부족함(무릎 아래의 다리가 없음)을 새로운 기회로 보기 시작했다. 예를 들면 원하는 만큼 다리를 늘릴 수도 줄일 수도 있고, 스노보드를 탈 때 발이 시리지도 않다. 그리고 세일하고 있는 신발을 사서 그 신발 사이즈에 맞게 발 크기를 조절할 수도 있다. 그런 인식의 전환 후, 그녀의 삶은 변하기 시작했다.

위의 목적지를 설정할 때 고려해야 할 3가지 질문들에 대한 명확한 대답이 떠오르면 감각적 접근법을 사용하여 마인드셋과 연관 지어 보라. 각 대답에 대해 생각하는 차원을 넘어 실제로 그것을 감지하려고 노력해 보는 것이다. 당신의 이상적인 미래는 어떻게 생겼는가? 어떤 느낌인가? 냄새는 어떤가? 맛은 어떤가? 어떤 소리가 나는가? 이러한 접근법은 목적지를 설정하고 추진 마인드셋을 강화시켜서 궁극적으로 목적지에 도달하는 과정에 도움이 될 것이다.

목표 설정하기

사람들이 예방 마인드셋을 갖고 있는지 추진 마인드셋을 갖고 있는지 평가하고 싶을 때, 나의 첫 번째 질문은 항상 "당신의 목표는 무엇입니까?"이다. 목표가 분명할수록 추진적인 마인드가 더욱 강하다.

나는 양심적이고 책임감 있고 체계적인 편이다. 오랫동안 이런 특성을 갖고 있었기 때문에 목표를 세울 필요가 없다고 생각했다. 이미 일이 잘 풀리는 것처럼 느꼈다. 〈하루 5분 아침일기〉와 〈풀 포커스 플래너〉 덕분에 목표가 없었을 때의 나는 항해하던 바다의 풍파에 휩쓸려 표류하던 예방적인 마인드를 가진 승객이었음이 분명했다. 명확한 목표를 가진 지금은 나의 노력을 허물어뜨리는 어떤 일이 발생하더라도 끝까지 밀고 나가는 운전자다. 쉽지 않지만 이것이 성공으로 가는 유일한 방법이라는 것을 나는 안다.

인생의 운전자가 되기 위해서는 목표를 세우는 것이 필수다. 목표는 중요하지 않은 행동을 버리고 관련된 행동에 초점을 맞추고, 활력을 불어넣고, 끈기를 키우며, 지속적으로 성과를 비교할 수 있는 기준을 제공하고, 표준에 맞추고자 하는 욕구를 증가시킴으로써 우리에게 힘을 준다.

목표를 적어라. 캘리포니아 도미니카 대학교 심리학 교수인 게일 매튜스가 실시한 연구에 따르면 목표를 적어 놓은 사람들은 목표 달성도가 42퍼센트 증가했다. 왜 그럴까? 첫째, 목표를 적는 것은 원하는 것을 구체화하고 목표를 달성하기 위해 필요한 단계 및 소요 시간을 계획하고 분석하게 한다. 또한 정기적으로 목표를 적고 검토함으로써 다음으로 행할 가장 중요한 행동에 대한 통찰력을 얻을 수 있다. 목표를 적는 행동은 의도를 향상시킨다.

명확한 목적 개발하기

목표를 설정하는 것을 넘어 목적지에 목적을 부여하기 위해 더 깊이 들어가 보자. 이 과정에서 "왜"라는 이유가 해명되면 당신이 여행 중에 불가피하게 부딪쳐야 하는 거친 바다와 강풍, 악천후를 헤쳐나가게 된다.

13장에 나온 나의 비공식적인 연구에서 나는 응답자의 11퍼센트가 문제에 중요한 생각을 더하는 방식으로 목적을 표현할 수 있었다는 것에 주목했다. 또한 리더의 20퍼센트 미만이 자신의 개인적 목적에 대한 강한 감각을 가지고 있는 것으로 나타났다.

강력한 목적을 규명하는 것의 중요성을 증명하기 위해 하버드 경영대학원 교수이자 〈혁신기업의 딜레마The Innovator's Dilemma〉 저자인 클레이튼 크리스텐슨의 다음 설명을 공유한다.

"내 인생에서 분명한 목적을 정하는 것은 필수적이었고 오랫동안 고심해서 알아내야 할 일이었다. 옥스퍼드대학교에서 로즈Rhods 장학금을 받으며 공부할 때 1년을 더 공부해야 할 양을 머릿속에 꾹꾹 밀어 넣을 만큼 고된 프로그램을 듣고 있었다. 이 와중에 나는 하나님이 나를 이 땅에 세우신 이유에 대해 읽고 생각하고 기도하며 매일 밤 한 시간을 보내기로 결심했다. 하지만 이 성찰의 시간을 가질 때마다 응용 계량경제학을 공부하지 못했기 때문에 지키기 쉽지 않았다. 공부할 시간을 빼앗겨가며 성찰을 해야 하는지 갈등에 휩싸였지만 꾸준히 했고, 결국 내 삶의 목적을 알아냈다.

만약 매일 그 시간을 회귀 분석의 자기 상관 문제를 푸는 최신 기술을 공부하는 데 썼다면, 내 인생을 완전히 허비했을 것이다. 계량경제학에 나오는 도구를 내 삶에 적용하는 것은 일 년에 몇 번 안 되지만, 내 삶의 목적에 대한 지식은 매일 적용한다. 이것은 내가 지금까지 배운 지식 중 가장 유용하다. 만약 학생들이 시간을 내어 인생의 목적을 알아본다면, 하버드 경영대학원에서 배운 것 중에서 가장 중요한 것이 인생의 목적이었다고 되돌아볼 것이라고 장담한다. 만약 학생들이 목적을 알아내지 못한다면, 방향타 없이 그냥 항해할 것이고 인생의 거친 바다에 휩쓸릴 것이다. 그들의 목적에 대한 명확성은 활동기준원가 계산, 균형성과기록표, 핵심 역량, 파괴적인 혁신, 네 가지의 P, 그리고 다섯 가지 힘 같은 이론을 능가할 것이다."

홀로코스트 생존자이자 정신과 의사인 빅터 프랭클의 말을 인용하자면, "'왜' 살아야 하는지 아는 사람은 '어떤' 상황도 견딜 수 있다."고 한다.

나의 목적을 개발하는 데에 여러 자료의 도움을 받았다. 다음은 이 장의 중요한 부분에서 영감을 받은 책들이다.

- 젠 신체로의 사는 게 귀찮다고 죽을 수는 없잖아요? You Are a Badass: How to Stop Doubting Your Greatness and Start Living an Awesome Life
- 닉 크레이그와 스콧 스눅의 목적에서 영향으로From Purpose to Impact
- 클레이튼 크리스텐슨, 제임스 올워스, 캐런 딜론의 하버드 인생학 특강How Will You Measure Your Life?
- 마이클 하얏트의 탁월한 인생을 만드는 법Your Best Year Ever
- 데이비드 고긴스의 나를 해칠 수 없다Can't Hurt Me: Master Your Mind and Defy the Odds
- 로저먼드 스톤 잰더와 밴저민 잰더의 가능성의 세계로 나아가라 The Art of Possibility: Transforming Professional and Personal Life
- 밥 버그와 존 데이비드 만의 레이첼의 커피The Go-Giver: A Little Story about a Powerful Business Idea
- 마이크 둘리의 매트릭스 재생 : 의도적 생활과 의식적 창조를 위한 프로그램 Playing the Matrix: A Program for Living Deliberately and Creating Consciously

당신이 알고 있거나 뉴스나 역사에서 본 적이 있는, 세상에 엄청난 긍정적인 영향을 준 사람들을 생각해 보라. 에이브러햄 링컨, 마틴 루터 킹 주니어, 넬슨 만델라 등 인류의 타이탄들이 떠오를 것이다. 그들은 어떤 목적을 가지고 있었을까? 안전이나 보안, 동료들이 중요하게 여기는 것에 근거한 목표는 확실히 아니었다. 그보다는 다른 사람들의 삶에 긍정적인 영향을 미치는 것에 기반을 두었을 것이다. 그들의 목적은 자기 중심적이기보다는 타인중심적이었다.

목적의 초점이 타인에 맞춰질수록 동기부여가 더 잘 되고 더 큰 영향력을 발휘한다. 진정으로 영감을 주는 리더들, 다른 사람들이 따르고 싶어 하는 사람들은 타인에 초점을 맞춘 목적을 바탕으로 활동한다. 문제와 손실을 피함으로써 개인적인 편안함을 높이려는 목적을 가지고 예방적 마인드로 활동하는 것은 그다지 고무적이지 않은 결과를 가져왔다.

운전석에 발을 들여놓기

현실은 당신의 지배적인 사고방식을 가지고 현재 당신이 있는 곳에 도달했다는 것이다. 현재 상황에 감명을 받지 않는다면, 변화를 주어야 할 때다.

젠 신체로는 저서 〈사는 게 귀찮다고 죽을 수는 없잖아요?〉에서 다음과 같이 말한다.

"만약 친구 중 누군가가 당신이 하는 일이나 또는 그런 일에 돈 쓰는 것을 본다면, 당신은 결코 그런 민망한 상황을 견딜 수 없기 때문에, 당신이 할 거라고는 상상도 못했던 일을 해야만 할 수도 있다. 그렇지 않으면 친구들이 당신을 걱정하거나 또는 이상하고 달라진 당신을 보고 친구 관계를 끊을 수도 있다. 당신은 당신이 볼 수 없는 것도 믿어야 하며, 때로는 확실하다고 여겨지는 어떤 것들이 사실 불가능하다는 것도 받아들여야 한다. 두려움을 극복하고, 실패를 거듭하며, 불편한 일을 하는 습관을 들여야 한다. 낡고 제한적인 믿음을 버리고 원하는 삶을 창조하기 위한 결정에 매달려야 한다."

젠 신체로는 추진 마인드셋을 꿈을 이루기 위해 인생의 바람과 해류, 폭풍에 맞서 항해할 의지라고 묘사하고 있다. 핵심은 목적지를 명확히 파악하고 목표를 설정하며 명확한 목적을 개발하는 것이다.

이 모든 것을 종합해 미시간 대학교의 개인 및 조직 변화 전문가이자 리더십 교수인 로버트 퀸은 다음과 같이 썼다.

"우리가 진정으로 헌신하고자 하는 목적을 가질 때, 바람직한 미래를 상상하고 그것에 몰두할 때, 우리가 희망하는 미래는 지금 우리가 무엇을 해야 할지 결정한다. 미래와 결속될 때 과거의 관습과 결별한다. 관습에 얽매이지 않는 행동을 하기 시작하며 새로운 미래가 등장하는 것이다. 어느 정도 과거의 영향을 받기는 하겠지만 목적에 따라 행동할 때 우리는 더 이상 지난날의 포로가 아니다. 지식과 욕망이 통합될 때 우리는 최소한의 저항의 길에서마저도 벗어나게 된다. 문제를 해결하는 것에서 목적을 찾는 것으로 이동해야 하며 이는 배움과 창조를 불러일으킨다."

성공이 찾아오기를 수동적으로 기다리기보다는 더 큰 성공을 창조하며 삶을 이끌어야 한다. 명확한 목적지를 파악하고 추진력 있는 일상을 실천하여 추진 마인드셋을 개발하고 당신만의 고유하고 의미 있는 목적지를 향해 발전해 나아가라.

V
PART

외향 마인드셋, 내향 마인드셋
Outward Mindset, Inward Mindset

|

승자는 협력을 통해 파이는 확장되며

그럴 때 원하는 만큼 얻을 수 있다고 믿는다.

Chapter 17

|

타인은 나만큼
최선을 다하지 않는다는 생각이
채찍을 들게 한다

우리의 인간성은 타인의 인간성을 감지하고 존중하며 그것에 반응하는 능력 위에 놓여 있다. -C. 테리 워너

다음의 사례 중 해당되는 것이 있는가?

- 운전할 때 다른 차가 깜빡이를 켰지만 당신의 차선으로 들어오지 못하게 막았다.
- 도움이나 정보를 요청하는 이메일을 무시했다.
- 당신에게 친절을 베푼 사람에게 감사 표시를 하지 않았다.

- 가족에게 친절을 베푸는 것이 어려운 일도 아니었는데 하지 않았다.
- 당신의 체면을 살리기 위해 다른 사람을 희생시켰다.

해당되는 것이 있는 것 같으면 우리 모임에 합류하길 바란다! 위의 사례들을 겪어본 사람들이 존재한다는 것은 나도 그럴 수 있다는 것이다. 내 생각엔 우리 모두가 그런 행동을 했었을 것이다.

내가 "그런 행동"이라고 했는데, 그런 행동이란 무엇일까? 초점의 문제다. 이런 상황에서 당신이 초점을 맞추었던 것은 무엇이었는가?

답이 나왔는가?

위 상황에서 초점은 우리 자신이었다. 서로 교류하는 사람들의 필요, 욕구, 관심보다 우리 자신의 그것이 더 중요하다고 확신하는 렌즈, 즉 마인드셋을 착용한 것이다. 더 단도직입적으로 말하자면, 우리 자신을 소중하고 가치 있는 인간으로 보는 반면 다른 사람들은 우리 자신보다 덜 중요한 대상으로 보고 있었다.

이런 경우가 내향 마인드셋이고, 연속체의 부정적인 쪽에 위치한다.

긍정적인 쪽에 있는 외향 마인드셋은 이와 다르다. 외향 마인드셋을

가지고 있을 때, 타인을 인간으로 대하고 소중한 존재로 생각한다. 타인을 자신과 똑같은 존재로 보고 심지어 더 중요한 존재로 보기도 한다. 이 마인드셋이 있어야만 타인의 감정, 필요, 욕망을 예민하게 알아차리고 이해하며, 타인에게 최대한 좋게 대응하려는 의지를 가질 수 있다.

이 두 가지 마인드셋이 작용하는 법을 이해하는 것과 외향 마인드셋을 갖추는 것은 적어도 두 가지 이유에서 필수적이다. 첫째, 사람들은 타인이 자신을 인간으로 보는지 아니면 대상으로 보는지에 대해 매우 민감하기 때문이다. 우리는 태어나는 순간부터 우리를 보는 다른 사람의 동기를 평가해 왔다. 이에 다른 사람의 내향 또는 외향 마인드셋을 측정하는 데 아주 능숙하다. 예를 들어 최근 타인(관리자, 동료, 영업사원 또는 식료품점 계산원 등)과 상호작용했던 것을 생각해 보자. 그들은 당신을 한 인간으로 보았을까 아니면 대상으로 보았을까? 당신에게 어떤 영향을 미쳤는가? 그들과 함께 있고 싶다거나 다시 함께 일하고 싶은 마음이 들었는가?

둘째, 우리의 내향 또는 외향 마인드셋은 타인과 하는 모든 상호작용에 관여하여 영향을 미치기 때문이다. 우리가 타인을 보는 방법과 그들에게 부여하는 가치의 수준은 그들에 대한 생각과 행동에 영향을 미친다. 우리가 누군가에게 내향 마인드셋을 가지고 있으면 상호작용이나 관계에 부정적인 영향을 미친다. 한편 외향 마인드셋을 가지고 있으면 긍정적인 영향을 미친다. 이해하기는 쉬우나 실천하기가 훨씬 어렵다.

벤자민 잰더

이러한 마인드셋의 생생한 이해와 우리 삶에서 어떤 역할을 하는지 소개하기 위해 보스턴 필하모닉 오케스트라의 창립자이자 지휘자인 벤자민 잰더를 소개하겠다.

음악계에서 지휘자는 전통적으로 다소 신비롭고 폭군적인 지도자 이미지가 있는데, 이들은 오케스트라 단원들 위에 군림하며 주로 그들에게 무엇을 어떻게 연주해야 하는지 지시한다.

50년이 넘는 경력 중 전반기 동안, 잰더는 자신이 전형적인 폭군기질을 가진 지도자의 틀에 딱 들어맞았다고 생각했다. 내향 마인드셋을 가진 인물로 자신이 오케스트라에서 가장 중요한 존재라 여겼다. 그의 눈에 단원들은 감정과 욕망을 가진 사람들이 아니라 그가 원하는 방식으로 음악을 연주하는 악기에 불과했다. 잰더에게 중요한 것은 다른 기회와 더 큰 성공을 이끌어 낼 명성, 청중의 감사 그리고 비판적인 찬사를 얻는 것이었는데, 거기에는 대가가 필요했다. 이 마인드셋은 단원들을 질책하고, 지칠 지경까지 몰아치고, 단원들이 오케스트라와 공연에 대한 의견을 내거나 개인적 공을 쌓지 못하게 하는 것을 정당화했다.

결과는 어떻게 되었을까? 그의 단원들은 고분고분 순종적으로 변했다. 그가 특정 곡을 어떻게 연주할지 결정짓는 것은 당연했고 단원들이 그와 소통할 수 있는 여지도 주지 않았다. 만약 단원들이 실수를 하면 심하게 비난했다. 그렇게 단원들을 소진시키려했던 이유는 그것이 그들에게 최선이기 때문이 아니라 자신에게 최선이라고 생각했기 때문이었다. 잰더의 마인드셋은 오케스트라 연주자들로 하여금 교도관들과 비슷한 직무만족도를 갖게 하는 환경을 조성했다.

불만족스럽고 지치고 의기소침한 사람들과 배려 받고 만족하고 몰입하는 사람들 중 누가 더 좋은 음악을 연주할 것이라고 생각하는가? 답은 분명하다. 내향 마인드셋인 사람들은 실천하는 데 어려움을 겪을 수밖에 없다.

　잰더는 지휘자 경력 중간 즈음에 자신이 오케스트라의 얼굴이기는 하지만 직접 곡을 연주하지는 않는다는 것을 깨달았다. 비록 그가 조직력도 가졌고 언론의 모든 관심을 받은 사람이기는 하지만, 진정한 힘은 단원들을 위대하게 만드는 능력에 있는 것이었다. 이 깨달음 이후 그는 외향 마인드셋을 발전시켰다.

　이러한 업그레이드는 극적인 결과를 가져왔다. 잰더는 단원들을 인격체, 심지어 훌륭한 음악을 창조하는 파트너로 보기 시작했다. 이제 그는 "내가 얼마나 잘 하고 있나?"라고 묻지 않고 "어떻게 하면 단원들을 활기차게 몰입시킬까?"라고 물었다. 이전에는 단원들에게 영향력을 행사하고 자신의 해석을 가르쳤다면 이제 연주자들이 각 구절을 최대한 아름답게 표현하도록 돕는 것에 집중했다. 이전에는 단원들의 의견에 관심을 두지 않았는데 이제 그들의 말에 귀 기울였다. 그리고 단원들을 자신의 필요, 욕구, 감정, 관심사, 독특한 재능 및 신성한 자질을 가진 인간으로 보았다. 연주자들이 자신보다 더 중요하다는 정도까지는 아니더라도 자신만큼 중요하다고 생각하기 시작한 것이다.

　잰더의 리더십에도 큰 변화가 있었다. 한번은 리허설 도중 연주자가 적절한 타이밍에 들어오지 않았다고 착각하여 잘못 들어왔다고 지적한 적이 있었다. 몇 분 후 그는 자기의 실수를 인정하고 사과했다. 리허설이 끝난 후 여러 명의 단원들이 그를 찾아와 그동안 지휘자가 자신의 실수를 인정하고 사과하는 것을 본 적이 없다고 말하며, 획기적인 것으로 받아들였다. 또한 그는 모든 단원들의 악보대에 빈종이 한 장을 올려두기 시작했고, 거기에 더 아름답게 연주할 수 있는 어떤 의견이라도 적어달라고 요청했다. 단원들은 자기들이 창조하고 있는 음악에 자신들의 목소리를 낼 수 있었고, 이는 경쟁이 극심한 오케스트라 세계에서 흔치 않은 기회였다.

젠더가 내향 마인드셋을 가졌을 때는 "내가 얼마나 위대해질 수 있을까?"라는 물음에 집착했었다. 이제 외향 마인드셋으로 바꾼 그가 가장 중요하게 묻는 질문은 "내가 다른 사람의 위대함을 얼마나 인정해줄 것인가?"이다.

만약 당신이 이 오케스트라 단원 중 한 명이라면 이 변화가 만들었을 차이를 상상할 수 있겠는가?

잠시 멈추고 다음 물음을 생각해보자. 당신은 주변 사람들을 어떻게 보는가? 인간으로 여기는가 대상으로 여기는가? 타인의 필요, 욕구, 감정 및 관심사가 당신 자신의 것만큼 중요한가?

내향 마인드셋과 외향 마인드셋의 실현

네 가지 마인드셋 중에서 변동이 가장 빠른 것은 내향/외향 마인드셋이다. 말 그대로 하루 사이에 두 가지 마인드셋 사이를 여러 번 오갈 수 있다. 하지만 젠더의 예에서 볼 수 있듯이 우리 안에는 더 지배적인 마인드셋이 존재한다.

자신의 삶을 돌이켜보고 내향 마인드셋이 더 강했던 때와 외향 마인드셋이 더 강했던 때를 생각해보라. 나의 십대 시절을 떠올려보고 또 다른 십대 아이들을 관찰해보면 사춘기 시절에는 주로 내향 마인드셋이 지배하고 있음을 알 수 있다. 우리도 세상이 우리를 중심으로 돌아간다고 생각한다. 만약 어떤 것이 나에게 직접 이득을 주지 않는다면, 굳이 관련되지 않으려고 한다.

어떤 사람들은 마인드셋을 십대 시절 이상으로 쉽게 업그레이드할 수 있다. 하지만 또 어떤 사람들에게는, 나도 그랬듯이, 그러한 변화가 쉽지만은 않다. 솔직히 이 마인드셋 세트가 내게는 가장 힘들었다.

우리가 지닌 마인드셋은 내적 요인과 환경적 요인에 의해 형성된다. 나는 항상 타인에게 중요하고 가치 있는 존재로 보이고 싶었다. 그래서 타인의 필요, 욕구, 감정, 관심사보다 나의 필요, 욕구, 감정, 관심사에 더 집중했다. 게다가 나는 형과 누나들이 많은 막내로 자랐기 때문에 세상이 나를 중심으로 돌아간다고 믿었다. 또한 경쟁적인 환경에서는 성취와 명예 또는 지위를 얻기 위해 타인을 대상으로 보며 쟁취해야 한다고 알고 있었다.

공감이 되는가?

우리가 인식해야 할 중요한 것은 내적인 요인이나 환경에 상관없이, 어떤 마인드셋을 채택하고 활용할지 선택할 수 있다는 것이다. 내향 마인드셋으로든 외향 마인드셋으로든 우리는 무엇이든 할 수 있다. 경쟁적인 환경에서 내 본연의 내향 마인드셋이 드러나게 할 수도 있고, 아니면 의도적으로 외향 마인드셋을 선택할 수도 있다. 벤자민 잰더가 증명했듯이 우리는 한 마인드셋에서 다른 마인드셋으로 변화를 주어 우리의 삶과 일, 리더십에 긍정적인 영향을 미칠 수 있는 힘이 있다.

가장 핵심적으로 기억해야 할 사항은 내향 마인드셋을 갖고 있더라도, 타인을 가치 있는 인격체로 간주하는 것이고, 이것이 우리의 기본적 의무라는 점이다. 역사적으로 중요한 사회운동을 생각해 보자. 거기에 관여한 사람들은 가치 있는 인격체로 보이길 원했던 이들이다. 내향 마인드셋을 바꾸지 않으면 타인의 가치를 평가절하 하고 그들의 자유와 기여도 및 잠재력을 제한할 수 있다.

당신의 마인드 셋은 연속체 중 어디에 있는가?

내향에서 외향까지의 연속체 중에서 당신의 마인드셋은 어디에 위치하는가? 내향 쪽에 더 가까운가? 아니면 외향 쪽에 더 가까운가?

개인 마인드셋 평가로 자신의 지배적인 마인드셋이 무엇인지 확인할 수 있지만, 현재의 마인드셋을 진단하고 보다 긍정적이고 외향적인 마인드셋을 일으키기 위해 스스로에게 세 가지 질문을 던져보자. 나 역시 이 세 가지 질문을 자주 하면서 외향 마인드셋이 더 강한지 여부를 확인해본다.

아마도 가장 쉽고 간단한 질문은 "나는 내향적일까 아니면 외향적일까?"일 것이다. 이 빠르고 확실한 리트머스 테스트로 현재 나의 마인드셋을 점검해본다. 가끔 질문을 살짝 바꿔보기도 한다. "나는 그들을 인간으로 보는가 아니면 대상으로 보는가?"

다음 두 질문은 조금 더 심오하다. 하나는 휴스턴 대학교의 연구 교수이자 뉴욕 타임스 베스트셀러 1위를 다섯 번이나 차지한 작가 브레네 브라운이 창안한 것이다. 그녀의 저서로는 〈나는 불완전한 나를 사랑한다The Gifts of Imperfection〉, 〈마음가면Daring Greatly〉, 〈라이징 스트롱Rising Strong〉, 〈진정한 나로 살아갈 용기Braving the Wilderness〉, and 〈리더의 용기Dare to Lead〉 등이 있다. 그녀의 주장은 독특하고 힘이 있다. 왜냐하면 수십 년 동안 모든 사람들에게 어떤 식으로든 영향을 미치는 수치심을 주제로 연구했기 때문이다.

라이징 스트롱 속에 나오는 "사람들이 할 수 있는 최선을 다하고 있다고 생각하는가?"라는 질문으로 나는 타인을 그 어느 때보다도 더 완전하게 보게 되었다.

당신의 생각은 어떠한가?

이 질문이 어떻게 발생했는지 그녀의 책에 배경 이야기가 있다.

어느 강연 전날 밤 호텔에 도착한 브라운은 다른 연사와 하나의 방을 같이 쓸 것이라는 말을 듣게 됐다. 기분이 썩 좋지는 않았다. 비흡연 객실을 배정받아 들어갔는데 룸메이트가 소파에 발을 올리고 시나몬롤을 지저분하게 먹고 있었다. 룸메이트는 브라운과 악수하려고 손을 내밀면서 손에 묻은 아이싱을 소파에 문질렀다. 그러더니 발코니로 나가 담배를 피웠다. 비흡연 객실에서 태연히 담배를 피우는 룸메이트의 모습에 브라운은 분노가 치밀었다.

다음날, 아직 룸메이트에 대한 화가 풀리지 않은 상태에서 브라운은 그녀의 테라피스트를 만났다. 상담 중 그녀는 룸메이트를 "하수구의 쥐"라고 칭하며 분노를 표출했다. 브라운의 분노가 극에 달했을 때 테라피스트가 핵심 질문을 던졌다. "룸메이트의 입장에서는 그 주말에 자기가 할 수 있는 최선을 다했을 가능성도 있지 않겠습니까?"

브라운은 강하게 부인하면서 테라피스트에게 질문을 되물었다.

"잘 모르겠어요" 테라피스트가 말했다. "하지만 저는 사람들이 자기가 할 수 있는 최선을 다하고 있다고 생각해요."

브라운은 수긍이 가지 않았다. 그녀는 그 질문을 가슴 한구석에 묻어 둔 채 연구를 계속 진행했다. 어느 날 연구를 마무리하면서 친구와 함께 저녁을 먹으러 나갔다. 저녁 식사를 하며 브라운은 친구에게 같은 질문을 해보았다. 친구는 그녀의 말에 동의했고, 모유 수유를 하지 않는 엄마들을 예로 들며 어떻게 그렇게 게으르고 쉽게 포기할 수 있냐며 비난했다. 친구는 "정말로 모유수유를 하지 않는 것이 최선이라면, 최선을 다하는 게 꼭 좋은 것만은 아닐 수도 있어."라고 말했다.

이 말을 듣고 브라운은 엄청난 충격을 받았다. 그녀 자신이 바로 필사적으로 애쓰고도 모유 수유를 하지 못한 엄마였기 때문이다. 그 순간 그녀는 자신도 친구만큼 아이들을 사랑한다고 설득하고 싶었고, 자신도 할 수 있는 한 최선을 다했다고 말하고 싶었다. 브라운은 최선을 다하지 않는 사람으로 보이는 것이 어떤 기분인지 깨달았다. 이번에는 남편에게 같은 질문을 해보았다. 남편은 곰곰이 생각하더니 "흠, 몰라, 정말 모르겠어. 내가 확실히 아는 건 사람들이 할 수 있는 최선을 다하고 있다고 가정할 때 내 삶이 더 나아진다는 거야. 그러면 분별심이 없어지고 본질에 집중하게 돼."

브라운은 이에 대해 이렇게 썼다. "남편의 대답이 진리처럼 느껴졌다. 가벼운 진리가 아니라 참된 진리."

나 역시 동의한다. 별로 자랑스럽지 않지만 내 인생을 변화시킨 예를 들어보겠다. 지금껏 살아오면서 돈을 구걸하는 노숙자가 보이면 내향 마인드셋의 렌즈를 꼈다. 나는 그들이 최선을 다하지 않는 것으로 보고 이렇게 묻고 싶었다. "왜 이 길모퉁이에 그렇게 서서 돈을 구걸하는 겁니까? 이왕이면 일을 구해본다든지, 좀 더 생산적으로 시간을 보내면 좋지 않습니까?" 이런 접근법으로 노숙자들을 보니 상당히 비판적이 되고 그들을 돕는다거나 이해할 마음이 들지 않았다. 그리고 나 자신을 더 중요하게 여기면서 돕고 싶지 않은 나의 마음을 어떻게든 정당화했다. "나는 그들보다 돈 쓸 데가 많다." 또는 더 심하게 "저 사람들은 내가 도움을 줄 가치가 없다."라고 생각했다. 그러나 브레네 브라운의 질문으로 인해 내 안에 있는 내향 마인드셋을 깨닫기 시작했다. 나는 처음으로 내 마인드셋의 부정적인 의미를 똑똑히 볼 수 있었다. 불편한 게 사실이지만 마인드셋을 업그레이드하기 위해서 꼭 필요했다.

이 질문에 대해 곰곰이 생각한 끝에 나는 외향 마인드셋의 렌즈를 통해 노숙자들을 다르게 보기 시작했다. 그들이 최선을 다하고 있다고 가정한 것이다. 그랬더니 전에는 생각해 본 적이 없는 의문이 들었다. "당신의 인생에서 무슨 일을 겪었길래 이렇게 할 수 밖에 없게 되었나요?" 이런 접근법으로 보니 비판적인 태도가 아니라 그들에게 동정심이 생겼고 심지어 공감하게 되었다. 나는 이제 그들의 감정, 필요, 욕망을 작게나마 이해할 수 있을 정도로 개방적이 되었고 돕고 싶은 마음마저 생겼다.

나는 지금까지 내향 마인드셋을 가지고 다른 사람들이 최선을 다하지 않는다고 가정하며 살았다. 이 때문에 나는 다른 사람들에게 비판적이었고 그들을 부정적인 시각으로 바라봤다. 슬프게도 나만 그런 게 아니다. 어느 단체든 내가 이 질문을 던지면 80퍼센트 이상은 다른 사람들이 최선을 다하지 않는다고 답한다.

브레네 브라운은 이 질문에 대한 연구를 통해 다른 사람들이 최선을 다하지 않는다고 생각하는 이들은 완벽주의와 그에 따른 수치심에 시달릴 수 있다고 밝혔다. 다른 사람들이 최선을 다하고 있다고 생각하는 사람들은 그들이 설정한 경계선 안에서 훨씬 더 자비롭고, 분별하지 않으며 더 건강하다. 또한 다른 사람들이 최선을 다하고 있다고 생각하는 이들은 자신의 가치뿐만 아니라 다른 사람들의 가치도 중요시한다는 것을 발견했다. 다시 말해 이 질문에 긍정적으로 대답할 수 있다는 것은 우리가 다른 사람들과 우리 자신에게 더 친절해지는 결과를 낳는다.

세 번째 질문은 똑같이 강력하지만 상황에 따라 조금 다를 수 있다. 생각만큼 도움이 되지 않는 사람들과 일을 했거나 함께 지냈던 때를 생각해 보라. 예를 들면 팀원들이 프로젝트에 신경 쓰지 않거나, 리더가 지나치게 비판적이고 기대에 못 미치는 방향을 제시하거나, 제멋대로인 아이들을 다루는 경우가 있을 것이다.

이러한 경우 자신에게 어떤 질문을 해보았는가? "왜 저 사람들은 도움이 되지 않는가?" 아니면 "그들이 빛나지 않는다면 나란 존재는 무슨 의미가 있겠는가?"

후자의 질문은 벤자민 잰더 덕분에 나온 것이다. 잰더는 내향 마인드셋에서 외향 마인드셋으로 바꾼 후 그런 의문을 품었다. 내향 마인드셋을 가졌을 때에는 자신이 이끄는 사람들보다 자신이 더 중요하고 올바르다고 보았다. 연주가 제대로 되지 않을 때에는 단원들에게 비난의 화살을 쏘았다. 하지만 외향 마인드셋으로 바꾼 후부터는 단원들을 이끌고 소통하는 자신의 방식에 문제가 있다고 생각하고 훨씬 개방적인 태도를 보였다. 이 때 나온 질문이 "그들이 빛나지 않는다면 나란 존재는 무슨 의미가 있겠는가?"이다.

대학 교수이자 열 살이 안 된 두 아이를 둔 부모로서, 나는 이렇게 하는 게 쉽지만은 않다. 그러나 한 학생이 수업 중에 졸거나(자주 그렇지는 않음) 또는 내가 아이들을 보는 게 힘겨운 경우(자주 그러함) 나는 "그들이 빛나지 않는다면 나란 존재는 무슨 의미가 있겠는가?"라고 물으려 한다. 이 질문은 매번 나에게 심오한 영향을 미친다. 그들이 보고 느끼는 것을 이해하고 그들과 더 잘 어울리고 그들이 요구하는 방식으로 도움을 주려면 내가 어떻게 맞춰줄 수 있는지 고심한다. 이를 위해 내가 어떤 조정을 할 수 있는지 고려해야 한다. 이 틀에 맞춰 묻지 않으면 나는 그저 "그들은 왜 빛나지 않는가?"라고 묻고 비판적이 된다. 그들에게 비난의 화살을 돌리는 것은 내가 더 할 수 있는 일이 많은데도 내가 잘하고 있다고 착각한다는 의미다.

나 자신에게 "그들이 빛나지 않는다면 나란 존재는 무슨 의미가 있겠는가?"라는 질문을 던지는 것만으로도 동료와 학생, 아이들은 새롭게 장착한 나의 외향성을 느낄 것이며, 그들의 마인드셋 형성에도 큰 영향을 미치게 될 것이다.

내향 마인드셋 또는 외향 마인드셋은 다른 사람들과의 모든 상호작용에서 근본적인 역할을 한다. 그렇기 때문에 우리는 현재의 마인드셋이 무엇인지 파악해야 하고 우리가 외향 마인드셋을 가지고 있는지 또는 그 마인드셋을 향해 가고 있는지 확인해야 한다. 위의 세 가지 질문을 인지함으로써 내향 마인드셋 또는 외향 마인드셋을 더욱 정확하게 파악하여 사고력, 학습력, 행동력을 개선하고 그 결과 삶, 일 및 리더십에서 성공할 수 있는 힘을 얻길 바란다. 다시, 그 세 가지 질문들이다.

- 나는 내향 마인드셋인가 아니면 외향 마인드셋인가?
- 사람들은, 일반적으로, 최선을 다하고 있다고 생각하는가?
- "그들이 빛나지 않는다면 나란 존재는 무슨 의미가 있겠는가?"

Chapter 18

|

결국 사람을 대하는 방식이
모든 것을 바꾼다.

타인을 한 인격체로 보는 것은 평범함의 장막을 허물고 각 인생 경험의 놀
라운 복잡성과 위엄을 드러낸다. -킴벌리 화이트

당신의 삶을 돌이켜보았을 때 삶의 궤적을 근본적으로 바꾸어 놓은
중요한 변곡점을 확인할 수 있겠는가? 예를 들어 결단을 내리고 어떤 행
동을 취하거나, 관계를 형성하거나, 통찰력을 얻었거나 아니면 어떤 상
황을 마주하게 되었을 때, 그 중심축이 되었던 것들 말이다. 피봇 포인트
를 말한다. 여기에는 한 가지 공통점이 있다. 바로 마인드셋의 변화다.
이 지점에서 우리는 다양한 이유로 우리가 보는 것과 생각하는 방식을
바꾸고 우리가 사는 방법을 변형시키면서 세상을 보는 데 사용했던 렌

즈를 바꿔 낀다.

나의 경우 겸손함을 알게 된 의미 깊은 변곡점은 내가 내향 마인드셋을 가지고 있다는 사실을 깨달은 날이다. 그때까지만 해도 나는 세상을 가장 좋은 방법으로 본다고 생각하며 일상을 살고 있었다. 나는 내 마인드셋에 대해 고민해 본 적이 없었고 내향 마인드셋에 대해서는 아예 무지했다. 나는 내가 원하는 대로 내 삶이 잘 펼쳐지고 있는지(내가 자기중심적이었음을 그럴싸하게 표현하는 방법)에 대한 고민이 많았고, 모든 사람들이 자신과 주변 세상을 나와 같이 생각할 것이라고 착각하고 있었다.

그러다가 운 좋게도 아빈저 연구소가 발간한 〈상자 밖에 있는 사람 Leadership and Self-Deception〉이라는 책을 만나게 되었다. 혹시 어떤 책이 당신의 변곡점이 된 적이 있는가? 이 책은 내향 마인드셋과 외향 마인드셋의 차이점을 집중 조명하고 각 마인드셋이 삶과 일, 리더십에 미치는 영향에 초점을 맞추고 있다. 내가 마인드셋에 첫 발을 디딘 계기였다.

이 책의 영향으로 내 삶의 변화를 겪고 보니 당신의 삶도 이런 영향을 받았으면 하는 마음이 들었다. 이 책은 이전까지 한 번도 생각해보거나 탐구해본 적 없는 내 마음 깊숙한 곳에 자리한 마인드셋을 일깨워주었다. 〈상자 밖에 있는 사람〉을 읽는 것은 "소경이었던 내가 눈을 뜨게 되었다"라는 구절 같이 뭔가 눈이 뜨이는 경험이었다. 한 편 내 안의 못난 면을 비추기도 했다. 나는 내향 마인드셋에 무지했기 때문에 그 마인드셋이 내가 보고 생각하고 살아가는 방식과 내가 타인과 상호작용하는 방식에 미치는 영향이 무엇인지 알지 못했다. 책을 읽으면서 온 몸이 겸손과 후회로 물든 것 같았다. 나의 겸손함은 내가 눈으로 보고 삶을 살아가는 방법이 최선이 아니라는 현실에 눈을 뜬 데서 비롯되었다. 나의 후회는 내가 타인을 사랑하고 배려한다는 말을 해왔지만, 내 안의 깊은 곳에서 내가 진정으로 사랑하고 배려하는 유일한 사람은 나 자신이었기 때문이다.

이를 깨닫고 나의 내향 마인드셋 때문에 타인을 희생시키면서 나 자신에게 이익이 되도록 행동했던 사례가 있었는지 기억을 더듬어봤다. 나 자신에게 그렇게 집중하지 않았더라면 삶과 인간관계가 얼마나 더 나아졌을지 궁금해졌다. 내 마음의 눈이 보는 세계에는 내가 했던 선한 일을 상징하는 언덕이 보였고, 그 옆에는 내향 마인드셋 때문에 만들 수 있어도 만들지 못했던 긍정적 차이를 상징하는 산이 있었다.

나는 후회하며 산을 바라보고 있었다.

이 깨달음의 경험으로 겸손해지고 고통스럽기도 했지만 동시에 해방감을 느꼈다. 이제 나는 후회 없이 살고 내가 교류하는 사람들에게 가장 이로운 영향을 미치며 살도록 내 근원과 마인드셋을 재설정할 수 있는 지식과 능력이 생긴 것 같았다.

그렇다면 그 후로 나는 외향 마인드셋으로만 살았을까? 절대 아니다. 나는 내향 마인드셋으로 금방 되돌아가기 때문에 다른 사람들의 삶에 더 긍정적인 영향을 미칠 기회를 많이 놓치기도 한다. 하지만 이런 마인드셋을 깨달았으니 적어도 내가 어떤 마인드셋을 가질지 선택할 수 있고 마인드셋을 바꿀 힘이 내 안에 있다는 생각이 든다. 내향 및 외향 마인드셋을 배우기 전에는 부정적으로 보고 행동한다는 것을 몰랐고, 어떤 대안적인 관점을 생각해볼 겨를도 없었다. 이제 더 이상 나의 부정적인 마인드셋에 자연스럽게 편승하는 수동적인 승객이 아니다. 대신 나의 삶, 인간관계 및 상호작용을 가장 효율적인 방법으로 탐색할 수 있는 권한을 가진 운전자다.

나에 대해서는 이만하면 충분한 것 같다. 외향 마인드셋과 내향 마인드셋을 소유하는 것이 우리의 생각, 배움 및 행동을 어떻게 주도하는지 살펴보자.

생각

내향 또는 외향 마인드셋이 생각에 미치는 영향은 심오하다.

언젠가 육아가 주제인 회의에 초대된 적이 있었다. 육아 개선 방법에 대한 나의 생각을 나누어달라고 했다. 나는 우리가 더 좋은 부모가 되고자 한다면, 먼저 육아로 힘들었던 때를 되돌아보고 그 순간에 스스로에게 이렇게 물어보라고 제안했다. "그들이 빛나지 않는다면 나란 존재는 무슨 의미가 있겠는가?" 나는 이 질문을 통해 우리가 어떻게 외향 마인드셋을 가질 수 있는지, 그리고 아이들의 내재된 욕구를 충족시켜주기 위해 어떻게 맞춤형 육아를 할 수 있는지 설명했다.

나의 논평이 끝난 직후 몇 년 동안 알고 지내온 사람이 내 의견에 정중하게 반대했다. 톰이라는 가명을 쓰겠다. 예전부터 톰과 있었던 일을 되짚어보면 그가 강한 내향 마인드셋을 가지고 있다는 생각이 든다. 가장 확실한 지표는 그가 양육하고 리드하고 관리하는 방법이 "내 방식대로 따르든지 아니면 떠나라" 식의 접근법이라는 것이다. 이것은 부모에게 가장 손쉬운 방법이기는 하나, 부모가 아닌 자녀에게 좋은 것을 생각하게 하는 문은 닫아버리기 때문에 내향 접근방식이라 할 수 있다.

톰은 대답하면서 감정이 북받쳐 눈물까지 보였다. 부모로서 우리가 할 수 있는 일이 더 이상 없을 때도 있고, 부모로서 아무리 잘해도 자식들이 "도"를 벗어나는 경우도 있다고 했다. 톰은 2년 터울의 20대 초반 두 아이들을 같은 방식으로 양육했다고 설명했다. 한 명은 부모가 자랑스러워할 "모범적인" 아이로 자랐고, 다른 한 명은 마약과 포르노 산업에 손을 댔다.

톰의 육아 방식은 나와 완전히 달랐기 때문에 관심이 갔다. 톰은 자녀들에게 동일한 육아 방식을 적용하는 것이 모두에게 최선이라고 생각했다. 그리고 자녀들을 훌륭히 키우기 위해 할 수 있는 모든 것을 다했으나, 마약 등에 손을 댄 딸의 위험한 행동을 막을 방법은 없었다고 생각했다. 반대로 나는 자녀 한 명 한 명에게 맞춘 개별화된 육아 방식이 부모에게 어려울 수 있지만 자녀들에게는 최선이라고 생각했다. 우리는 자녀를 훌륭히 키우기 위해 늘 공부하고 보다 많은 일을 하려고 노력하고, 안 좋은 일이 생길 때에는 그들이 빛나지 않는다면 나란 존재는 무슨 의미가 있는지 성찰해야 한다고 생각했다.

톰처럼 내향 마인드셋을 가진 사람이 있다면, 그 사람은 나쁜 사람인 걸까? 아니면 틀린 사람일까? 내가 내향 마인드셋을 강하게 쓸 때 나는 나쁜 사람인가? 꼭 그렇지는 않다. 나는 일부러 남에게 해를 끼치며 살지 않았다. 톰도 마찬가지였다. 하지만 내가 내향 마인드셋을 가졌던 시절을 되돌아보면, 주변 사람들에게 어떤 부수적인 피해를 주는 행동을 했는지 알 수 있다.

예를 하나 들어보겠다. 앞서 언급했듯이 나는 대학에서 농구 선수로 뛸 목표를 가지고 학창시절을 보냈다. 안타깝지만 사람이 내향 마인드셋을 가지고 있으면 풍요로운 사고보다는 결핍된 사고를 한다. 결핍된 사고를 하는 사람들은 삶의 보상이 한정된 파이를 나눠 갖는, 즉 가능한 한 파이를 많이 차지해야 하는 경쟁이라고 믿는다. 풍요로운 사고를 하는 사람들은 삶의 보상을 확장되는 파이, 즉 협력을 통해 누구나 파이의 크기를 늘리고 자신이 원하거나 필요한 만큼 얻을 수 있다고 믿는다. 나는 내향 마인드셋과 결핍된 사고 때문에 동료들을 이겨야 할 경쟁자로 보았다. 이로 인해 팀의 승리를 위해 협력하는 것보다 나 혼자 경기를 잘해서 득점하고 리바운드하는 것을 우선시하게 되었다. 이런 마인드셋으로 "볼 호그(ball hog, 자기가 많이 득점하려고 하는 선수-역주)"가 정당하다고 느꼈다. 나는 괄목할 만한 성과를 냈지만, 내가 팀과 동료들에게 부정적인 영향을 미치고 있다는 사실은 모르고 있었다. 이제는 분명히 안다. 나는 우리 팀에 부정적인 분위기를 조성했고, 공동의 성공을 제한하는 방식으로 행동했다.

내향 마인드셋에 빠져 있으면 자신의 생각과 행동을 정당화시킨다. 동시에 우리의 행동이 다른 사람들에게 미치는 부정적인 영향을 보지 못한다. 나는 요즘도 힘든 하루를 보내고 나면 다시 내향 마인드셋으로 돌아갈 때가 있다. 그런 날은 이해심이 바닥나고 좌절감을 많이 느낀다. 예를 들어 내 아이들이 식사 중에 컵이나 그릇을 엎는 것은 흔히 일어나는 일이다. 내가 외향 마인드셋을 가질 때는 이런 상황을 가르칠 기회로, 심지어 어질러진 상황을 함께 정리하며 아이들과 유대감을 쌓는 기회로 본다.

내향 마인드셋을 가질 때에는 같은 상황을 내가 감당해야 할 엄청난 좌절감으로 본다. 나도 모르게 좌절하고 아이들을 비난하게 된다. 나의 내향 마인드셋이 불편함을 원치 않기 때문에 나는 그 상황을 아이들과 유대감을 쌓고 가르칠 수 있는 기회로 보지 못한다.

배움

내향 마인드셋을 가지고 있을 때 자기 자신의 모습을 가장 좋게 그린다. 성공 가도를 달릴 때는 예상보다 더 많이 그리고 더 빨리 인정을 받는다. 실패할 때는 재빨리 다른 사람들에게 책임을 전가한 채 어떻게 무엇이 질못되있는지 파악하시 못한나. 이넌 견지에서는 배우고, 성장하고, 발전할 여지가 거의 없다.

1장에 나온 앨런의 예로 돌아가 보자. 커리어 전반부에서 보이는 경영 스타일은 벤자민 잰더와 비슷하다. 그는 부하직원들을 그의 명령을 수행하는 도구로 보는 것이다. 그는 직원들을 대상으로 취급하여 직원들의 필요, 욕구, 관심에 둔감하고 직원들이 받는 급여보다 가치가 낮고 적합하지 않은 업무를 시킨다(예를 들어 그의 개인 사무실 청소하기). 그러니 조직의 이직률이 높아질 수밖에 없다. 이 문제가 자기 탓이라는 것을 모르고 자신은 효과적으로 경영하고 있다고 믿기 때문에 경영 방식을 바꾸거나 개선할 마음이 없다.

그러나 앨런이 마인드셋을 조금 더 외향적으로 바꾼다면 다음의 두 가지 방법을 통해 배우고 향상시킬 수 있는 능력이 강화될 것이다. 첫째, 앨런이 타인을 대상으로 본다면 타인의 말에 귀 기울일 가능성이 얼마나 될까? 그렇시 않고 타인을 소중한 사람으로 본다면 어떨까? 그러면 다른 사람들의 생각, 아이디어, 의견, 제안, 피드백에 대해 훨씬 더 개방적이고 이를 귀하게 여길 것이다. 타인의 생각이 자신의 생각만큼 중요하다고 믿을 때와 자신의 생각이 타인의 생각보다 더 중요하다고 믿을 때에 배울 수 있는 능력은 엄청나게 차이가 난다.

둘째, 앨런이 어떤 문제가 발생할 때 마인드셋에 따라 어떻게 다르게 반응할지 생각해 보자. 내향 마인드셋에 얽매여 있으면 문제의 원인을 다른 사람의 탓으로 돌리고, "그들은 왜 이러는가?"라고 물을 것이다. 그러나 앨런이 외향 마인드셋으로 바꾸면 문제의 원인을 잠재적으로 자신의 탓으로 보고 벤자민 잰더의 위대한 질문을 던질 것이다. "그들이 빛나지 않는다면 나란 존재는 무슨 의미가 있겠는가?"

이 질문이나 이와 비슷한 질문들로 앨런은 발전할 수 있는 통찰력을 얻을 것이다. 외향 마인드셋이 아니었다면 알지 못했을 것이다. 이 두 가지 옵션 중 어떤 것이 학습 속도를 높이고 개인 성장을 이끌까?

우리가 외향 마인드셋을 가지고 행동할 때, 자신과 다른 사람들을 더 분명하고 정확하게 파악할 수 있다. 우리 자신의 부족함은 물론 다른 사람들의 타고난 가치도 볼 수 있다. 둘 다 겸손함의 필수 조건이며, 배우고 성장하고 발전할 수 있는 가능성을 높이는 등의 긍정적인 결과를 얻기 위해 꼭 필요하다.

행동

우리의 마인드셋은 연쇄 반응을 일으킨다. 맨 먼저 우리가 타인을 어떻게 생각하는지 지시한 다음 타인을 생각하는 방식에 따라 타인을 대한다. 우리가 타인을 보는 방식은 우리가 그들에게 어떻게 행동하는지에 영향을 미친다.

우리가 타인을 대상으로 여기면 보통 부정적으로 대하게 된다. 내향 마인드셋에 빠지기 쉬운 일상의 활동인 운전을 예로 들어 보자. 다른 사람이 깜빡이를 켜고 들어오는데도 당신의 차선으로 들여보내지 않은 적이 있는가? 다른 차들을 앞지르기 위해 공격적으로 교통의 흐름을 방해한 적이 있는가? 누군가에게 소리를 지르거나 상대방을 향해 외설적인 제스처를 취한 적이 있는가? 이것은 모두 당신이 타인을 부정적으로 대하는 것과 관련된 행동이다. 또한 다른 운전자를 당신의 길을 방해하는 사물, 당신보다 덜 중요한 사람으로 보는 내향 마인드셋을 가질 때 취하는 행동이기도 하다.

내향 마인드셋을 가지면, 미흡하고 심지어 받아들일 수 없는 행동을 정당화하려고 한다. 영화 히든 피겨스에 이를 보여주는 멋진 장면이 나온다. 캐서린 존슨은 성별과 인종 때문에 동료들에게 견제를 받는다. 비가 퍼붓는 어느 날 캐서린은 NASA 여성들의 표준 복장인 원피스에 하이힐을 신고 NASA의 넓은 랭글리 필드 캠퍼스를 가로질러 달렸다. 캠퍼스에 있는 유일한 유색인 화장실에서 사무실 책상으로 달려가는 길이었다. 그 사무실은 NASA의 수석 수학자들과 함께 일하고 있는 곳이고 동료들은 모두 백인이다.

그녀가 도착하자마자 알 해리슨은 그녀에게 "도대체 매일 40분씩 어딜 가 있는 건가?"라고 묻는다. 그녀는 분개하며 강력하게 말했다.

"여기엔 제가 쓸 화장실이 없어요……. 이 건물에는 유색인을 위한 화장실이 없어요. 웨스트 캠퍼스 밖 어느 건물에도 없어요. 800미터나 가야 있지요, 알고는 계셨어요? 볼 일 보러 그 먼 거리를 걸어가야 해요. 자전거도 이용할 수 없어요. 생각해보세요, 본부장님. 근무 중엔 무릎 아래로 내려오는 치마에 구두를 신어야 하고 진주 목걸이를 착용해야 하잖아요. 참, 진주 같은 건 없어요. 유색인은 진주를 살만큼의 급여를 받지 못한다는 건 누구나 알잖아요! 밤낮으로 열심히 일해요. 내가 만지는 걸 모두 원하지 않으니 저만 다른 포트에 커피를 끓여 마시면서요! 그러니 양해 바랄게요. 하루에 몇 번은 화장실에 가야 하니까요."

사람들이 2등 시민이나 더 하급 시민으로 처우되는 이유는 무엇인가? 부당하게 대우받는 것을 보고도 도움을 주기 위해 개입하지 않는 사람들이 한 가득인 이유는 무엇인가? 주요 원인은 자신을 타인보다 더 중요한 존재로 보고 타인을 사물로 보는 내향 마인드셋이다.

정신과 의사들과 치료사들이 건강한 관계의 가장 중요한 요소라고 말하는 정서적 조율emotional attunement은 타인을 인간으로 볼 때만 가능하다. 결혼 전문가 존 고트먼은 그의 블로그에 "조율하지 않고 건강한 관계를 육성하는 것은 불가능하다"라고 표명한다. 고트만은 정서적 조율을 "[타인의] 내면세계를 이해하고 존중하려는 욕망과 능력"으로 정의한다. 타인의 감정과 정서를 인정하고 적절하게 대응하면서, 예민하게 알아차리는 것이다.

사람들이 당신과 잘 조율하지 못한 사례들을 생각해 볼 수 있는가? 직장에서 힘들었는데 아무도 신경 쓰지 않는 것 같았을 때? 청구서나 제품에 대해 정당한 불만을 제기했는데 고객 서비스 담당자나 회사가 제대로 대응하지 않는 것 같을 때? 아니면 당신의 소중한 사람이 당신의 고민보다 자기가 하고 있는 일(예를 들어 TV시청)에 더 몰두하고 있는 것 같을 때? 이런 상황에서 어떤 기분이 들었는가?

타인이 당신의 감정에 대해 무관심한 상황과 당신의 감정 및 당신이 필요한 것이 무엇인지 이해하고 싶어 당신에게 조율하는 상황 사이에는 커다란 차이가 있다. 당신에게 조율하는 사람에게는 존경심이 크게 일지만, 조율하기를 원하지 않는 사람에게는 존경심이 생기지 않는다.

킴벌리 화이트가 그녀의 저서〈전환: 사람을 사람 그 자체로 보는 것이 모든 것을 바꾼다The Shift: What Looking People as People Changes Everything〉에 쓴 에피소드에서 이러한 대조를 확인할 수 있다.

요양원의 시스템 컨설턴트로 일하면서 화이트는 업무에 익숙해졌고 환자들을 만나는 것을 즐겼다. 하지만 그녀가 피하고 싶었던 앨리스라는 환자가 있었다. 앨리스는 두개골의 절반이 없었고, 왼쪽 눈 위로 머리가 기괴하게 움푹 패여 있었다. 앨리스는 평소에 야구 모자를 쓰고 다녔지만, 그 외모는 여전히 눈에 띄었다. 화이트는 앨리스와 마주치면 자신이 공포에 떠는 모습을 보여줄지도 모른다는 두려움 때문에 앨리스를 피하려고 했다.

어느 점심시간에 화이트는 식당 저쪽에서 앨리스가 지나가던 보조원을 부르는 소리를 듣고 식사를 멈췄다. 안타깝게도 보조원은 앨리스의 부름에 응답하지 못한 채 바로 옆을 지나쳐 갔다. 아무 대답도 듣지 못하자 앨리스는 꽤 잘 들릴 정도로 욕이 섞인 말을 중얼거렸다. 몇 분후 보조원이 근처로 돌아왔고 앨리스는 어눌한 발음으로 "물병"을 말하며 다시 불렀다. 하지만 보조원은 또 지나쳐 갔고, 앨리스는 다시 욕을 섞어 반응했다.

그때 다른 직원이 식당으로 들어오자 앨리스는 "물병이요!"라고 또 말했다. 이번에는 물병을 흔들며 외쳤다. 그러나 그 직원 역시 도움을 주지 못하고 지나가자 앨리스는 다른 욕설을 퍼부었다. 앨리스는 자신이 상대방과 제대로 조율되지 못하고 있다고 느꼈다.

화이트는 마치 자신이 곤경에 처한 것 같은 기분이 들었다. 앨리스에게 가서 해결해주어야 할까? 어색한 결과가 나올 것이 뻔한 데도? 아니면 아무 일도 없다는 듯 점심을 계속 먹어야 할까? 갈팡질팡하던 화이트는 예전에 자신이 머리 부상을 당한 뒤 일반 가정용품의 이름이 기억나지 않아 고생했던 기억을 떠올렸다. 그런 경우 하고 싶은 말이 무엇인지 아는데도 뇌가 단어에 접근하지 못한다. 즉 실어증이다. 그녀는 그것이 얼마나 답답하고 당황스러운지 기억했다. 앨리스의 얼굴에도 똑같은 좌절과 당혹감이 보였다.

어느새 화이트는 앨리스에게 걸어가고 있었다. 화이트는 앨리스가 물을 마실 수 있게 도와주었고, 말소리와 단어를 올바르게 내지 못하는 좌절감에 공감해주었다. 그 후 화이트는 앨리스에 대해 조금씩 알아가고 그녀가 원하는 것을 정확히 파악하기 위한 시간을 가졌다.

화이트는 그 순간 자신을 덮친 감정을 말로 표현하기 어렵다고 저술한다. 앨리스의 기형적인 머리도 전혀 거슬리지 않은 채로 앨리스와 몇 분 동안 이야기를 나누었다. 전에는 두려워서 못했던 일이다. 불과 몇 센티 떨어진 곳에서, 화이트를 기이한 형상이 아닌 한 사람으로 보고 있었다.

작업을 마친 후 화이트는 "방방 뛰며 달리고 춤추고" 싶었다. 상기된 마음을 바깥으로 표현하고 싶었던 것이다. 자신이 살아가는 하루하루 날들이 다른 사람에게도 중요할 수 있다는 것을 느꼈다. "나로 인해 다른 사람의 삶이 더 나아진 게 언제였는지 기억도 안 났다."

이 사건 전에 화이트는 내향 마인드셋 렌즈를 통해 앨리스를 바라보았다. 자기 자신과 걱정거리에 몰두했으므로 기형적인 머리를 보는 것이 편하지 않았다. 외향 마인드셋을 지니고 나서야 앨리스를 필요와 욕구가 있는 사람으로 보고 도움을 주기 위해 개입할 수 있었다.

이 이야기를 쓰고 있자니 나는 이 순간의 힘, 외향 마인드셋과 그에 따른 조율이 만들어내는 힘이 느껴져서 눈시울이 뜨거워진다. 또한 나의 내향 마인드셋 때문에 타인의 삶을 더 밝고 더 좋게 만들 기회를 너무 자주 포기한다는 것을 생각하니 다시 눈가가 촉촉해진다.

요약

이 책의 핵심 메시지는 외향 마인드셋이 우리가 상황을 보는 방식과 우리와 관계를 맺고 있는 사람들을 생각하는 방식을 변화시킨다는 것이다. 타인의 진정한 가치를 알 수 있는 것은 외향 마인드셋을 가질 때만 가능하다. 그것은 타인과 관련된 우리 자신의 진정한 가치를 알 수 있는 유일한 방법이다.

내향 및 외향 마인드셋이 우리 자신과 타인을 다른 방식으로 보게 하는 다섯 가지 방법을 되짚어보면서 이번 장을 마무리하겠다. 각 방법을 읽으면서 "어떤 관점이 '더 진정한' 관점인가?"를 생각해보자.

	내향	외향
우리 자신을 어떻게 보는가	우리는 타인보다 더 중요하고, 세상은 우리를 중심으로 돌아간다	우리 자신을 더 큰 퍼즐의 한 조각으로 생각하고, 모든 조각은 인생이라 불리는 걸작에서 중요한 역할을 한다

	내향	외향
타인을 어떻게 보는가	타인은 우리를 돕거나 최소한 우리를 방해하지 않는 사물이나 자원이다	타인은 매우 소중한 사람이자 파트너다
타인의 감정, 욕구 및 정서를 어떻게 보는가	타인을 비인격체로 보고 그들의 관점이나 감정, 욕구 및 정서를 고려하지 않는다	타인을 인격체로 보고 그들의 관점을 추구하고 그들의 감정, 욕구 및 정서를 고려한다
타인의 생각, 행동 및 노력을 어떻게 보는가	타인이 최선을 다하지 않고 우리로 하여금 판단하고 비판하게 만든다고 생각한다	타인이 최선을 다하고 있다고 생각하기에 공감은 더 많이 하고 판단과 비판은 덜 한다
실패와 부정적인 경험을 보는 방법	부정적인 경험은 다른 사람들의 잘못이다	최소한 실패나 부정적인 경험에서 우리가 한 역할에 의문을 제기한다

결국 외향 마인드셋을 가질 때 더 명확하게 보고, 현실에 더 많은 기반을 두며, 주변 사람들과 더 조화롭게 살게 된다.

Chapter 19

|

삶, 일 및 리더십의 성공을 이끄는 외향 마인드셋의 힘

다른 사람들의 가치를 높여주기 위해서는 먼저 그 사람들을 소중하게 생각해야 한다. -존 C. 맥스웰

마이클 아른트는 영화 시나리오 분야에서 성공의 정점을 찍었다. 그는 아카데미 최우수 작품상과 최우수 각본상을 수상한 〈미스 리틀 선샤인Little Miss Sunshine〉을 썼다. 또한 〈토이 스토리 3Toy Story 3〉, 〈헝거게임: 캣칭 파이어The Hunger Games:Catching Fire〉 및 〈스타워즈: 깨어난 포스Star Wars:The Force Awakens〉의 각본을 썼다.

마이클은 영화가 성공하기 위해서 영화 제작자에게 필요한 것이 무

엇인지 알고 있다. 그는 영화 제작자들이 자기 마음에 드는 영화보다는 다른 사람들을 위한 영화를 만들어야 한다고 말한다. 내향에서 외향 마인드셋으로의 약간의 관점 변화이지만 이는 영화의 성패를 좌우한다.

이 변화는 성공을 위해 필수적이지만 때로는 고통을 수반하기도 한다. 그는 "고통의 일부는 통제권을 포기하는 것"이라고 말하는데, 이는 개인적으로 사랑하거나 가치 있게 생각하는 것도 효과가 없으면 과감하게 포기해야 한다는 것을 의미한다. 그는 이어 "세상에서 가장 재미있는 농담인 것 같지만 그 방에 있는 사람이 아무도 웃지 않으면 나는 그것을 버려야 한다. 자신이 못 보는 것을 저들만 본다는 것을 알 때 마음이 아프다."라고 말했다.

우리 앞의 더 큰 성공을 가로막고 있는 것은 앞서 마이클이 제안한 것을 하지 않으려는 우리의 마음이다. 즉 우리가 원하는 것을 버리고 우리가 봉사하는 사람들에게 가장 좋은 방향으로 마음을 돌리는 것이다. 내향 마인드셋을 가지고 있고 개인의 중요성에 빠져 있을 때, 방향을 틀거나 놓아주는 것이 더욱 어려워진다.

이 장에서는 외향 마인드셋을 더욱 발전시켜서 우리가 누구인지, 무엇이 최선이라고 생각하는지에 대한 관념을 풀 때 우리 앞에 어떤 가능성이 펼쳐질지 탐구해볼 것이다.

삶에서의 성공

내향 마인드셋을 가질 경우, 하루를 어떻게 시작하는지 상상해 보자. 침대에서 나온 뒤 부엌으로 걸어가 설거지가 가득 쌓인 싱크대를 본다. 당신은 즉시 배우자, 중요한 다른 사람, 또는 룸메이트에 대해 판단하게 되고 비판적이 된다. 왜냐하면 설거지 거리로 가득 찬 싱크대는 상대방이 최선을 다하지 않고 있고 설거지를 당신에게 맡기는 불편함 따위는 신경 쓰지 않는다는 명백한 증거이기 때문이다. 다음으로 컴퓨터 앞으로 가서 이메일을 보낸다. 당신이 이메일에 점점 집중하고 있는데 아이, 배우자 또는 룸메이트가 놀다가 장난감을 밀치거나 그다지 흥미롭지 않은 소셜 미디어 게시물을 읽으라고 강요함으로써 당신을 방해한다. 당신은 (정중하게) 지금 하는 일이 있다고 설명하고 곧바로 일루 돌아간다. 그들의 눈빛이 약간 흐려지는 것은 알아보지 못한다.

그런 다음 출근길에 들어섰는데 주차장을 방불케 하는 교통체증에 거의 기다시피 간다. 백미러에 보이는 차 한대가 갓길 위를 달리며 수십 대의 차를 추월하더니 다시 차선으로 들어오기 위해 당신 앞에서 끼어들려고 한다. 마지못해 들여보내지만 그 과정에서 경적을 울리고 욕설의 제스처를 취해 불쾌감을 알린다. 이 모든 일은 당신이 직장에 도착하기도 전에 일어난다. 이 마인드셋을 계속 가진다면 나머지 하루가 어떻게 펼쳐질지 상상해 보라.

이 사례나 이와 비슷한 경우에서 얼마나 많은 것이 당신의 삶과 닮았는가? 이런 식으로 사는 것이 성공적인 삶이라고 당신은 생각하는가?

내향 마인드셋과 외향 마인드셋은 삶의 여러 측면에 영향을 미치지만, 특히 인간관계에 많은 영향을 미친다. 내향 마인드셋을 가진 사람들은 우리 삶에서 상호간의 양질의 관계가 삶에서 하는 역할을 과소평가한다. 그들은 관계를 단기적이고 어떤 순간에 도움이 되는 기분 좋은 동반 관계 정도로 본다. 외향 마인드셋을 가진 사람들은 양질의 관계를 행복하고 만족스러운 삶의 핵심으로 본다.

만약 당신이 긍정적이고 지속적인 관계가 성공적인 삶을 정의하는 중요한 부분임에 동의한다면, 그리고 배우자, 자녀, 부모, 형제자매, 친구 또는 동료와의 관계를 개선하고 싶은 부분이 있다면, 외향 마인드셋을 개발하거나 현재의 마인드셋을 개선할 필요가 있다.

먼저 다음 질문에 답해보자.

1. 누군가가 당신을 대상으로 보고 있다는 것을 알 수 있는가?
2. 누군가가 당신을 대상으로 볼 때 어떤 느낌이 드는가?
3. 자신을 대상으로 보는 사람과 관계를 맺는 것을 어떻게 생각하는가?

어떻게 대답했는가? 솔직한 대답을 했는가?

이 진단의 의미는 매우 중요하다. 다른 사람들이 우리를 어떻게 생각하는지 알 수 있을 뿐만 아니라, 그들의 실제 행동보다 우리에게 가지고 있는 감정에 훨씬 더 많이 반응한다는 것을 알 수 있다. 예를 들어 당신에게 호의를 베풀었지만 그 대가를 원했던 사람이 있는가? 혹시 약간의 보상금이라도 원했는가? 어떻게 대응했는가? 그 상황은 누군가가 당신을 한 인간으로서 진정으로 배려하여 친절하게 행동하고 진심으로 도와준 상황과 어떻게 다를까?

바꿔 생각해보면 다른 사람들은 당신이 그들에 대해 어떻게 생각하는지 알 수 있고 그에 따라 당신에게 반응한다. 만약 당신이 그들을 가치 있는 인간으로 생각한다고 느끼면, 그들은 당신을 가치 있게 대할 것이다. 만약 당신이 그들을 대상으로 느끼면, 그들은 당신을 대상으로 대할 것이다. 인생에서 더 좋고 풍요로운 관계를 원한다면, 외향 마인드셋을 강화하고 타인의 가치를 보는 정도를 높이는 것이 필수적이다.

일에서의 성공

비즈니스 전문가들에게 조직에서 신뢰가 얼마나 중요한지 물으면, 1점~10점 척도에서 10점이 "매우 중요하다"고 했을 때, 9점 밑으로 답하는 사람은 거의 없다. 우리는 신뢰가 팀과 조직의 성공뿐만 아니라 우리 자신의 직업적 성공에도 중요하다는 것을 잘 알고 있는 것 같다.

하지만 이 전문가들에게 조직 내 신뢰 수준이 어느 정도인지 물으면, 대다수가 7점 밑으로 답한다. 그들의 반응은 연구 결과로 확인된다. 포브스, 패스트 컴퍼니 및 인더스트리 위크 등 역사가 깊은 여러 매체는 다음과 같은 통계를 냈다.

- 직원의 82퍼센트가 상사가 진실을 말한다고 믿지 않는다.
- 직원의 24퍼센트만이 CEO가 윤리적 행동을 한다고 믿는다.
- 직원의 49퍼센트만이 상위 관리자를 신뢰한다고 말한다.
- 직원의 36퍼센트만이 리더가 정직하고 진실하게 행동한다고 믿는다.
- 지난 12개월 동안 직원의 76퍼센트가 노출될 경우 심각한 신뢰손상을 가져올 불법 또는 비윤리적인 행위를 목격했다.

만약 이 통계가 믿을만하다면, 우리는 단지 말로만 신뢰를 중요시하는 것처럼 보인다. 우리는 신뢰가 중요하다고 말하지만, 어쩔 수 없는 상황이 되면 리더, 관리자 및 직원들은 생산성과 수익성을 위해 서슴없이 신뢰를 깨버린다. 신뢰의 중요성에 대한 확고한 경제적 연구가 있다. 스티븐 M. R. 코비의 저서 〈신뢰의 속도Speed of Trust〉에 따르면 신뢰가 높아지면 성과와 생산성의 속도가 올라가고 비용이 내려가고. 반대로 신뢰가 떨어지면 속도가 떨어지고 비용이 올라간다고 밝히고 있다.

조직 내에서 그토록 많이 존재하는 불신의 원인은 무엇인가? 내가 생각하는 핵심 원인은 두려움이 주도하는 내향 마인드셋이다. 개인이 무시 받거나 평가가 나쁘거나 어떤 식으로든 세밀한 조사를 받는 것이 두려울 때, 자기 보호를 위해 내향적으로 변하게 된다. 내향적으로 변하면 직장에서의 신뢰와 인간관계의 질이 어떻게 될 것 같은가? 속도는 떨어지고 비용은 올라갈 것이다.

신뢰를 통해 직원과 조직의 성공을 이끌어내고 그들과의 양질의 관계를 원한다면, 외향 마인드셋을 개발하고 유지하며 타인을 가치 있는 사람으로 보는 문화를 만들어야 한다.

11장에서 언급했듯이 나는 갤럽에서 12가지 특별한 항목 중 어떤 것이 참여 동기에 가장 중요한지 조사했다. 그 결과 "내 의견은 직장에서 중요하다"는 항목이 직원들이 업무에 몰입하도록 보장하는 데 가장 중요한 요소로 나왔다. 두 번째로 중요한 항목은 "직장의 누군가가 나를 소중한 사람으로 여긴다"로 외향 마인드셋이 필요한 항목이다. 9개 기관 6만 명에 이르는 직원들에게 설문한 결과, 직원의 42퍼센트가 직장의 누군가가 나를 소중한 사람으로 여긴다는 것에 "강력하게 동의"하지 못한다고 나왔다. 이 갤럽조사에 의하면 결과적으로 12퍼센트만이 업무에 몰입한다는 뜻이다. 이 메시지는 간단하다. 직원들이 사람으로 존중받지 않는다면 업무에 몰입하지 않을 가능성이 높다.

이것이 벤자민 잰더가 발견한 것이다. 그는 경력 초반에, 주로 자신의 이름을 알리는 것에 집중하고 관심을 가지면서 비판을 두려워했다. 내향 마인드셋으로 가는 지름길에 있었다. 오케스트라 단원들의 감정보다 자신의 성공에 더 관심을 가지고 단원들을 그의 명성과 재산에 기여할 도구로 취급했던 결과 단원들은 만족도가 낮았고 서로 신뢰하지 못했고 몰입하지 못했다.

이렇게 되면 잰더가 단원들을 이끌고 동기를 부여하는 일이 더 쉬울까 아니면 더 어려울까? 잰더의 성공 가능성이 더 높아질까 아니면 낮아질까?

잰더가 자신의 성공에 집중한 것은 자신의 일을 더 힘들게 만들 뿐만 아니라 단원들이 마음껏 기량을 뽐내며 연주하는 것도 막았다. 아이러니하게도 성공을 향한 열망이 그가 추구하는 성공을 제한한 것이다. 잰더가 자신을 내려놓고 외향 마인드셋을 갖고 단원들을 소중한 사람으로 여길 수 있게 된 후에야 비로소 단원들이 최상의 능력을 발휘하는 환경이 만들어졌고 오케스트라도 더 큰 성공을 거두었다.

여기에서 좋은 교훈을 얻을 수 있다. 자신의 성공에 더 집착할수록 목표에 도달하기가 더 어려워진다. 성공하기 위해 의지해야 하는 사람들의 감정과 욕구를 존중하고 그들의 성공에 집중할수록 나의 성공에 이르는 길이 더 쉬워진다. 이 교훈은 개인적인 성공을 넘어 팀과 조직의 성공으로까지 확대된다. 두 가지 예를 생각해 보자.

〈하루 5분 아침일기〉라는 책을 준 안티스 루핑 앤 워터프루핑의 CEO 찰스 안티스를 기억하는가? 첫 번째 회의가 열리기 전에 리더십센터의 원장과 나는 다른 이사진들을 만났다. 그들은 일반적으로 비슷한 직함을 가지고 있었는데 안티스가 운영하는 회사보다 훨씬 더 큰 기업에 속한 사람들이었다. 그런 배경에서 나는 안티스를 만나는 것에 대해 약간 회의적이었음을 인정한다. 나는 그가 리더십에 어떤 의견을 제시할지 무척 궁금했다.

안티스를 만난 순간 모든 게 이해가 되었다. 그는 카리스마가 넘치는 지도자였는데, 더 나은 지역사회를 위해 기부한다는 뚜렷한 목적의식을 갖고 있었다. 그는 캘리포니아 주 오렌지카운티에 지어진 모든 해비타트 집에 수년 동안 지붕을 기부했다. 몇 년 전에는 한 단계 더 올려서 지원이나 도움을 청하는 모든 사람에게 도움을 준다는 개인적인 목표를 세웠다. 극단적인 그의 외향 마인드셋이 발휘된 것이다. 목표를 설정한 이후 그의 기부금은 급증했을 뿐만 아니라 동시에 그의 사업이 번성했고, 지역사회에서의 영향력이 커졌고, 지역 및 국가 차원에서 많은 상도 받았다. 최근에는 미국 상공회의소로부터 기업시민 상을 수상하기도 했다.

안티스는 성공의 비결이 자신의 성공을 위해 노력하는 데 있지 않고 오히려 다른 사람들이 성공하도록 돕는 것에 있음을 안다. 이러한 외향 마인드셋의 결과는 기업과 지역사회 모두에 지대한 영향을 미친다. 내부적으로 안티스의 직원들은 지붕을 고치는 것 이상의 분명한 목적을 가지고 있다. 지붕을 고치는 것은 고객들을 안전하게 하고 비에 젖지 않게 할 뿐만 아니라 더 넓은 지역사회에 긍정적인 영향을 미칠 수 있는 수

단으로도 작용한다. 목적이 이끄는 대로 일하는 직원들은 지붕 산업과 연관된 기업들이 무수히 많음에도 이직률이 낮고 오랫동안 근무한다. 한편 대외적으로는 비영리 리더십 프로그램인 로널드 맥도날드 자선재단을 지원하고 오렌지카운티의 노숙자 문제에 앞장서는 등 지역사회를 위해 일한다.

이번에는 오렌지카운티에서 동쪽으로 2400km 이동해 캔자스시티의 특수기동대가 만든 비슷하면서도 놀라운 영향력을 살펴보자. 캔자스시티 경찰은 수년간 그들만의 프리즘을 통해 범죄자들을 체포하고 감금해야 할 대상으로 보았다. 이런 마인드셋으로 과도한 폭력을 쓰거나, 용의자의 집 가구에 담배를 뱉어버리거나, 잠재적으로 위험한 개들에게 총을 쏘는 일이 드물지 않았다. 이로 인해 특수기동대는 캔자스시티 경찰청 내에서 월 평균 2~3건으로 가장 많은 민원이 접수됐으며, 해당 민원을 처리하는 데 건당 평균 7만 달러의 소송비용과 손해 배상금을 지불했다.

간부들은 변화가 필요하다고 직시했다. 그들은 마인드셋 관련 컨설팅 그룹인 아빈저 연구소에 의뢰했다. 그 효과는 즉각 나타났다. 맨 먼저 특수기동대 대원들의 생각과 행동이 바뀌었다. 그들은 범죄자들을 인격체로 대하고 존중하기 시작했다. 급습할 때 담배를 아무 데나 뱉지 않았다. 또한 훈련사를 고용하여 잠재적으로 위험한 동물들을 쏘는 대신 잘 통제하는 방법을 배우기 시작했다.

결과는 파격적이었다. 매달 2~3건의 민원을 견뎌왔던 특수기동대는 6년 넘게 단 한 건의 민원도 접수되지 않는 수준으로 발전했다. 사람들을 존중하면서 대했기 때문에 시민들이 그들과 협력했고, 지난 10년 보다 최근 3년 동안 마약 압수와 불법 총기 회수에 더 좋은 성과를 얻었다.

안티스나 캔자스 시 특수기동대 팀에서 일하는 것은 어떨 것이라고 생각하는가? 직원들이 자신이 지역사회에 미치는 영향을 자랑스러워한다고 생각하는가? 그들의 일을 통해 더 큰 영향력을 발휘 할 수 있고, 이로 인해 직원들의 기운이 북돋아진다고 생각하는가? 인정받고, 승진하고, 월급이 올라가는 방식으로 그들의 직장이 운영되고 있다고 생각하는가?

이 질문들에 대한 대답은 확실한 예스다.

우리 모두는 일에서 성공하기를 원한다. 우리는 인정받고, 승진하고, 조직의 수익성에 의미 있게 기여하기를 원한다. 이렇게 되길 바라고 매사에 노력하면서 과연 우리는 무엇에 집중하고 있는가? 대부분은 자연스럽게 내향적인 목적에 초점을 맞춘다. 눈에 띄려하고, 세간의 이목을 끄는 프로젝트에 참여하기 위해 정치 게임을 하고, 자신을 멋져 보이게끔 만들어 주는 사람들 속으로 스스로를 몰아간다. 그럴수록 전문적이고 조직적인 성공을 위해서는 외향 마인드셋이 핵심 요인이라는 사실을 간과하게 된다.

외향 마인드셋을 가지고 있을 때 우리는 자연스럽게 성공을 부르는 방식으로 생각하고, 배우고, 행동한다. 직책과 자원을 놓고 팀원들끼리 서로 다투고 속임수를 쓰느라 진을 빼는 대신 나와 나를 둘러싼 외부 세상을 돕는 방법이 있다는 것을 알아야 한다. 벤자민 잰더, 안티스 루핑 앤 워트프루핑, 캔자스 시 특수기동대의 사례를 통해 입증된 바와 같이 그러한 접근방식이 더 큰 성공을 가져온다.

리더십에서의 성공

15장에서 리더십을 다른 사람들이 목표를 달성할 수 있도록 힘과 영향력을 사용하는 것으로 정의하였다. 이 정의는 두 가지 의미를 내포한다.

- 리더가 되기 위해 공식적인 리더십 위치에 있을 필요는 없으며, 반대로 공식적인 리더십 위치에 있는 사람도 다른 사람들이 목표를 달성하도록 이끌지 못하면 리더가 될 수 없다.
- 리더십의 기본 요소는 힘과 영향력이다.

당신에게 힘과 영향력을 가진 세 사람을 잠시 떠올려보자. 그들로 하여금 그러한 영향력을 가지게 한 요인은 무엇인가?

많은 사람들이 우리에게 영향을 미치는 능력을 갖고 있지만 그 이유는 다를 수 있다. 예를 들어 배우자는 당신과 당신 삶의 운영 방식에 영향을 미칠 것이다. 그런데 왜 그들은 그런 힘과 영향력을 가지고 있을까? 당신에게 보여준 사랑에 대한 반대급부로 당신이 그들을 존경하기 때문인가? 아니면 성관계나 탐나는 물건을 사기 위한 돈 같이 당신이 원하는 것이 그들 손에 달려 있기 때문인가? 또한 직장의 관리자도 당신에게 권한과 영향력을 행사할 것이다. 그러나 재차 말하지만 이러한 힘과 영향력의 이유는 다를 수 있다. 어떤 사람에게는 관리자가 업무 환경의 질이나 이력을 통제하는 사람이지만, 또 어떤 사람에게는 관리자가 크게 존경받는 사람일 수 있다.

사람들이 우리에게 힘과 영향력을 갖는 이유와 방식의 차이는 그들이 주도하기로 선택한 권력 기반으로 귀결된다. 리더가 의지할 수 있는 두 가지 주요 권력 기반이 있는데, 조직과 개인이다. 조직 권력 기반에서 이끌어 나갈 경우, 원하는 목표를 유도하거나 강요하기 위해 보상이나 처벌을 휘두르는 권력의 위치에 의존한다. 사람들은 꼭 해야만 한다고 느끼기 때문에 따라간다. 한편 개인 권력 기반에서 이끌어 나갈 경우, 자신의 힘을 존중에서 비롯된 것으로 보고 보상이나 처벌을 통해가 아니라 그들이 제공할 수 있는 가치와 그들이 소유한 자질로써 다른 사람들에게 영향을 미치려고 한다. 사람들은 개인적인 힘을 가진 사람들이 따를 만한 가치가 있다고 판단될 때 따르므로 원해서 따르게 된다.

이 두 가지 권력 기반 중 기업 환경에서 일반적으로 사용되는 것은 무엇인가? 조직 리더들과 함께 일한 경험으로 미루어보아 대부분은 조직 권력에 의존한다. 왜냐하면 더 쉽게 얻고 쉽게 휘두를 수 있기 때문이다. 기본적으로 그러한 권력을 얻기 위해 해야 할 일은 권위 있는 위치에 오르는 것이다. 일단 그 위치에 오르면, 다른 사람들에게 영향을 미치고 동기를 부여하기 위해서 보상을 제공하거나 처벌로 위협하기만 하면 된다. 리더십에 대한 이러한 접근은 손쉬운 길이다. 권력의 자리로 진출하는 것 외에는 리더가 할 것이 없다. 반면에 개인 권력은 얻기도 휘두르기도 더 어렵다. 그것은 무언가를 더 요구한다. 즉 다른 사람들이 따르고 싶어 하는 사람이 되기 위해서는 개인적인 발전과 인간관계 형성을 위한 시간과 투자가 필요하다.

이제 더 중요한 질문이 남아 있다. 어떤 권력 기반이 더 효과적인가? 확실히 조직 권력은 단기적으로 효과가 있다. 하지만 장기적으로는 심각한 부작용이 따른다. 극단적인 예로 20세기 독일 수상이자 과도한 권력욕에 빠졌던 아돌프 히틀러와 그의 정권이 있다. 또는 비즈니스의 예로서 "전기톱"이라고 불린 알 던랩도 있다. 타임지에 따르면, 그는 역사상 가장 "최악의 10대 지도자" 중 한 명에 꼽힌다. 그는 조직의 이윤 창출을 위해 직원을 "감원"하거나 해고하는 접근법을 썼기 때문에 이 악명 높은 별명을 얻었다. 던랩 전기의 저자인 저널리스트 존 A. 번은 던랩에 대해 다음과 같이 썼다.

"수년간 기사를 썼지만, 알 던랩처럼 교활하고 무자비하며 파괴적인 경영자는 처음이다… 그는 회사와 사람들로부터 생명과 영혼을 빨아들였다. 존엄성, 목적, 조직의식을 훔쳤고 그 자리를 두려움과 협박으로 대체했다."

이 사람들은 엄청난 권력과 영향력을 가지고 있었고 주로 권위와 강압을 통해 많은 것을 성취했지만, 어떤 대가를 치르게 되었을까?

리더와 관리자의 효율성과 관련된 통계를 읽어보면 대부분의 관리자가 조직 권력을 기반으로 주도한다는 것이 분명해 보인다. 이러한 통계에는 다음이 포함된다.

- 직원 다섯 명 중 세 명은 높은 급여보다 상사가 바뀌기를 선호한다.
- 직원 세 명 중 한 명은 관리자와의 관계가 "다소 긍정적"이거나 더 나쁘다고 보고한다.

- 직원 다섯 명 중 세 명은 관리자가 자존심을 상하게 한다고 보고한다.
- 직원 다섯 명 중 두 명은 관리자가 생산성 향상에 도움이 되지 않는다고 보고한다.

더 효과적인 주도 방법은 개인 권력 기반에서 나온다. 지위가 아니라 사람으로서의 존재 가치를 보고 사람들이 따르는 인물이 되어야 한다. 우리가 그런 사람이 될수록 다른 사람들로부터 건전한 영향을 받는다. 사람들이 일을 해야 한다고 느끼는 환경 보다는 일하기를 원하는 환경을 만들어야 한다. 이런 식으로 운영하면 우리가 이끄는 사람들의 삶에 긍정적인 영향력을 주고 심지어 일생일대의 흔적을 남길 수 있는 기회가 생긴다. 조직 권력을 기반으로 주도하는 사람에 대해서는 다음과 같은 의견은 나오지 않는다.

- 그녀는 내가 함께 일해 본 사람 중 최고의 관리자이자 리더였다.
- 그는 오늘날의 내가 있기까지 도움을 주었다.
- 그녀는 단순히 관리자가 아니었다. 나의 멘토였고 내가 큰 성공을 할 기회를 잡도록 도와주었다.
- 그가 나를 위해 해준 일 때문에 나는 그를 위해 위험한 일도 마다하지 않았다.

우리가 주로 의존하는 권력 기반에서 내향 또는 외향 마인드셋이 어떤 역할을 하는지 이해하는 것이 중요하다.

내향 마인드셋을 가지면 우리 자신에게 가장 쉽고 편리한 일을 하는 쪽으로 생각하게 된다. 리더로서 권위를 활용하고, 노력에 대해서는 신속하게 대가를 지불하는 방식으로 이끌어 가는데, 이는 주로 보상과 처벌에 의존하여 원하는 바를 얻는 것을 의미한다.

우리가 이끄는 사람들과의 관계를 형성하는 데 투자하기보다는, 비용에 상관없이 우리의 필요와 이익을 충족시키기 위해 그들을 사물로 여기고 담보로 잡는다. 목표나 기한을 맞추라고 그들에게 주말 근무를 강요하기도 하겠지만, 초과 근무와 부족한 휴무일에 따르는 부정적인 면은 거의 생각하지 않는다.

우리가 이러한 방식으로 이끌어갈 때, 직원이나 동료 또는 팀원들이 우리를 따르고 영향을 받고 싶어 할 이유는 거의 없다. 만약 그들이 사물처럼 느껴진다면, 그들은 우리를 어떻게 볼 것인가? 아마 똑같이 대상으로 볼 것이다.

우리가 타인을 대상으로 취급할 때, 그들이 최선을 다해 가장 현명하고 고도로 숙련된 수준에서 일을 할까? 그렇지 않을 것이다. 그들은 평범하거나 아니면 질책을 받지 않을 정도로만 일할 것이다. 지도자는 자신의 권위에 점점 더 의존하고 보상과 처벌을 활용하여 일을 처리하도록 강요할 것이다. 리더는 직원들의 상대적 비효율성에 점점 더 불안해지고, 직원들은 사물로 취급받으니 점점 더 불만족스러워지면서 좌절의 악순환이 만들어진다.

반대로 외향 마인드셋을 가지면 우리가 이끄는 사람들을 위해 가장 좋은 일을 하는 쪽으로 생각하게 된다. 권위를 활용하여 보상과 처벌의 사용에 의존하기보다는 다른 사람들이 따르고 싶어 하는 리더의 특성을 개발하고 모범을 보이려고 노력한다. 또한 다른 사람들에게 영향을 미치는 능력이 인간관계의 질에 달려 있음을 안다. 이를 통해 우리가 이끄는 사람들과 의미 있는 관계를 만들려고 투자하고 발전하게 된다.

15장에서 소개한 대규모 조직의 인사 담당 부사장 데이비드는 30년 동안 이 조직에서 함께 근무해온 부하 직원 알렉스와 있었던 일을 들려주었다. 어느 날 회의 중에 데이비드는 알렉스에게 남은 직장생활 기간 동안의 목표가 무엇인지 물었다. "잘 모르겠습니다. 그런 질문을 받아본 적은 한 번도 없어요." 알렉스가 대답했다.

이 간단한 대답에서 알렉스의 이전 리더들과 그들이 주도했던 권력 기반에 대해 당신은 무엇을 엿볼 수 있는가? 알렉스가 데이비드를 얼마나 따르고 영향 받고 싶어 한다고 생각하는가? 나는 그럴 가능성이 꽤 크다고 본다. 사실 데이비드는 직원들이 위험을 마다하지 않고 따를 리더의 유형이다. 그는 취임 첫 1년 동안 조직 내 정규직 직원 2,500명을 모두 개인적으로 만나겠다는 목표를 세우고 달성하는 등 전형적인 외향 마인드셋 소유자다.

외향 마인드셋을 가진 리더가 작업그룹 전체 문화에 어떻게 영향을 미칠 수 있는지 대략 감이 오는가? 만약 당신이 사람으로서 뿐만 아니라 소중한 파트너이자 어떤 업무의 주요 인물로서 대접받는다면, 최선을 다해 가장 현명한 방법으로 열심히 그리고 숙련된 수준에서 일할 가능성이 높다. 아빈저 연구소가 발간한 〈상자 밖에 있는 사람Leadership and Self-Deception〉을 인용하자면, 우리는 "서로를 소중한 사람으로 올바르게 대할 때 똑똑한 사람이 얼마나 더 똑똑해질 수 있는지, 숙련된 사람이 얼마나 더 숙련될 수 있는지, 열심히 일하는 사람이 얼마나 더 열심히 일할 수 있는지 모른다."

좌절의 악순환을 만드는 것보다 개인 권력 기반에서 힘과 영향력을 이끌어내는 것이 권력의 선순환을 만든다. 외향적 리더들은 자신을 따르는 사람들에게 책임을 맡긴다. 직원들은 리더를 따르고자 하는 열망에 이끌려 자신의 역할을 훌륭하게 수행하고 리더는 그들에게 더 큰 신뢰를 보낸다. 결과적으로 이것은 더 큰 책임과 권한 부여로 이어진다.

리더로서의 효용성은 외향 마인드셋을 가진 정도에 근거하다. 다음은 외향 마인드셋을 가진 리더의 특징이다.

- 주변 사람들이 외향 마인드셋을 갖도록 유도한다.
- 자신이 이끄는 사람들의 노력, 기술 및 지능을 활성화시킨다.
- 좌절의 악순환이 아닌 권력의 선순환을 만든다.

이것은 리더가 될 수 있는 환경, 예를 들어 조직, 가족, 군대, 교회, 그 밖에 당신이 정하는 곳 어디에나 적용된다. 이러한 효과는 내가 이 두 가지 마인드셋에 대해 수행한 연구에서 볼 수 있다. 2,000여 명의 직원이 있는 조직과 함께 일하면서 나는 직원들에게 리더가 어느 정도로 내향 및 외향 마인드셋을 가지고 있다고 생각하는지 물었다. 그리고 4주 후 나는 같은 직원들에게 근무 환경을 어떻게 인식하는지 물었다. 결과는 직원들이 하위 사분위로 평가한 리더는 강한 내향 마인드셋을 가지고 있으며, 그들의 신뢰, 포용력, 심리적 안정감을 각각 3.29, 3.94, 3.92로 평가한 것으로 나왔다. 매우 동의하지 않음에서 매우 동의함까지 1점 ~7점 척도다.

기본적으로 전체 직원의 4분의 1은 리더가 그들을 사물로 본다고 느끼고 리더를 신뢰하거나, 소속감을 느끼거나, 자신의 역할에 안정감을 느낀다는 데 동의하지 않았다. 4분의 1이나! 하지만 직원들이 상위 사분위로 평가한 리더는 강한 외향 마인드셋을 가지고 있으며 그들의 신뢰, 포용력, 심리적 안정감을 각각 6.59, 5.86, 5.60으로 평가했다. 신뢰의 경우 100퍼센트 이상 높은 수치다.

요약

〈상자 밖에 있는 사람Leadership and Self-Deception〉에서 아빈저 연구소는 내향 마인드셋과 외향 마인드셋의 중요성과 결과를 언급하면서 다음과 같이 말한다. "아버지와 아들을 갈라놓고, 남편과 아내를 갈라놓고, 이웃과 이웃을 갈라놓는 것은 동료와 동료 사이를 갈라놓는 것과 같다. 회사가 실패하는 것은 가족이 실패하는 것과 같은 이유다."

궁극적으로 인간으로서 우리의 가장 기본적인 책임은 타인을 소중한 사람으로 보는 것이다. 이 때 외향 마인드셋이 필요하다. 우리가 마인드셋을 조금 더 외향적으로 업그레이드할 수 있다면, 우리는 관계의 질을 높이고, 직장에서의 효율성을 향상시켜 다른 사람들이 따르고 싶고 영향을 받고 싶어 하는 리더가 될 것이다.

Chapter 20

|

외향 마인드셋 개발하기

우리 모두는 인간이지 않은가? 모든 인간의 삶은 똑같이 소중하고 구원받을 가치가 있다. -J. K. 롤링

당신의 인생을 돌아보고 가장 의미 있었던 경험을 찾아보자. 그 당시 당신은 내향 마인드셋이었는가 아니면 외향 마인드셋이었는가?

나의 경우 가장 의미 있는 경험은 외향 마인드셋으로 바뀔 때였는데, 거기에는 두 가지 에피소드가 있다. 하나는 외향 마인드셋을 가진 나의 첫 번째 경험이고 또 하나는 사소하지만 큰 깨달음을 준 사례다.

과테말라

13살 때 부모님과 나는 크리스마스 기념으로 선물을 주고받는 것 대신 다른 일을 하기로 했다. 일종의 모험으로 다소 들뜨긴 했지만 썩 내키지는 않았다. 인도주의 단체에 가입해 과테말라의 작은 마을을 돕는 일이었다. 우리 그룹은 30명이 넘었다. 그중 절반이 의료 봉사를 하는 치과의사와 치위생사였는데 그들 대부분 치아 뽑는 일을 했다.

나머지 절반은 새로운 급수 시스템 설치를 돕는 사람들이었다. 토목 기술사인 아버지가 조장이었고 나도 그 그룹에 있었다. 우리는 오염되지 않은 샘을 찾아 댐을 쌓은 다음, 그 샘부터 이전의 단체가 지어놓은 콘크리트 저수지까지 파이프를 깔 예정이다. 내 임무는 정글칼로 파이프 길을 내는 일이다. 봉사자들이 다니기 쉬운 곳에 파이프 길을 내는 일은 거의 일주일은 걸릴 작업이다. 우리는 크리스마스 아침에 비행기로 출발했고, 한 차례 경로 변경을 한 후 과테말라의 두터운 습기를 뚫고 착륙했다. 앞으로 열흘 동안 우리는 울창한 정글 산에 자리한 작은 마을의 한 학교에 묵을 것이다. 10시간 동안 버스도 탔다가 걷기도 하며 구불구불한 길을 가니 마을이 나타났다.

유타 주 중산층 가정에서 자란 나는 가난이나 절박함을 마주할 아무런 대비가 되지 않은 상태였다. 산비탈의 계곡에 둥지를 튼 작은 마을 한가운데에 우리 숙소인 학교가 자리 잡고 있었다. 넓은 흙길의 가장자리였다. 그땐 진흙길이었다. 건기인데도 우리가 머무는 내내 안개가 끼었다. 흙길은 마을의 주요 도로이면서 축구장으로도 쓰였고, 때로는 돼지와 개들이 유유자적 돌아다니는 땅이기도 했다. 산비탈을 훑어보니 나무 사이로 살짝 나온 작은 집들이 보였다. 산비탈을 덮고 있는 사람 키

정도의 녹색 덤불도 보았다. 커피나무라고 했다. 이 지역의 모든 가정은 생계를 위해 커피를 땄고, 톤당 10달러를 받았다. 커피콩을 따고 난 후, 남자들과 소년들은 등에 13~27kg의 자루를 매고 진흙투성이의 미끄러운 산비탈을 내려와야 했다.

나는 주변을 계속 관찰하다가 길 건너편 덤불에서 세로로 반쯤 잘린 대나무 조각이 툭 튀어나온 것을 발견했다. 작은 물방울이 똑똑 흘러나왔다. 이것이 마을의 식수이자 목욕이나 빨래할 때도 쓰는 물이었다. 나중에 이 물의 오염이 마을 아이들이 앓는 질병의 주요 원인이라는 것이 밝혀졌다. 이 마을의 아동 사망률이 높은 이유였다. 유타 주 중산층 가정에서 온 아이인 나는 사람들이 이런 곳에서 도대체 어떻게 살 수 있는 건지 의아하기만 했다.

그 후 9일 동안 우리 그룹은 습하고 진흙투성이의 산비탈을 지나 샘이 있는 곳까지 몇 킬로미터를 걸어 다녔다. 우리는 그곳을 정돈하고 댐을 쌓은 후 파이프를 깔기 시작했다. 하루 일과가 끝나면 우리는 학교로 돌아와 치과의사들을 도왔다. 진료 받기 위한 사람들의 줄이 장사진을 이루었다. 어떤 사람들은 이를 뽑기 위해 수 킬로미터를 밤새 걸어왔다. 많은 사람들이 이를 뽑은 것에 안도하고 치통에서 벗어나 행복해하는 것이 내겐 생소했다. 이를 뽑기 위해 밤새 필사적으로 걷는 모습이 상상이나 가는가? 가슴이 아팠다.

나는 치과의사를 직접 도울 나이가 아니었기 때문에 마을의 아이들이 진료에 방해가 되지 않도록 함께 놀아주는 역할을 맡았다. 그것은 내게도 즐거운 일이었다. 그들은 내게 익숙한 많은 장비들, 특히 비디오카메라를 보는 것을 좋아했다. 나는 아이들을 녹화해서 보여주었다. 대부분 거울이 없었기 때문에 그들에게는 자신의 모습을 보는 귀한 시간이었다. 수십 명의 아이들이 한꺼번에 몰려들어 그나마 충분히 보지도 못했다.

이런 가난을 목격하고 봉사를 했으면서도 나는 여전히 나 자신만을 걱정했다. 나는 쌀, 콩, 플랜틴 바나나뿐인 음식에 불만이 많았고 너무 힘들거나 더러워지는 일은 피했다. 게다가 우리 그룹에서 내가 맡은 일이 아니라, 내가 흥미를 느끼는 일만 열심히 했다. 어느 날은 말벌 집이 있는 곳으로 길을 내는 바람에 얼굴과 목, 팔에 열 번 이상 쏘이기도 했다.

그런데 마을에서의 마지막 이틀 동안 나의 마인드셋이 외향적으로 바뀌었다. 이 변화를 알아채지 못했지만 나는 불평이 줄고 더 열심히 일하는 등 달라지기 시작했다. 항상 누군가 나를 즐겁게 해주길 바라는 대신, 마을 사람들에게 행복을 주고 섬기고 싶은 마음이 들었다. 나에게 없는 것으로 내 삶을 정의하는 대신, 깨끗하게 흐르는 물과 신발처럼 마을 사람들이 누리지 못한 많은 것을 누리고 있다는 사실에 감사하기 시작했다. 그 해 크리스마스 선물을 받지 못한 것과 유명한 브랜드가 아닌 옷만 늘 입는다고 투정부렸던 내 모습이 어리석게 느껴졌다. 마지막 날 샤워다운 샤워를 하고 잠자리를 준비하면서 나는 마을 사람들을 향해 마음을 활짝 열고 장벽을 무너뜨렸다. 어떤 방법으로든 그들을 돕고 싶었다. 여러 가지로 꼭 도움이 되고 싶었다.

단 며칠 만에 이렇게 달라지다니!

나는 이제 과테말라 마을 사람들에게 내 옷과 물건들을 최대한 많이 남기고 떠나려고 하고 있었다. 그러고 싶었다.

어린 시절 나는 다른 사람을 나 자신보다 중요하다고 여기지 않았다. 설사 그렇더라도 나름대로 필요와 감정을 가진 나만큼은 아니라고 생각했다. 그때만큼 타인에게 공감했던 적이 없었다. 나는 이것이 마인드셋의 변화인지 알지 못했지만, 다른 렌즈를 통해 바라보는 삶이 어떤 모습인지 엿볼 수 있었다. 그 이후로 외향 마인드셋이 내 안에 고착되었다고 말하고 싶은데, 사실 그렇지는 않았다. 하지만 지금까지 내 마인드셋을 업그레이드하는 작업을 해오면서 과테말라 산 속에서의 경험을 생각하면 내가 지녀야 할 마인드셋이 무엇인지 명확히 알게 되었다.

모자

몇 년 전 사소하지만 의미 있는 경험으로 인해 예전 과테말라에서의 극단적인 외향적 감정이 떠올랐다. 매년 애너하임 엔젤스는 타이탄 나이트를 위해 CSUF(타이탄의 홈)와 친선 관계를 맺는다. 티켓을 구입하고 경기에 참석하는 교직원들은 CSUF 상징 색깔의 애너하임 엔젤스 모자를 받는다. 모자를 받고 싶은데 함께 경기를 보러 갈 사람을 찾지 못한 나는 혼자 경기장에 갔다.

야구장에 혼자 가는 것의 이점 중 하나는 평소 이용하지 않는 우대석으로 몰래 내려갈 수 있다는 것이다. 처음 7이닝 동안 나는 자랑스럽게 새 엔젤스/CSUF 모자를 쓰고 엔젤스 더그아웃 몇 줄 뒤에 앉아 있었는데 엔젤스의 경기는 잘 풀리지 않았다. 그래서 나는 세븐스 이닝 스트레치 동안 가장 가까운 출구 쪽으로 올라가 경기장을 빠져나가려고 했다. 마지막 줄에 다다랐을 때 한 가족이 나를 멈춰 세우더니 모자를 어디서 샀는지 물었다. 그들은 아들이(마침 기념품점에 가고 없었음) 내 모자와 같은 모자를 간절히 원했는데 어디서 살 수 있는지 모르겠다고 말했다. 나는 그들에게 이 모자는 홍보 기념품으로 받은 것이라고 말했다.

문득 그 아이에게 내 모자를 줘! 라는 생각이 떠올랐다. 하지만 내향 마인드셋이 재빨리 치고 들어와 이 모자는 내가 이렇게 경기장에 홀로 와서 엔젤스가 박살나는 것을 7이닝까지 보며 앉아 있는 이유라는 것을 상기시켜주었다.

가족들은 알려줘서 고맙다고 했고 나는 다시 발걸음을 떼었다. 그 후 50여 계단을 오르는 동안 아까 그토록 강렬하게 일어났던 내향 마인드셋과 내가 원하는 외향 마인드셋이 머릿속에서 격렬한 논쟁을 벌였다. 나는 내가 모자를 갖는 정당한 이유를 모두 털어놓았고, 나의 외향 마인드셋은 필사적으로 그 정당성을 막으려고 했다. 하지만 그때 나는 스스로에게 질문을 했다. 내가 모자를 주면 그 아이는 어떤 기분이 들까? 이런 질문으로 나는 그 아이와 가족의 감정에 완전히 이입되었고 나자신의 감정과는 멀어졌다. 나는 가던 길을 멈추고 다시 그 가족에게로 걸어가 모자를 주었다. 놀랍게도 열 명이나 되는 가족 모두가 자리에서 일어나 악수를 하고 안아주었다.

걸어 나가면서 과테말라에서 느꼈던 감정이 다시 밀려왔다. 나는 내가 옳은 일을 했다는 것을 알았다. 타인을 소중한 사람으로 여기는 것의 느낌과 베푸는 것이 시간과 돈만큼의 가치가 있다는 것을 나의 외향 마인드셋이 알려주었다.

당신은 외향 마인드셋을 취할 수 있다

이러한 경험을 공유한 것은 다음의 두 가지를 증명하기 위해서였다.

첫째, 내향 마인드셋에서 외향 마인드셋으로 바꿀 수 있다. 심지어 내향 마인드셋 쪽에 가깝게 타고났다 해도 가능하다. 둘째, 외향 마인드셋으로 살 때 삶은 엄청난 가치를 갖게 된다.

나만 이런 변화를 겪은 것이 아니다. 대규모 방위 산업체인 레이시언의 리더십 팀도 내향 마인드셋에서 외향 마인드셋으로 전환하여 조직을 회생시킬 수 있었다. 이 사례는 아빈저 연구소의 〈아웃워드 마인드셋 The Outward Mindset〉에서 발췌한 것이다.

기업 합병 후, 레이시언 미사일 시스템즈Raytheon Missile Systems의 사장 루이즈 프란체스코니는 30일 이내에 1억 달러의 비용을 절감하라는 지시를 받았다. 그녀는 1억 달러를 삭감할만한 곳을 찾기 위해 각 부서장들과 회의를 열었다.

당신이 그 회의에 참석한 부서장 중 한 명이라고 상상해보라. 기업의 목표와 당신에게 요구되고 있는 것을 알고 있는 상태에서 당신은 어떤 마인드셋을 가질 것인가? 자기 부서의 비용을 삭감하고 싶지 않을 것이다, 그렇지 않은가? 이 부서장들은 내향 마인드셋을 가지고 있었고, 가능한 한 자기들의 부서를 보호하려고 했고 다른 부서장들을 경쟁자로 보았다. 각 부서장들은 형식적인 삭감을 제안했지만, 총 1억 달러에 크게 못 미쳤다. 곧 논의는 정리해고 방향으로 확대되었고, 그러자 부서장들은 훨씬 더 강한 내향 마인드셋을 취하며 자기 부서 직원들을 보호하기 위해 복지부동 자세를 취했다.

프란체스코니는 회의가 잘 진행되지 않는 것을 보고, 회의 참가자들의 마인드셋을 바꾸기 위해 두 가지를 진행했다. 첫째, 정리해고가 불가

피하다면 부서장들에게 해고될 가능성이 있는 사람들의 이름을 나열해 달라고 했다. 그리고 그들을 해고하는 것이 당사자들, 그들의 가족들, 그리고 더 큰 지역사회에 어떤 영향을 미칠지 물었다. 이러한 질문으로 부서장들은 그들이 논의하고 있는 대상이 사물이 아닌 사람이라는 것을 깨달았다.

둘째, 프란체스코니는 부서장들에게 두 명씩 짝을 지어달라고 요청했다. 그리고 이어지는 두 시간 동안 짝지어진 두 부서장간의 일대일 회의를 진행했다. 이 회의에서 서로 상대방의 사업 영역에 대해 최대한의 정보를 얻게 되었고 함께 일하면 어떤 시너지 효과가 날지 고민했다. 부서장들은 이 활동으로 자신만 보호하려는 마음을 버리고 다른 부서장들을 자신만큼 중요한 필요와 감정을 가진 사람으로 보았다.

이러한 마인드셋의 변화는 놀라운 결과를 가져왔다. 예를 들어 한 부서장이 자신의 사업부문을 동료 부서장의 사업부문으로 통합시키겠다고 자원했다. 조직 계층구조에서 자신의 직위가 낮아지는 것도 불사한 결과 회사는 700만 달러를 절감하는 효과가 났다. 비슷한 규모의 변화들이 줄을 지었다. 리더십 팀이 마인드셋에 집중하고 부서장들이 내향 마인드셋에서 외향 마인드셋으로 바꾸도록 도와준 결과 리더십 팀은 1억 달러 전액 비용 삭감에 성공하고 정리해고도 최소화했다. 레이시언은 외향 마인드셋을 기르는 데 지속적으로 집중하면서 전문가들이 5퍼센트 이상 성장할 수 없다고 예상하는 시기에도 사업을 두 배로 늘릴 수 있었다.

외향 마인드셋 개발하기

내향 마인드셋에서 외향 마인드셋으로 바꾸어 성장하고 싶거나 외향 마인드셋 자체를 더 강화시키고 싶다면 무엇을 해야 할까?

지금까지 전투의 전반부를 끝냈다. 초기에 깨닫는 과정을 거쳐, 이러한 마인드셋과 그 강력하고 다양한 의미에 대해 배우고, 현재의 마인드셋을 식별하고, 외향 마인드셋을 가졌던 때를 기억했다. 전투의 후반부는 뇌의 회로를 바꾸고 당신이 갇혀 있었을 틀에서 벗어나는 것이다. 이를 위해서는 다음 세 가지 단계를 추가로 밟아야 한다.

1. 내향적 마음가짐의 원인을 인식한다.
2. 핵심 질문을 이용하여 자신의 마인드셋을 지속적으로 평가한다.
3. 자기 관리를 효과적으로 한다.

내향적 마음가짐의 원인을 인식한다

우리가 내향적이 되는 주된 이유는 두 가지가 있다. 두려움과 자기배반이다. 이것을 알아차려야 우리 안의 내향성을 느낄 수 있다.

공포

이 책에서 논의된 다른 부정적인 마인드셋과 마찬가지로 내향 마인드셋은 두려움에 뿌리를 두고 있다. 내향 마인드셋을 활성화시키는 두려움은 구체적으로 다음과 같은 것이 있다.

- 몫이 다 돌아갈 만큼 충분한 양이 없다는 두려움
- 무시당함에 대한 두려움
- 목표나 기대에 부응하지 못하는 것에 대한 두려움

이런 두려움이 있을 때 우리는 타인보다 자신을 더 걱정하며 자기를 보호하고 내향적이 된다.

세 가지 두려움은 모두 18장에서 논의한 결핍된 사고의 형태로 뿌리를 내리고 있다. 우리가 결핍된 사고를 할 때 삶의 보상(예: 승진하기, 돈 벌기, 사랑받기)을 한정된 파이로 보고, 삶은 가능한 한 많은 파이를 차지하기 위한 경쟁이 된다. 따라서 다른 사람들이 파이의 상당량을 차지하는 것을 보면, 남은 파이의 양이 줄어들었다는 생각에 더욱 내향적이 된다.

최근 어떤 중소 은행의 한 중간 관리자와 대화를 할 기회가 있었는데, 열정이 과한 CEO가 특정 기간 내에 관리 중인 자산을 두 배로 늘리겠다는 목표를 주주들에게 제시했다고 말해주었다. 기한이 다가올수록 CEO는 점점 이상해져가며 은행의 리더들과 관리자들에게 큰 압박을 주고 있고, 그녀 생각에 CEO는 성장률을 높이기 위해 소위 채찍을 휘두르고 있는 것 같다고 했다.

이 여성의 관점에서 볼 때 그 CEO는 위의 세 가지 두려움을 모두 품고 있었다. 첫째, 이 목표는 고객을 위해 다른 은행과 경쟁한다는 관점에서 세워졌고 이것은 몫이 다 돌아갈 만큼 충분하지 않다는 틀 안에 들어 있다. 둘째, CEO가 왜 이런 목표를 세우고 기한을 정했는지는 확실하지 않지만, 그녀는 CEO가 은행을 매각한 후 많은 돈을 벌어서 더 큰 은행의 고위 관리가 되고 싶었기 때문은 아닐까 의심했다. 이것은 CEO가 "일확천금" 할 수 있는 가장 좋은 기회이며 이 기회를 이용하지 않으면 "실패" 하게 되고 또한 무시당한다는 생각이 들게 된다. 셋째, 주주들에게 이미 약속했기 때문에 설정해 놓은 목표를 달성하지 못할 경우 주주들의 기대에 부응할 수 없다는 두려움이다.

채찍을 휘두르는 유일한 방법은 상대방을 소중한 사람으로 보지 않는 것이다. 안타깝게도 이 CEO는 두려움 때문에 내면의 자기 보호 모드가 작동했다. 그의 생각에 목표에 도달하는 가장 좋은 방법은 직원들에 대한 가혹하고 불합리한 대우를 스스로 정당화하면서 직원들의 노력을 짜내는 것이다. 단순히 직원들이 오랫동안 더 열심히 일하는 것만 가지고는 은행 자산이 그렇게 짧은 기간에 두 배로 늘어날 수는 없다는 것을 그는 알지 못한다. 은행이 과거보다 더 창의적이고 혁신적으로 운영되어야 하는 일이다. 하지만 채찍을 휘두른다고 창의적이고 혁신적인 환경으로 바뀔까? 그렇지 않다, 오히려 정반대다.

그의 두려움과 내향 마인드셋은 은행이 목표를 향해 발전해가는 것을 제한하고 있다.

CEO가 활로를 찾기 위해서는 파이가 확장 가능하다고 믿으면서 두려움을 알아차리고 풍요로운 사고를 해야 한다. 만약 그가 몫이 충분히 돌아갈 것이라 생각한다면, 그리고 은행을 매각하는 것이 "일확천금"으로 가는 유일한 방법이 아님을 알고 목표를 향한 의미 있는 진전 그 자체가 승리라고 믿는다면, 주변 사람들을 더 소중히 여기고 목표 달성을 위해 필요한 혁신적이고 창조적인 환경을 더 잘 만들 수 있었을 것이다.

자기배반

우리가 내향적이 되는 또 다른 이유는 자기배반이다. 자기배반은 우리가 타인을 위해 뭔가를 해야 한다고 느끼는 것에 반하는 행위를 하는 것이다. 이것은 사소하기도 하고 심지어 평범하고 흔해서 얼핏 정상처럼 보이지만, 내재된 의미는 결코 가볍지 않다. 정서적 대혼란을 일으킬 수도 있다. C. 테리 워너가 쓴 〈우리를 자유롭게 하는 속박Bonds that Make Us Free〉에는 자기배반이 잘 드러나 있다. 다음 사례는 이 책에서 나온 것이다.

30대 초반의 리처드는 결혼해서 어린 아기가 있다. 어느 날 새벽 2시, 리처드는 아기가 우는 소리에 잠이 깼다. 그 순간 아내마저 깨지 않도록 아기와 함께 일어나야 한다는 생각이 들었다. 그러나 리처드는 이 감정을 배반하고 일어나서 아기 달래는 것을 하지 않기로 했다. 그는 자신이 해야 한다고 느끼는 일을 하지 않았기 때문에 이 불명예스러운 상황에 대처해야 했다. 즉 자신을 배반하기로 한 자신의 결정을 정당화해야 했다.

자기배반을 정당화해야 할 때 세 가지 반응이 일어나는데, 이 때 내향 마인드셋이 생긴다. 첫째, 원하는 행동을 하지 않은 것에 대한 변명을 생각한다. 리처드의 경우 무반응을 보인 것이 옳은 것처럼 보이게 해야 했다. 그의 하루는 일찍 시작되었고 "중요한" 하루를 위해 수면이 필요하다고 생각했다.

둘째, 다른 사람들을 비난한다. 자기 정당화의 일환으로 상대방을 왜 배려하지 않아도 되는지 이유를 밝혀야 한다고 생각한다. 리처드의 경우 "아기를 돌보는 것은 아내의 일이다," "아내는 다시 잠들 수 있다,"

"아내가 아기를 재우기 전에 기저귀를 갈아주는 것을 잊어버렸을 것이니 어차피 아내의 잘못이다."라고 생각하면서, 왜 아내가 일어나 아기를 돌봐야 하는지 이유를 찾기 시작했다.

셋째, 스스로를 희생자로 여긴다. 자신을 정당화하고 다른 사람을 비난한 우리는 공식적으로 우리 자신에게 희생자 역할을 맡긴다. 실제로 일어난 일은 우리가 마음이 원하는 일을 하지 않은 것뿐인데 마치 학대라도 당한 기분이 든다. 리처드의 경우 자신의 무반응에 대한 증빙서류를 제출하는 것처럼 자신의 무반응의 정당성을 증명하고 있다. 우리는 자신이 피해자 같을 때, 다른 사람들이 우리를 학대하고 있다는 증거를 줄기차게 찾는다.

이 세 가지 반응은 우리가 원래 하고 싶었던 일을 하지 않는 것이 정당하다고 느낄 수 있는 유일한 방법이다. 그 결과 우리는 내향 마인드셋을 취하고, 다른 사람들을 폄하하면서 스스로를 높인다. 타인을 소중한 사람으로 대한다면 그렇게 할 수 없다. 워너에 따르면 문제의 진실은 "우리가 다른 사람들에게 친절을 베풀 자격이 없다는 이유를 찾아내거나 발명하지 않는 한, 남에게 친절을 베풀지 않는 것을 정당하다고 느낄 수 없다."는 것이다.

자기배반과 그에 대한 우리의 반응으로 관계를 파괴하는 잔인한 악순환이 시작된다. 그것은 우리 자신의 잘못에서 출발하지만 다른 사람들이 우리를 잘못했다고 믿는 것으로 끝난다.

우리는 심지어 이 악순환을 유발할 수도 있다. 리처드가 아침에 아내를 어떻게 대할 것 같은가? 아내는 이에 대해 어떻게 반응할 것 같은가? 이제 그들은 교착상태에 빠졌다. 모든 것은 리처드가 자신을 배반했기 때문이다.

두려움과 자기배반 깨닫기

우리가 내향적이 되는 두 가지 주된 이유는 두려움과 자기배반이며, 이는 내향 마인드셋이 되는 것을 쉽게 정당화한다. 두려움과 자기배반을 인식하지 못할 때, 우리는 내향 마인드셋을 가지고 있다는 사실도, 훨씬 더 나은 생산적인 대안이 있다는 사실도 알지 못한다. 내향적이 된 이유를 깨닫기 전까지 외향적 마인드셋으로 바꾸는 데 어려움을 겪을 것이다.

핵심 질문을 이용하여 자신의 마인드셋을 지속적으로 평가한다

마인드셋을 개선하는 것은 뇌의 회로를 다시 연결하는 것을 포함하며 이것은 시간이 지남에 따라 반복되는 작은 개입을 통해 가능해진다.

외향성이 강화되도록 뇌의 회로를 다시 연결하는 가장 좋은 방법은 다음과 같은 예리한 질문을 함으로써 우리의 마인드셋을 지속적으로 평가하는 것이다.

- 내가 타인을 사람으로 보는가 아니면 사물로 보는가?
- 그들이 최선을 다하고 있다고 생각하는가?
- 그들이 빛나지 않는다면 나란 존재는 무슨 의미가 있겠는가?

이러한 질문들을 통해 우리는 의식적으로 마인드셋을 더욱 외향적으로 재설정할 수 있다. 반복해서 재설정할수록 외향 마인드셋이 자리를 잡는다.

〈우리를 자유롭게 하는 속박Bonds that Make Us Free〉에서 발췌한 두 가지 자기성찰적 질문은 다음과 같다.

- 극장에 있는 당신 자신을 사랑하는가 아니면 당신 안에 있는 극장을 사랑하는가?
- 만약 다음 사진 중 한 장을 당신 자서전의 표지에 실을 수 있다면 무엇을 선택할 것인가?
a. 당신을 숭배하는 자들에게 둘러싸여 있고 당신이 초점인 사진
b. 당신이 사랑하고 가장 염려하는 사람들의 사진

두 질문 모두 우리에게 우선순위를 고민하게 만들고 다른 사람들과 비교해 자신을 어떻게 바라볼지 결정하게 만든다.

자기 관리를 효과적으로 한다

우리 몸이 무언가 결핍되면, 우리의 마음은 그 결핍을 충족시키는 데 초점을 맞추어 내향적으로 변한다. 우리가 진짜 절박한 상황에 처하지 않는 한, 우리가 흔히 접하고 개인적으로 통제할 수 있는 두 가지 욕구는 배고픔과 피로다. 배가 고프거나 피곤해지면 이러한 욕구를 해결하는 것이 급선무가 된다. 그런 결핍에 압도당하면 다른 사람을 자칫 결핍을 보충하는 데 방해가 되는 사물이나 장애물로 보게 된다. 말 그대로 아

사 직전에 괴팍해진 상태가 되는 것이다. 그러므로 음식, 식사, 휴식, 그리고 수면을 의도적으로 관리하는 것이 중요하다.

광범위한 의미에서 효과적인 자기 관리란 우리 삶을 균형 있게 꾸려가는 것을 의미한다. 기분이 상하거나 스트레스를 받거나 과도하게 감정적일 때, 우리는 외부로 눈을 돌려 다른 사람들과 공감하는 능력을 제한하면서 내향적 성향이 더 강해진다.

추가 자료

이 마인드셋이 당신이 작업해야 할 세트라고 생각하면, 다음의 추가적인 자료를 참고하여 도움을 받길 바란다.

- 아빈저 연구소의 〈상자 밖에 있는 사람Leadership and Self-Deception〉, 〈나를 자유롭게 하는 관계Anatomy of Peace〉, 〈아웃워드 마인드셋The Outward Mindset〉
- C. 테리 워너의 〈우리를 자유롭게 하는 속박Bonds that Make Us Free〉
- 브레네 브라운의 〈리더의 용기Dare to Lead〉
- 킴벌리 화이트의 〈전환The Shift: How Seeing People as People Changes Everything〉
- 셰팔리 차바리의 〈의식있는 부모The Conscious Parent: Transforming Ourselves, Empowering Our Children〉

요약

내향 마인드셋에서 외향 마인드셋으로의 전환을 설명할 때 흔히 "마음의 변화"라는 표현을 쓴다. 자신을 보호하고 발전시키는 데 초점을 맞춘 내향 마인드셋에서 다른 사람의 가치와 아름다움에 마음을 여는 것으로 옮겨가는 것이다. 이 변화, 즉 마음의 변화는 다음과 같은 것을 요구한다.

1. 이러한 마인드셋과 그 힘에 대해 배워라.
2. 현재의 마인드셋을 깨우쳐라.
3. 자신의 가능성을 일깨우기 위하여 외향 마인드셋을 가졌던 때를 회상하라.
4. 내향 마인드셋의 원인을 조사하여 파악하라.
5. 핵심적 자기성찰의 질문을 함으로써 자신의 마인드셋을 지속적으로 평가하라.
6. 효과적으로 자기관리를 하라.

VI
PART

결론

Chapter 21

|

성공을 위해서는
고통의 뿌리를 찾아야 한다

치유를 위해서는 상처의 뿌리를 찾아 뿌리부터 위쪽 끝까지 치료해야 한
다. -루피 카우르

몇 년 전 아내는 일주일에 약 32km씩 규칙적으로 달렸다. 아내는 이
새로운 취미를 무척 좋아했지만 무릎에 통증이 생겼다. 통증을 다스리
기 위한 첫 단계는 1장에서 언급한 나의 무릎 통증 치료 방식과 비슷했
다. 새 신발을 사온 아내는 올바른 달리기 자세를 위한 네 가지 원칙을
가르쳐달라고 했다. 하지만 이 네 가지 원칙을 지켜도 아내의 무릎 통증
이 나아지지 않았다.

얼마 지나지 않아 가족 휴가를 갔는데 작업 치료사인 내 동생도 같이

갔다. 증상이 점점 더 심해져 우울감도 찾아온 상태인 아내는 통증을 치료할 방법이 있는지 물었다. 동생은 무릎 인대가 늘어나 무릎 뼈가 안정적이지 않다고 설명하며 무릎 보호대를 착용해보라고 제안했다. 아내는 무릎 보호대를 착용해보았다. 마법이 일어난 듯 통증이 사라졌다. 그 이후 몇 가지 사건들로 인해 무릎 상태를 더 정확히 알게 되었고, 무릎 보호대가 통증 완화에는 효과가 있지만 통증의 원인을 해결하지는 못한다는 것을 깨달았다.

그 사건들은 우리 가족이 크루즈를 타면서 시작되었다. 나는 하프마라톤에 나갈 준비를 하고 있었을 때라 크루즈에 탑승한 후 헬스장이 있는지를 가장 먼저 확인했다. 크루즈에는 탑승객들에게 건강 관련 제품을 홍보하는 여러 부스가 마련되어 있었다. 그중 한 곳에 있던 개인 트레이너가 내게 신발을 벗고 바닥에 놓인 하얀 패드를 밟아보라고 권유했다. 나는 순순히 응했다. 그 패드는 내가 발을 디딜 때 체중이 발에 어떻게 분산되는지 나타내는 압력판이었다. 영업을 위한 말이었을 수도 있지만 그는 나의 체중 분산 상태에 문제가 있다고 말했다. 그런 다음 교정도구의 중요성을 강조하며 나의 평소 자세, 균형 및 달리기 자세를 교정하기 위해 신발에 넣을 수 있는 작은 교정구를 보여주었다. 그 당시 나는 발 교정구에 대해 주로 "노인"을 위한 도구라는 고정관념만 있었을 뿐 잘 알지 못했다. 이 고정관념에다가 가격도 터무니없이 비싸서 그냥 넘겨버렸다.

크루즈 여행을 마치고 집으로 돌아온 후 나는 바로 달리기 동호회 사람들과 함께 연습을 시작했다. 마침 멤버 중에 족부 전문의가 있어서 발 교정구에 대해 질문했고 병원에 가봐야 하는 상태인지 물었다. 그때 다른 멤버 세 명이 대화에 끼어들더니 발 교정구의 효과에 대해 칭찬을 늘어놓기 시작했다. 알고 보니 이 동호회에서 나만 발 교정구를 착용하지 않고 있었다. 족부 전문의 역시 30년 이상 발 교정구를 착용하고 달리기를 해왔다고 덧붙였다. 그는 크루즈에서 트레이너가 말한 교정구의 몇 가지 신화 같은 효과만 빼고 교정구의 이점을 간추려 설명해주었다. 나는 이 족부 전문의의 도움으로 발 교정구를 맞추었다. 마침 내가 들었던 보험으로 교정구 비용과 의사의 진료비까지 보장되었다.

아내도 내 말을 듣고 나서 족부 전문의와의 약속을 잡았다. 의사는 가장 먼저 아내 발의 엑스레이를 찍었다. 굽은 중족골, 중족골 사이의 부자연스러운 간격, 정상보다 약간 평평한 발 모양 등 몇 가지 심각한 문제가 있었다. 아내는 엑스레이 사진에서 드러난 것을 걱정하며 이렇게 많은 문제의 원인이 무엇인지 의사에게 물었다. 의사는 유전적인 영향도 있고 신발이 잘 받쳐주지 못한 영향도 있다고 말했다.

족부 전문의는 아내의 무릎 통증의 근본적인 원인이 발에 있다고 했다. 늘어난 무릎 인대는 발의 문제점을 보완하려는 다리 근육의 결과였다. 무릎 보호대를 착용하면 달리는 동안 통증은 덜 느끼겠지만, 문제의 원인을 제거하지는 못할 것이라고 했다. 발을 치료하지 않으면 시간이 지날수록 다리에 다른 문제가 생길 것이라고 덧붙였다.

아내는 충격을 받았다. 몇 년째 계속 되어온 무릎 통증을 해결하려고 온갖 시도를 다 해봤고, 무릎 보호대 착용으로 나아졌다고 생각했건만 무릎이 문제가 아니었던 것이다. 무릎의 토대인 발의 문제였던 것이다. 이 사실을 알지 못했다면 통증 부위만 계속 치료했을 것이고 근본적인 문제를 제대로 치료하지 못했을 것이다. 이제 아내는 달리기를 방해했던 통증의 근본 원인을 알게 되었고 이를 해결할 수 있는 힘이 생겼다. 문제의 근원을 찾아 뿌리를 뽑은 것은 물론이고, 발 문제를 알지 못했다면 평생 겪었을 수많은 다른 문제들도 예방할 수 있었다.

마인드셋의 근본적 역할

아내의 발이 달리기의 토대가 되는 것처럼, 우리의 마인드셋은 우리의 삶, 일 그리고 리더십 전반에 걸친 성공의 토대가 된다. 혹시 당신의 삶, 일 그리고 리더십에 고통이나 불편을 겪고 있는가? 상황이 잘 안 풀리기 때문일 수 있다. 아니면 상황은 좋지만 더 나은 것을 원하거나, 기대했던 만큼 진전된 게 없어서일 수도 있다.

나아가 당신의 삶, 일 그리고 리더십에서 어떤 고통이나 불편함을 겪고 있다면, 어떻게 치료해왔는가? 통증이 일어나는 곳에 집중해 보았는가? 아니면 통증의 뿌리를 찾아 치료하려고 해보았는가?

자신의 마인드셋을 보지 못한다면, 문제를 잘못 진단하고 표면적인 수준에서만 치료하게 되며 계속해서 좌절할 것이다.

앞에 자주 등장한 비영리 단체의 회장인 앨런의 경우가 그랬다. 그는 직원들에 대한 실망감과 직원들의 낮은 업무 성과로 고통을 겪고 있었고 고통이 느껴지는 부위를 해결하려고 애썼다. 실망감을 치료하기 위해 직원들의 세세한 것까지 관리했고 낮은 업무 성과를 해결하기 위해 직원들을 해고하거나 강제로 쫓아냈다. 이러한 조치는 당장에는 효과가 있는 것 같지만 결국 앨런의 좌절감만 가중시킬 뿐이다. 그는 이제 사업을 추진하는 대신 직원들을 더 엄격하게 감시하고, 신입 사원을 채용하고, 업무 속도를 끌어올리는 데 상당한 시간을 투자해야 한다고 생각한다.

앨런이 하지 않은 한 가지가 있다. 바로 이런 문제들의 뿌리인 마인드셋을 깨닫지 못한 것이다. 마인드셋에 눈을 뜨기 전까지는 연속되는 좌절과 조직발전의 지연이라는 악순환을 멈출 수 없다.

조직적 마인드셋

개인적 차원에서 마인드셋을 간과하게 될 경우 좌절을 맛보고 발전에 한계가 생기는 것을 보았는데, 조직 차원에서도 같은 결과가 발생한다. 조직 차원에서 일어나는 가장 일반적인 문제다.

- 부실한 리더십과 경영
- 변화를 효과적으로 맞이하고 탐색할 수 없음
- 포용력 부족
- 직원의 사기 저하 및 효율성 감소

이 각각의 문제 뿌리에는 부정적인 마인드셋이 있다.

컨설팅 실무를 할 때 나는 어떤 조직에 들어가 내가 개발한 마인드셋 평가를 최고 리더십 팀에 속한 직원들에게 실시한다. 이렇게 하면 조직의 집단적 마인드셋을 평가할 수 있고 조직의 문화, 두려움, 강점을 빠르게 이해하는 데 도움이 된다. 그리고 조직과 협력하여 이러한 이슈들을 논의하는 시간을 갖는다. 그러면서 문제의 근원과 더 큰 성공을 막고 있는 요소가 무엇인지 진단하고 구체적으로 밝혀낸다. 그 결과 조직이 문제를 근원적으로 다루도록 도울 수 있고, 방해가 된 마인드셋을 찾아 업그레이드하고 그들이 추구하는 더 큰 성공을 향해 길을 열어준다.

몇 가지 예를 들어보겠다.

첫째, 나는 운 좋게도 포춘 10대 기업과 함께 일할 기회가 있었다. 그들이 내게 손을 내민 이유는 대규모 합병 전에 130명의 최고 리더들에게 가장 효과적인 마인드셋을 확실히 심어주고 싶다는 것이었다. 마인드셋 평가를 실시해보니 강점과 약점의 영역이 드러났다. 그들 문화의 강점은 개방적인 리더십을 발휘하는 그룹이라는 점이었다. 전체적으로 리더의 57퍼센트가 개방 마인드셋이 강했고 81퍼센트는 연속체 상 개방 마인드셋 쪽에 가까웠으며, 4퍼센트만이 폐쇄 마인드셋이 강했다. 이러한 개방성은 합병이 진행되는 조직의 직원들에게 심리적으로 안전한 환경을 보장해주는 데 도움이 될 것이다.

리더십 문화의 약점은 리더의 42퍼센트가 고정 마인드셋을 사용한다는 점이었다. 도전을 대하는 태도에서, 리더의 42퍼센트는 도전을 배우고, 성장하고, 발전하는 기회로 보기보다는 도전을 피하고, 자신의 이미지를 보호하도록 프로그래밍 되어 있었다. 빨간 경고등이 켜졌다고 할 수 있다. 하지만 이것을 마인드셋 문제와 연결시키자 대책을 세울 수 있었고 그 일환으로 조직의 최고 지도자들이 성장 마인드셋을 갖도록 돕는 발제를 창안했다.

둘째, 중견 고객서비스 회사의 상위 40명의 리더들과 함께 일할 기회가 있었다. 마인드셋 평가 결과는 앞선 포춘지 기업보다 훨씬 덜 긍정적이었다. 리더의 약 50퍼센트는 고정 마인드셋을, 48퍼센트는 폐쇄 마인드셋을, 66퍼센트는 예방 마인드셋을, 34퍼센트는 내향 마인드셋을 가지고 있었다.

결과를 분석하면서 이 회사에 많은 두려움이 존재한다는 사실을 알게 되었다. 대부분 실패에 대한 두려움이었다. 리더와 직원들 모두 고객에게 실수를 하면 고객이 떠나 다른 공급업체를 찾는다는 것을 경험한 적이 있다. 그래서 리더들은 대체로 실패에 대한 두려움을 조직 내에 조성했다. 그 두려움은 의도된 것이었지만, 나는 그것이 내부적으로나 외부적으로나 부작용을 낳는다는 것을 일깨워주었다. 내부적으로 직원들은 실수를 하게 되면 스스로가 안전하지 못하다고 느꼈는데 그럴 경우 창의성과 혁신성을 제대로 펼칠 수 없다. 실수나 문제가 발생할 때 이를 적절히 처리하고 차후 발생하지 않도록 드러내기 보다는 은폐하기 바쁘다. 외부적으로는 회사가 고객들에게 불쾌감을 주지는 않겠지만 그렇다고 만족시키는 것도 아니다. 문제가 없다는 것이 만족을 의미하지 않는다.

또한 상위 40명의 리더를 살펴보면, 66퍼센트가 적어도 두 개 이상의 부정적인 마인드셋을 가지고 있었는데, 그중 29퍼센트는 세 가지를, 그리고 13퍼센트는 네 가지 부정적인 마인드셋 모두를 가지고 있었다. 만약 이러한 조직에 들어갔다면 그다지 능률적으로 일하게 될 것 같지 않다. 이러한 리더들은 대부분 성공을 제한하고 직원들을 해고하며 좌절감을 유발하는 마인드셋을 가지고 있었다. 결과를 종합해보면 리더와 직원들이 조직을 발전시키기 보다는 자기보호에 더 집중하는 문화임을 알 수 있다.

앞선 두 조직을 비교해 보면 어떤 회사가 더 뛰어난 리더십을 발휘하어 효과적으로 경영하고 있는지, 변화를 보다 효과적으로 시작하고 탐색하는지, 더 포용적인지, 직원의 사기와 효율성이 더 높은지 쉽게 알 수 있다.

지금 이 순간 어떤 조직이 더 나은 마인드셋에 토대를 두고 있는지와 상관없이, 각 조직 리더들에게 집단적 마인드셋 평가를 실시한 의의는 동일했다. 리더들은 자신의 마인드셋을 깨닫고, 공통적인 고통, 좌절 그리고 발전 부족의 근본 원인을 파악함으로써 자아의식을 향상시킬 수 있었다. 즉 근본적인 차원에서 문제를 해결할 수 있는 힘을 얻었다.

마인드셋 깨우치기

수천 명의 사람들이 개인 마인드셋 평가를 실시했다. 그중 5퍼센트만이 성공에 필요한 마인드셋을 꾸준히 활용하고 있다.

만약 당신이 마인드셋을 향상시킬 여지가 있는 95퍼센트에 속한다면, 언제든 환영한다! 나 또한 그 95퍼센트에 있다. 우리의 삶과 우리가 처한 상황 속에서, 또는 어긋난 최선의 노력 등으로 인해 우리는 본의 아니게 성공에 한계를 두는 마인드셋을 개발해 왔다.

그렇다고 패배감을 느낄 필요는 없다. 이상에 미치지 못한 마인드셋을 가진 것은 우리의 잘못이 아니다. 우리는 자기도 모르게 마인드셋의 힘과 중요성을 과소평가해 왔고, 현재의 마인드셋과 성공에 가장 도움이 되는 마인드셋, 그리고 더 밝고 성공적인 미래로 가는 길을 식별할 수 있는 언어와 틀이 부족했을 뿐이다.

나는 매일 큰 희망을 품고 살아가는데, 멘탈 렌즈를 개선하려는 노력이야말로 이전에는 없었던 새로운 수준의 성과와 성공을 가져올 것이라는 믿음이 바로 그것이다. 당신도 같은 마음이길 바라며 다음과 같은 희망의 씨앗을 심고자 한다.

- 이 책을 읽으면서 마인드셋이 당신의 삶에서 근본적이고 중요한 역할을 한다는 것을 알게 되길 바란다.
- 이제 당신의 마인드셋에 대해 이야기하고 평가할 수 있는 언어와 틀을 가지고 그 다음 단계로 나아가길 바란다.
- 이제 성공에 가장 도움이 되는 마인드셋이 무엇인지 파악했기를 바란다. 또한 이 책에서 제시한 사례와 연구를 통해 네 가지 성공 마인드셋이 가진 위력을 알기 바란다.
- 각각의 성공 마인드셋이 중요하다는 것을 잘 받아들이길 바란다. 한 가지 마인드셋이라도, 아니면 한 마인드셋의 어느 일부라도 작동하지 않으면 어떻게 될까? 그게 당신의 성공에 어떤 제약을 행사할까?
- 현재 마인드셋을 파악하고 그 마인드셋이 부정에서 긍정에 이르는 연속체 중 어디쯤에 위치하는지 평가할 수 있기를 바란다.
- 이 책이 당신의 삶, 일 그리고 리더십에서 더 큰 성공을 거두기 위해 마인드셋을 어떻게 업그레이드할 것인가에 대한 지침이 되었길 바란다.

궁극적으로 당신이 해방감과 동시에 힘을 얻었길 바란다. 우리 삶에 있어 마인드셋의 근본적 역할과 우리가 가지고 있는 특정한 마인드셋을 깨닫지 못한다면, 우리는 마인드셋의 부정적인 측면에 사로잡히게 된다. 이제 당신의 마인드셋을 일깨웠으니, 그동안 당신을 제지해 온 굴레에서 벗어나길 바라며, 새로운 고지에 오를 수 있는 힘 또한 느껴보길 바란다.

내 인생의 여러 지점에서, 나는 네 가지 마인드셋 연속체 중 부정적인 쪽을 모두 겪어보았다. 이 깨달음의 과정을 직접 경험하면서 나는 해방감과 힘을 느꼈다. 항상 이상적인 상태는 아니지만, 내 마인드셋은 주로 긍정적인 쪽에 있다. 이렇게 업그레이드를 하기 전에는 진흙 속에서 차를 밀어내는 것처럼 발전이 더디고 힘들었다. 마인드셋을 업그레이드하니 발전이 훨씬 더 순조롭게 이루어진다. 마치 기름칠이 잘 된 스포츠카 같다.

현재 당신의 마인드셋이 어디에 위치해 있는지와 상관없이 당신은 이미 훨씬 앞서가고 있다. 잠시 생각해보자. 친구, 동료, 가족 중 몇 퍼센트가 지금 당신이 마인드셋에 대해 알고 있는 것만큼 알고 있을까? 사람들은 보통 자신의 능력이 어디까지인지 파악하지 못하고, 자신의 삶, 일, 리더십에서 더 큰 성공을 거두기 위해 가져야 할 마인드셋을 정확하게 알지 못한다. 당신은 더 이상 성공의 열쇠를 우연히 발견하기를 바라며 어둠 속을 헤맬 필요가 없다. 당신은 그 열쇠를 손에 쥐었다. 자, 이제 그 열쇠로 무엇을 할 것인가?

이렇게 마인드셋의 탐구를 마무리하기는 하지만, 여기서 끝이 아니다. 당신이 얻은 깨달음과 손에 쥔 열쇠로 무엇을 할 것인지, 진짜 이야기는 지금부터 시작된다. 네 가지 성공 마인드셋을 개발하여 할 수 없는 일이 있을까? 거의 모든 것을 다 할 수 있다. 관건은 할 의지가 있는가? 이다. 이 책에서 배운 것을 응용하여 당신과 당신에게 일어난 이야기를 책으로 써주길 바란다.

작업을 시작하자.

성장 마인드가 되자: 능력, 재능 및 지능을 바꿀 수 있다고 믿어라.

개방 마인드가 되자: 진리를 좇고 최적의 사고를 추구하라.

추진 마인드가 되자: 당신이 나아가고 있는 분명한 목적과

목적지를 가져라.

외향 마인드가 되자: 타인을 가치 있는 인격체로 보고,

그렇게 소중하게 대하라.

이제 나가서 새로운 마인드셋으로 세상을 바꾸어라!